JACKIE COLLINS

Depuis son premier roman, paru en 1969, et après une brève et tumultueuse carrière théâtrale, Jackie Collins est devenue un écrivain vedette dans le monde entier. Elle vit à Los Angeles, dans le décor même de ses livres, et personne ne connaît mieux qu'elle les turpitudes et la magie de cette ville.

Au fil de récits captivants, elle lève le voile sur les frasques de Hollywood : "Tout est vrai, dit-elle. Je raconte la vie de personnalités réelles sans les nommer. Cela dit, mes personnages sont plutôt sobres : la réalité est bien plus étonnante encore."

Jackie Collins reste la seule à nous livrer la vérité du monde le plus dissolu qui soit. Des alcôves de Beverly Hills aux dessous de Hollywood, Jackie Collins dit toute la vérité.

FRISSONS

DU MÊME AUTEUR
CHEZ POCKET

LES AMANTS DE BEVERLY HILLS
LE GRAND BOSS
LADY BOSS
LUCKY
ROCK STAR
LES ENFANTS OUBLIÉS
NE DIS JAMAIS JAMAIS
VENDETTA

L.A. CONNECTIONS
LIVRE UN : POUVOIR
LIVRE DEUX : OBSESSION
LIVRE TROIS : MEURTRE
LIVRE QUATRE : VENGEANCE

JACKIE COLLINS

FRISSONS

ROBERT LAFFONT

Titre original :

THRILL

traduit de l'américain par
Jean Rosenthal

ISBN 2-266-09765-2

Pour tous mes amis et ma famille
qui ont toujours été là pour moi.

Pour tous mes amis aussi de chez Simon & Schuster
et Macmillan — deux grandes équipes
avec lesquelles c'est un plaisir de travailler.

Pour Mort Janklow et Anne Sibald,
de merveilleux agents.

Pour Andrew Nurnberg et toute la bande.

Et un grand merci à Marvin Davis
pour ses précieux conseils et sa chaleureuse amitié.

Une pensée particulière pour Felipe Santo Domingo,
dont jamais je n'oublierai le visage souriant.

Pour Vida qui déchiffre patiemment mon écriture
et la reporte à temps sur l'ordinateur !

Et pour Melody, Yvonne et Jacqui
qui me tirent de chez moi
à cinq heures du matin
pour une émission de télé par satellite,
entre autres tortures !

Et, bien sûr, pour Frank — mon héros à moi.

PROLOGUE

C'est vrai, je peux m'envoyer toutes les femmes que je veux, quand je veux : pas de problème. Mariées, célibataires, jeunes, vieilles, désespérées, veuves, frigides... vous n'avez qu'à me les montrer, elles sont à moi.

Je sais comment m'y prendre, j'ai découvert la clé.

Ma mère était une vraie blonde incendiaire de Memphis, elle s'est fait assassiner quand j'avais sept ans. On l'a rossée, étranglée, puis jetée d'une voiture en marche. Pendant quelque temps les flics ont soupçonné mon paternel : on l'a même mis en garde à vue pendant un jour ou deux. Mais il avait un alibi impeccable : il était au lit avec sa maîtresse, une rousse dotée des plus gros seins que j'aie jamais vus.

Mon père avait le visage et l'attitude d'un gangster de classe. Il s'habillait avec une élégance raffinée : chemises du plus beau coton d'Égypte, cravates de soie, costumes sur mesure, boutons de manchettes en or, montre Rolex, tout y était. Il avait toutes les femmes qu'il désirait et ne se privait pas de ce plaisir. En grandissant, je le regardais opérer. Propriétaire d'un restaurant à la mode, il patrouillait la salle en flirtant avec toutes les clientes. Très jeune, je fis mon éducation en observant son stratagème.

Mais il buvait et j'étais assez malin pour ne pas vouloir finir comme lui. En début de soirée, il pétait le feu, vers minuit, ce n'était déjà qu'une épave et, à l'heure de la fermeture du restaurant, il était ivre mort.

Nous habitions un appartement et nous avions une femme de ménage qui venait deux fois par semaine. Il la sautait aussi. Mon père n'avait donc pas beaucoup de temps pour s'occuper de moi, je devins alors un solitaire. Au lieu d'inviter des copains à la maison, je faisais partie d'une bande à l'école et les ennuis ont commencé. Vous comprenez, c'était plus amusant de courir les rues à voler des bagnoles et à cambrioler des débits de boisson que de rester assis dans un appartement vide à attendre que mon père rentre en titubant quand l'envie lui en prenait. Je décidai de marcher sur ses traces : « Les sauter d'abord, les plaquer ensuite », c'était sa devise. Pourquoi ne pas en faire aussi la mienne ?

Quand j'eus quinze ans et lui cinquante, le restaurant, c'était de l'histoire ancienne et ses airs de jeune premier aussi. Son visage était bouffi et congestionné, une panse de buveur de bière et des dents pourries.

Un jour mémorable, je lui posai une question qui me travaillait depuis des années : avait-il tué ma mère ? Il me flanqua une telle torgnole qu'il me fendit la lèvre : j'en ai encore la marque.

— Fous le camp de chez moi ! hurla-t-il, les yeux exorbités de fureur. Je ne veux plus jamais revoir ta sale gueule !

Parfait. J'avais deux petites amies régulières et un tas de candidates.

Je choisis de m'installer chez Lulu, une strip-teaseuse de vingt ans qui se fit un plaisir de m'accueillir. Évidemment, elle ne se doutait pas de mon jeune âge : j'en paraissais dix-neuf et assurais en avoir vingt.

Ce que j'appréciais chez Lulu, c'est que ça lui était

bien égal que je n'aie pas d'emploi : elle était trop contente de m'avoir. Quand elle ne travaillait pas, nous passions notre temps au cinéma, à fantasmer. Hollywood... le pays des rêves.

— Tu as tellement de talent, me répétait-elle sans arrêt. Tu devrais devenir vedette de cinéma.

Excellente idée ! Autant que je sache, les vedettes de cinéma n'avaient pas grand-chose à faire, à part exercer leur air macho : les femmes les adoraient et, d'après les magazines de Lulu, elles gagnaient beaucoup de fric.

Lulu me dégota un cours de théâtre et me donna même l'argent pour payer. C'était vraiment une chic fille.

Cela faisait un an que nous étions ensemble lorsqu'un jour, en rentrant de bonne heure à la maison, je la surpris au pieu avec un autre type. Mon père m'avait bien prévenu de ne pas faire confiance aux femmes. Je ne l'avais jamais cru mais, ce soir-là, j'eus la surprise de ma vie : Lulu, les jambes en l'air, poussant des gémissements. La petite salope !

J'empoignai le type par la peau du dos et il détala en tremblant : j'avais l'air assez furieux pour le réduire en bouillie.

Lulu était allongée là, les cuisses ouvertes, nue et terrorisée, implorant mon pardon.

Je compris alors mon pouvoir. Je ne la giflai même pas, pourtant elle le méritait. Je fourrai mes affaires dans une valise et je décampai. Aucune femme ne me referait ce coup-là. La prochaine fois, je prendrais l'initiative.

Lulu me poursuivit toute nue dans le couloir en criant :

— Attends, c'était une erreur ! Ne t'en va pas comme ça ! Je t'en prie ! Ne me quitte pas !

Trop tard. À ce moment-là, j'avais trouvé ce que je voulais, et c'était mieux qu'une petite pouffiasse infidèle.

Je voulais devenir une vedette de cinéma et avoir tout ce putain de monde à mes pieds.

J'avais seize ans, qu'est-ce que je savais ?

1

Lara Ivory s'avança à pas comptés vers la caméra : elle gardait son air calme et serein sous le poids écrasant de sa lourde robe à crinoline. Sa taille mince était enserrée dans une ceinture et son décolleté débordait généreusement.

Le partenaire de Lara dans cette séquence était Harry Solitaire, un jeune Anglais aux cheveux ébouriffés et au regard langoureux. Marchant à son côté, il débitait son texte avec un tel enthousiasme que personne ne se serait cru à la septième prise.

Il faisait presque trente degrés dans ce décor de jardin du midi de la France et toute l'équipe, en nage, attendait avec impatience le « Coupez » du metteur en scène, Richard Barry, pour aller déjeuner.

À trente-deux ans, Lara Ivory était une beauté aux yeux verts de félin, dotée d'un petit nez droit, de lèvres pulpeuses et appétissantes, de pommettes bien dessinées et de cheveux d'un blond de miel. Cela faisait neuf ans qu'elle était une grande vedette et, par miracle, la gloire et la célébrité ne l'avaient pas changée : elle était toujours aussi douce et charmante que cette ravissante jeune femme arrivée à Hollywood à vingt ans. Elle avait été repérée par le metteur en scène

Miles Kieffer lors d'une audition pour un petit rôle. Un coup d'œil avait suffi à Miles pour décider que c'était à elle qu'il attribuerait le premier rôle. Fraîche et somptueuse, elle avait joué une putain naïve dans un film du style *Pretty Woman*, et elle avait séduit tout le monde, des critiques jusqu'au public.

Depuis ce premier film, l'étoile de Lara avait rapidement monté. Le public avait su déceler son talent. Le problème, c'était de rester au firmament.

Lara Ivory avait brillamment réussi cet exploit.

Enfin, Richard Barry lança les mots tant attendus :

— Coupez ! C'est la bonne !

Lara poussa un soupir de soulagement.

Richard était un metteur en scène à succès depuis près de trente ans. Grand, bien bâti, la cinquantaine finissante, les traits réguliers, la barbe parfaitement taillée, de longs cheveux bruns grisonnant sur les tempes et des yeux bleus pétillants, il avait aussi beaucoup d'humour et un sourire sardonique. Les femmes adoraient son charme.

— Whoouu ! lança Lara avec un nouveau soupir. Est-ce que quelqu'un va m'aider à sortir de cette robe ?

— À ton service ! proposa Harry Solitaire, toujours prêt pour flirter.

— Finalement, je me débrouillerai, répliqua Lara en souriant.

Elle aimait bien Harry, il aurait fait un bon prétendant s'il n'était pas marié. Elle évitait catégoriquement les hommes mariés, même si depuis six mois elle n'avait pas eu d'aventure, depuis sa rupture avec le premier assistant, Lee Randolph. Après un an de vie commune, il n'avait pas pu supporter de vivre aux côtés d'une femme aussi connue. Quel homme, hélas, acceptait d'être relégué à la seconde place ? De s'entendre appeler « monsieur Ivory » par les serveurs et les chauffeurs ? Il fallait un caractère bien trempé pour tolérer ce genre de situation : celui d'un homme comme Richard Barry. Il avait vécu sans effort ses quatre ans de mariage avec Lara.

Ils étaient divorcés depuis trois ans. Aujourd'hui, avec la nouvelle femme de Richard, Nikki — une créatrice de costumes sur laquelle il avait mis le grappin lors d'un tournage —, ils restaient bons amis.

Brune, impétueuse et pétillante, Nikki savait aussi tirer le meilleur de Richard. Dès le début de leur rencontre, elle avait compris que, comme la plupart des hommes, il lui donnerait du mal. Avant l'arrivée de Nikki dans sa vie, Richard fumait comme un pompier, courait les filles et buvait sec. Il n'en faisait qu'à sa tête et, en cas de contrariété, il boudait. Nikki avait fait l'inventaire de ses points forts et de ses faiblesses et décidé qu'il méritait bien quelques efforts. Elle avait réussi à le calmer, à le combler, et son plus grand vice semblait maintenant être le travail. Il était aujourd'hui un metteur en scène coté dont les films rapportaient beaucoup d'argent — à Hollywood, c'est tout ce qui compte.

Lara considérait Nikki comme sa meilleure amie. Ils se réjouissaient tous les trois de travailler ensemble sur *Un été en France* — un superbe film en costumes que Richard tournait avec passion. Ils partageaient une villa durant les six semaines en extérieurs. Dans un premier temps, Lara n'avait pas voulu jouer les intruses, mais Nikki avait insisté et Lara avait cédé, secrètement ravie car la solitude était parfois pesante.

— Cette dernière prise était magnifique ! s'exclama Richard en s'approchant d'elle et en lui pressant la main. Ça valait le coup.

Lara fronça les sourcils : elle était sa plus sévère critique.

— Tu trouves ? demanda-t-elle, l'air soucieuse.

— Absolument, ma chérie, déclara Richard.

— Tu es trop gentil.

— Pas gentil... sincère, répondit-il.

Considérant sa ravissante ex-femme, Richard se

demanda si ce n'était pas chez elle cette constante insécurité qui avait contribué au naufrage de leur mariage.

Peut-être. Il est vrai que l'ultime infidélité de Richard les avait conduits au divorce. Elle l'avait surpris dans la caravane en train de s'envoyer en l'air avec la maquilleuse : il n'avait trouvé aucune explication valable.

Durant l'année suivant leur divorce tumultueux, ils ne s'étaient pas adressé la parole. Puis Richard avait rencontré Nikki et celle-ci, avec son franc-parler habituel, avait déclaré que c'était stupide qu'ils ne puissent pas rester bons amis. Comme toujours, elle avait raison : ils avaient dîné tous les trois et elle ne l'avait jamais regretté.

Nikki s'approcha, à l'aise dans son large pantalon de lin assorti à une chemise de coton jaune nouée sous la poitrine et révélant un ventre doré. La trentaine, elle était plus petite que Lara. En voyant son corps souple et musclé, ses cheveux bruns coupés court, ses yeux noisette et sa bouche pulpeuse, personne ne soupçonnait qu'elle avait une fille de quinze ans.

Richard appréciait l'intelligence et le franc-parler de Nikki. Après avoir perdu Lara, il n'imaginait pas se remarier un jour parce que jamais une femme ne saurait la remplacer ; Nikki, optimiste et exubérante, l'avait fait changer d'avis.

— Qu'on me fasse sortir de cette robe ! supplia Lara. Un vrai supplice, pire que mon mariage avec Richard !

— Oh non, rien n'est pire ! s'écria Nikki.

— Lara n'était-elle pas formidable dans cette dernière prise ! interrompit Richard.

Il prit Nikki par la taille, promenant ses doigts sur sa peau nue.

— Il veut simplement se montrer gentil, soupira Lara.

— Je connais ça, répliqua Nikki. C'est exactement ce qu'il dit quand il me complimente pour ma cuisine.

Lara ouvrit de grands yeux.

— Ne me dis pas que tu lui mijotes des petits plats ? s'exclama-t-elle. Moi, je ne l'ai jamais fait.

— Il m'y oblige, fit Nikki avec une grimace. Tu sais comme il peut se montrer persuasif.

— Oh oui ! renchérit Lara.

Elles eurent un rire complice.

Richard fronça les sourcils.

— C'est exaspérant que vous soyez si bonnes amies toutes les deux. J'ai horreur de ça !

En vérité, il était enchanté d'être entouré de ses deux femmes.

— Menteur, riposta Nikki. Tu es ravi.

Secouant la tête d'un air amusé, il s'éloigna.

Nikki fit signe à une de ses assistantes de les suivre jusqu'à la caravane de Lara.

— Pour un adulte, observa-t-elle, Richard peut se conduire comme un véritable bébé.

— C'est pour ça que notre mariage n'a pas marché, répondit Lara. Deux monstres d'égoïsme sans cesse en train de se chamailler !

— Et un des deux qui court après tout ce qui bouge.

— Toi, au moins, tu lui as fait passer cette habitude.

— J'espère bien ! s'exclama Nikki. Dès l'instant où je le vois frétiller à côté d'une nana, je fais mes valises.

— Tu le quitterais ?

— Immédiatement, reprit Nikki sans hésitation.

Lara hocha la tête.

— Tu as parfaitement raison.

Pourquoi ne l'ai-je pas fait ? songea-t-elle. *Pourquoi ne l'ai-je pas jeté dehors la première fois que je l'ai soupçonné d'infidélité ?*

Ils s'étaient rencontrés lors du troisième film de Richard. Elle avait beau être déjà une star, ce grand homme l'avait impressionnée. Il s'était jeté sur elle comme un lion affamé. À vingt-quatre ans, elle était encore pour Hollywood une parfaite innocente. Il en avait quarante-six, c'était un homme difficile à vivre. Leur mariage avait fait la une des journaux : hélicoptères survolant la réception, paparazzi cachés dans les arbres... Un vrai cirque qu'ils avaient détesté tous les deux. Et le divorce avait été pire.

— Ce soir, annonça Nikki, on dîne au *Tétou.* Il paraît que la bouillabaisse est à tomber.

— Je ne peux pas, déclara Lara. J'ai du texte à apprendre et je dois dormir si je ne veux pas ressembler à une vieille peau demain matin.

Nikki haussa les sourcils d'un air incrédule. Ce qu'il y avait d'agaçant chez Lara, c'était qu'elle se conduisait comme n'importe quelle autre femme alors qu'elle était assurément la plus belle aux yeux de Nikki — une femme qui ne reconnaissait jamais le pouvoir de sa beauté.

— Tu viens, déclara Nikki. J'ai déjà vérifié : tu ne tournes pas de bonne heure demain. Pour une fois, cesse de penser à ce fichu film et amuse-toi un peu.

— Que je m'amuse... comment ça ? répondit Lara.

— Depuis combien de temps n'y a-t-il pas d'homme dans ta vie ? demanda Nikki.

— Trop longtemps, murmura Lara.

— Ne recherche pas forcément le grand amour, suggéra Nikki. Que penserais-tu d'une petite aventure d'un soir ? Il y a des types pas mal dans l'équipe.

— Ce n'est pas mon style, dit doucement Lara.

— Essaie de prendre les choses comme un homme, ajouta Nikki avec un clin d'œil. Un petit coup et on s'en va. C'était ma politique... avant de me remarier.

Richard était le second mari de Nikki. Le premier se nommait Sheldon Weston ; elle l'avait épousé à seize ans alors qu'il en avait trente-huit.

— Je cherchais une image paternelle, disait-elle souvent en plaisantant, et je me suis retrouvée avec un homme coincé.

Ils avaient une fille de quinze ans, Summer, qui vivait à Chicago avec son père.

— Toi, déclara Lara, c'est différent. Tu peux faire ça. Pas moi. J'ai besoin d'une vraie relation, sinon ça ne m'intéresse pas.

— Comme tu voudras, répondit Nikki. Mais, en tout cas, ce soir, tu viens avec nous.

2

Joey Lorenzo déboula sans gêne dans le bureau de Madelaine Francis sur Madison Avenue : il n'avait pas de rendez-vous et ne l'avait pas vue depuis six ans.

Une secrétaire harassée le poursuivit, une fille au visage rond et aux hanches généreuses enfermées dans une minijupe trop courte.

— Bon sang, que se passe-t-il ? lança Madelaine.

Puis ses yeux tristes dissimulés derrière de grosses lunettes reconnurent Joey et elle s'empressa de congédier sa secrétaire.

— Tout va bien, Stella, soupira-t-elle. Je m'en charge.

— Mais, Miss Francis..., reprit Stella, encore scandalisée. Il m'a dit de... d'aller me faire...

— Merci, Stella, dit Madelaine.

Stella sortit en lançant à Joey un regard noir. Il se jeta alors dans un fauteuil de cuir face au large bureau de Madelaine, posant ses longues jambes vêtues de jeans sur le bras du fauteuil.

— Me revoilà, déclara-t-il avec un sourire insolent.

— C'est ce que je vois, répondit Madelaine en se demandant quelle mauvaise action elle avait commise pour voir Joey Lorenzo réapparaître dans sa vie bien ordonnée.

Six ans auparavant, ils vivaient ensemble : elle, un agent de quarante-huit ans, et lui, un comédien de vingt-quatre ans. Un couple mal assorti mais dont la relation avait fonctionné pendant huit mois. Puis, un soir, en rentrant, elle avait constaté la disparition de Joey et des sept mille dollars en liquide qu'elle gardait dans son coffre.

Elle avait aujourd'hui cinquante-quatre ans et lui trente. Ce minable était de retour.

— Qu'est-ce que tu veux ? demanda-t-elle d'une voix tendue.

— Tu es furieuse, n'est-ce pas ?

— En effet. Tu ne le serais pas, à ma place ?

— Tu as dû te demander ce qui m'était arrivé, marmonna-t-il.

— Oui, je me suis demandé... ce qui vous était arrivé : à toi et à mon argent.

— Ah, ton argent !

De son blouson de cuir fatigué, il tira une liasse de billets de cent dollars soigneusement attachés par un élastique.

— En voilà trois mille. Je te donnerai le reste d'ici deux semaines.

Elle n'arrivait pas à le croire. Le remboursement n'était pas intégral, mais c'était un début. Elle le dévisageait toujours. Il était plus beau que jamais. Ses cheveux bruns effleuraient son col. Son corps était musclé, son ventre plat. Un homme aux yeux noirs, au regard rusé, des lèvres charnues et un sourire à faire fondre toutes les femmes.

Dommage que ce petit salaud soit un voleur.

— Qu'est-ce que tu veux ? répéta-t-elle, gardant un ton dur.

Elle savait que le temps n'avait pas été aussi bienveillant avec elle. Ses cheveux roux étaient parsemés de fils gris. Des rides sillonnaient son visage et son cou. Et elle s'était empâtée de sept ou huit kilos.

— Eh bien, voilà, dit Joey en fixant sur elle un regard intense. Avant mon départ, tu m'avais proposé deux rôles au cinéma.

— C'est exact, répondit-elle d'un ton glacé. Ta carrière allait démarrer : elle aussi, tu l'as plaquée.

— Il est arrivé quelque chose indépendant de ma volonté.

Elle ne voulut pas lui donner le plaisir de quémander une explication.

— Je m'en moque, Joey. Rends-moi le reste de mon argent et nous en resterons là.

Elle marqua une pause, se rappelant leur première rencontre dans son bureau : elle avait décelé son talent et décidé de l'aider. Huit mois de folie et de grande passion. Huit mois inoubliables.

— Je n'ai pas prévenu la police, même si c'est ce que j'aurais dû faire.

Il hocha la tête, l'air sincère.

— Tu sais, Maddy, dit-il, je n'aurais pas pris ton fric si ça n'avait pas été pour une urgence.

Elle resta silencieuse. Combien de fois pourrait-elle lui demander la raison de sa venue ? De toute évidence, ce n'était pas pour l'argent.

Il rompit le silence en posant ses mains sur le bureau.

— J'ai besoin de me refaire une place dans le métier. Et tu peux m'arranger ça. Voilà ce que j'aimerais, poursuivit-il. Un autre film. Pas pour la télé, c'est pas mon truc. Ce qu'il me faut, c'est le grand écran.

Eh bien, il ne manquait pas de culot.

— Joey, tu as foutu ta carrière en l'air. Tu as eu ta chance et tu es parti.

— Bon sang ! cria-t-il en frappant du poing sur le bureau. Tu ne comprends donc rien ? Tu m'as aidé une fois, tu peux recommencer, non ?

Elle connut un instant de pure satisfaction.

— J'ai une réputation à soutenir, répondit Madelaine. Et je la ruinerais en t'offrant un rôle.

— Foutaises, murmura-t-il.

— On ne peut pas te faire confiance, poursuivit-elle, ravie. Et, par-dessus tout, tu es un voleur. Non, Jo, conclut-elle, tu n'es pas recommandable : sois gentil, va-t'en.

Elle attendit de voir exploser sa colère, se souvenant de son caractère parfois violent. Mais, au lieu de cela, elle eut droit à la réaction opposée : le petit garçon perdu. Si beau et si seul. Elle n'avait jamais pu y résister, et il le savait bien.

— Bon, j'ai pigé. Je ne suis plus dans le coup. Personne ne voudra m'engager. Je ferais peut-être aussi bien de me remettre à conduire un taxi.

Il se leva et se dirigea vers la porte. La main sur la poignée, il s'arrêta.

— Je peux t'inviter à dîner ? Pour essayer de t'expliquer ce qui s'est passé. Je te dois bien ça.

Son regard la traquait à travers la pièce.

— S'il te plaît, Maddy ?

Elle savait que son accord ferait d'elle une pitoyable vieille idiote... Ça n'avait pas d'importance.

Joey savait exactement ce qu'il faisait : il avait tout prévu. Dîner dans un petit restaurant italien, une bouteille de vin rouge — dont Madelaine but les trois quarts sans se rendre compte que lui ne suivait pas le mouvement. Conversation intime : elle lui avait manqué et il la trouvait formidable.

Des mensonges, mais quelle importance ? Quand ils prirent un taxi pour regagner son appartement de la 66e Rue, elle se sentait femme jusqu'au bout des ongles et terriblement sexy. Joey lui avait raconté l'histoire de sa tante malade dans le Montana, une affaire de famille qu'il avait dû sauver tout seul. Elle n'en avait pas cru un mot, mais peu importe. Il lui prodiguait plus d'attention qu'elle n'en avait eu en six ans et elle avait désespérément envie qu'il lui fasse l'amour.

Joey ne la déçut pas. Il était encore meilleur amant que dans ses souvenirs. Son âge et ses kilos en trop avaient disparu. Joey lui donnait l'illusion d'être belle et désirable.

Il passa la nuit chez elle et, le lendemain matin, il lui refit l'amour. Elle était de nouveau mordue, il le savait.

— Pourquoi ne m'as-tu pas appelée ? Ne serait-ce que pour me dire où tu étais ? demanda-t-elle d'un ton plaintif.

— Je suis là maintenant, répondit-il. Ça ne te suffit pas ?

Il l'embrassa langoureusement. Elle sentit toute résistance faiblir puis s'évanouir.

Deux jours plus tard, il se réinstallait. La semaine suivante, elle le convoqua à son bureau.

— J'ai un petit rôle qui pourrait te convenir, lui annonça-t-elle. Si tu le décroches, ce sera un pas dans la bonne direction.

— Tu es la meilleure, Maddy, lança-t-il avec son sourire irrésistible.

Elle avait la certitude qu'il se servait d'elle, mais au fond — une fois de plus —, ça n'avait pas d'importance.

3

Le Tétou était un célèbre restaurant de poissons juché au-dessus d'une plage de sable entre Éden Roc et Juan-les-Pins. Nikki avait invité Harry Solitaire et Pierre Perez à se joindre à eux. Pierre était un acteur français au regard mélancolique et au sourire rêveur : il était arrivé de Paris ce matin et devait commencer à travailler sur le film le surlendemain.

— Pierre n'est pas marié, chuchota Nikki tandis qu'ils prenaient place. Pas même fiancé. Lance-toi.

— Arrête, je t'en prie ! s'écria Lara, agacée.

Pierre était aussi charmant que Harry était insistant. Richard les regarda tous les deux d'un œil désapprobateur. Il se montrait extrêmement protecteur envers son ex-épouse. C'était peut-être une vedette de cinéma, mais elle était fragile et réclamait beaucoup d'attention. Lui seul le savait.

— Pourquoi as-tu invité ces deux minables ? murmura-t-il à Nikki tandis que Lara s'en sortait comme elle pouvait.

— Elle s'emmerdait, répliqua Nikki en lui caressant la cuisse sous la nappe.

— Arrête !

Elle eut un sourire innocent.

— Pourquoi ? Tu adores ça.
— Chaque chose en son temps.
— Le temps, c'est maintenant, insista-t-elle.

Nikki s'arrangeait toujours pour ne jamais lui laisser le loisir de penser à d'autres femmes...

Le dîner terminé, ils s'attardaient sur le café. Harry se leva. Il aimait les tournages en extérieur, c'était une bonne excuse pour s'éloigner de sa femme.

— Allons danser, proposa-t-il. Je connais un endroit terrible à Monte-Carlo.
— Sans moi, s'empressa de dire Lara.
— Pourquoi ? insista Harry.

Son regard suggérait : *Je te plais, non ? Alors viens, on va faire la fête.*

— Je dois répéter mon texte, expliqua-t-elle.
— Peut-être cinq minutes au casino ? proposa Pierre.

Du regard, elle appela Richard à l'aide. Il vola aussitôt à son secours : maintenant qu'il n'était plus son mari, il était à jamais son chevalier à l'armure légèrement ternie.

— En tant que metteur en scène de Lara, je la ramène à la maison.
— Seigneur ! marmonna Nikki sous cape. Pourquoi ? Laisse-la y aller.
— Lara est libre de faire ce qui lui plaît. Elle a envie de rentrer avec nous.
— Ne parle pas de moi comme si je n'étais pas là, interrompit Lara, sentant la tension monter.
— Tu tournes de bonne heure demain, répliqua Richard. Tu devrais rentrer.
— Peut-être que oui, peut-être que non, répondit Lara, agacée.

Harry sauta aussitôt sur l'occasion et l'entraîna vers la porte.

— Ton ex a encore le béguin pour toi, déclara-t-il, à la fois amusé et furieux.
— Je te demande pardon ?

— C'est évident.

— Tu te trompes.

— Oh ! pas du tout, rétorqua-t-il en la prenant par la main et en traversant rapidement jusqu'au parking.

— Harry, je ne vais pas danser, lança-t-elle d'un ton ferme.

Ils se regardèrent longuement, puis les autres arrivèrent.

— Viens, mon chou, dit Richard en la poussant vers sa voiture.

Lara n'aima pas cette attitude possessive. Elle remarqua que Nikki n'était pas enchantée non plus. Elle se dégagea de la poigne de Richard.

— Tu sais quoi ? J'accepte l'offre de Pierre. Ça m'amuserait de voir une salle de jeux française. Tu crois que c'est comme à Vegas ?

Pierre sourit. Harry bouda. Richard commença à protester, mais Nikki l'arrêta aussitôt.

— Amuse-toi bien, dit-elle avec un clin d'œil encourageant, en poussant Lara vers la voiture de Pierre. Ne t'inquiète pas, on ne t'attendra pas !

Le casino de Monte-Carlo ne ressemblait pas du tout à ceux de Vegas. Escortée de Pierre et Harry — qui avait insisté pour les accompagner —, Lara se promena en observant les joueurs, très occupés à perdre leur argent : de vieilles femmes en robe du soir emperlées, scintillant de bijoux somptueux, à côté de personnages douteux qui entassaient devant eux des piles de jetons ; des joueurs professionnels au regard d'acier auprès de blondes au visage inexpressif aux tables de black-jack. Ailleurs, on jouait au craps, au chemin de fer et à bien d'autres jeux.

— C'est impressionnant ! s'exclama Lara. On se croirait à une autre époque.

— Plutôt décadent, ajouta Harry avec un grand sourire.

Un chef des jeux frétillant se précipita vers Lara.

— Mademoiselle Ivory, lança-t-il d'une voix suave, c'est un plaisir de vous accueillir dans notre établissement. Vos amis et vous souhaiteriez boire quelque chose ?

— Non, je vous remercie, répondit-elle en présentant Harry et Pierre.

L'homme poursuivit, tout excité :

— Si vous avez besoin de quoi que ce soit, je vous en prie, n'hésitez pas à le demander.

Elle lui rendit son sourire.

— Vous êtes une merveilleuse actrice, mademoiselle Ivory. Puis-je me permettre d'ajouter que vous êtes encore plus belle au naturel.

Ces compliments exagérés ennuyaient Lara. Malgré ses nombreuses années de célébrité, elle se sentait encore très gênée quand on la remarquait. Les gens ne savaient absolument pas qui elle était en réalité. Personne ne connaissait sa véritable histoire... pas même Richard, et il avait été son compagnon le plus proche.

— Allez-vous jouer ce soir ? reprit le chef des jeux.

Après sa beauté et son talent, il s'intéressait à son argent.

Elle eut un charmant sourire.

— Peut-être une autre fois.

L'homme s'éloigna. Elle se tourna vers Pierre.

— On y va ?

Il la prit par le bras. Harry se précipita de l'autre côté et tous deux l'escortèrent vers la porte.

Quelques paparazzi rôdaient sur les marches devant le casino. Ils entrèrent aussitôt en action, criant son nom, des flashs jaillirent dans la nuit. Machinalement, elle se protégea les yeux et Harry s'éloigna rapidement, la laissant seule avec Pierre.

Formidable, pensa Lara, *je vais figurer dans tous les magazines*. Le mois précédent, elle avait dîné dans le même restaurant que Kevin Kostner, et toute la presse à sensation avait commenté leur projet de mariage !

Les paparazzi les poursuivirent jusqu'à leurs voitures. Harry était furieux : impossible d'intervenir sans se faire photographier. Sa femme était jalouse et n'apprécierait pas de le voir, à une heure avancée de la nuit, en compagnie de la succulente Mlle Ivory pendant qu'elle restait chez elle, à Fulhan, avec leurs deux enfants et sa belle-mère. Force lui était donc de laisser Lara s'en aller avec Pierre.

Mais tout n'était pas perdu. Sautant dans sa voiture de location, il colla à la voiture de Pierre tandis qu'ils se lançaient dans le flot de la circulation.

Dès qu'il eut la certitude que les journalistes ne les suivaient pas, il klaxonna et fit des appels de phares pour obliger Pierre à s'arrêter.

— Que se passe-t-il ? demanda Lara en voyant Harry se pencher par la vitre.

— Richard a insisté pour que je te raccompagne. Je le lui ai promis.

— Pourquoi ?

— Parce que Pierre ne trouvera jamais la maison.

— Bien sûr que si. Je n'ai pas l'adresse exacte, mais c'est à Saint-Paul-de-Vence. Je suis sûre de pouvoir lui indiquer le chemin.

— C'est plein de virages par là. Tu ferais mieux de venir avec moi si tu ne veux pas rouler toute la nuit.

— Mais, Harry...

Il haussa les épaules.

— Écoute, mon chou, tu fais comme tu veux.

Elle réfléchit. Elle ne souhaitait pas se retrouver perdue dans les collines avec un acteur français qu'elle connaissait à peine.

— Tu as raison, dit-elle en quittant à regret la voiture de Pierre pour monter dans celle de Harry.

Pierre ne s'en offusqua pas. À cette heure de la nuit, il était fatigué... trop fatigué pour faire la cour à une exquise vedette de cinéma américaine qui l'enverrait certainement promener. D'ailleurs, il préférait les hommes : un secret qu'il avait réussi à garder pour ne pas compromettre sa carrière de jeune premier.

Installée dans la voiture de Harry, Lara se dit qu'elle avait été folle d'abandonner Nikki et Richard pour aller courir Monte-Carlo avec deux comédiens. Pourquoi choisissait-elle toujours la mauvaise solution ?

Elle laissa un moment son esprit vagabonder et se mit à penser à Lee, son ancien petit ami. Un garçon charmant, peut-être pas l'homme le plus excitant du monde — mais il la rendait heureuse.

Que lui fallait-il d'ailleurs dans la vie ? Quelqu'un contre qui se blottir. Un corps tiède au milieu de la nuit. Faire l'amour de temps en temps. Un peu de compagnie.

Bon sang, Lara, à t'entendre, on croirait que tu as soixante-quinze ans !

Elle fronça les sourcils.

Harry lui jeta un coup d'œil.

— Ne déborde pas de joie comme ça, lança-t-il.

— Je pensais.

— À quoi ?

— À mon ex-amant, si tu veux tout savoir.

— Tu l'as plaqué ?

— Non, c'est lui.

Harry eut un rire incrédule.

— C'est impossible. Il était idiot ?

— Trop d'attentions. Et toutes dirigées sur moi.

— Ce qu'il te faut, c'est un autre comédien. Nous, nous savons partager.

Bien sûr, songea Lara. *La seule chose que les acteurs savent partager, c'est une scène, mais ils sont prêts à tuer pour un gros plan.*

Des acteurs mégalomanes, elle en avait rencontré.

La vedette aux pectoraux bien entretenus et à l'humour mordant. Gavée de stéroïdes et couchant avec des mannequins.

Le héros macho aux yeux un peu bridés et au pâle

sourire. Ce qu'il aimait, c'était cogner les femmes et abuser d'elles.

La grande vedette noire qui ne faisait partager son immense lit qu'à des blondes au buste généreux.

Et l'acteur new-yorkais « sérieux » qui ne s'intéressait qu'aux travestis.

Ah ! les vedettes de cinéma : parlons-en.

La voyant plongée dans ses pensées, Harry saisit l'occasion. Arrêtant brusquement la voiture sur le bas-côté, il se pencha et pressa ses lèvres brûlantes sur celles de Lara.

— Harry ! s'exclama-t-elle en le repoussant. Qu'est-ce qui te prend ?

Il lui pétrissait les seins en balbutiant et bafouillant.

— Tu es si belle, Lara... superbe... Ma femme est un vrai glaçon... Nous ne couchons jamais ensemble...

Elle le gifla à toute volée. Un geste théâtral, mais qui fit son effet.

— Bon sang ! s'écria-t-il en cessant de la peloter.

— Harry, dit-elle, contrôle-toi. Je n'ai *jamais* d'aventure avec des hommes mariés. Alors, sois gentil, redémarre et ramène-moi à la maison.

Il s'écarta, tout penaud.

— Ce n'est pas que je ne te trouve pas séduisant, continua-t-elle d'un ton plus doux. Mais il faut s'en tenir à ses principes.

Ses paroles apaisantes le calmèrent.

— Désolé, Lara, murmura-t-il. Ça ne se reproduira pas.

Je parie que non, pensa-t-elle. *Parce que c'est la seule et unique fois où je me retrouverai seule dans une voiture avec toi.*

— Oublions ça, fit-elle pour sauver son orgueil blessé.

— Merci, marmonna-t-il.

Il la conduisit jusqu'à la villa. Richard attendait devant la grille, tel un père inquiet.

— Je n'étais pas sûr que tu aies tes clés, dit Richard en lançant à Harry un regard obscur.

Lara, sans un mot pour aucun des deux hommes, s'engouffra dans la villa. Ah, les hommes ! Si seulement elle pouvait en trouver un qui vaille la peine qu'on s'attache à lui, peut-être alors serait-elle heureuse.

Mais était-ce possible ? Quelqu'un arriverait-il à effacer les ombres de son passé ?

4

Alison Sewell n'avait jamais été une jolie fille : toujours mise de côté, seule et sans amis. À quatorze ans, elle pesait déjà soixante-quinze kilos. Grosse, le visage bouffi, elle avait récolté à l'école toutes sortes de sobriquets comme « la Tarte », « Gros Tas » et autres gentillesses. Mais Alison restait stoïque : elle se savait plus maligne que tous les autres, malgré ses mauvaises notes.

— Tu es une idiote, lui répétait son père.

Puis un jour il tomba d'une échelle, sa tête heurta une pierre et il mourut prématurément. Qui était l'idiot à présent ?

Peu après la disparition de son père, Alison et sa mère, Rita, une petite femme menue comme un moineau qui travaillait comme blanchisseuse dans un hôtel du centre, s'installèrent chez Cyril, le frère de Rita. Il habitait une baraque délabrée à deux pas de la partie la plus misérable de Hollywood Boulevard. Divorcé et sans enfant, il s'était récemment cassé la jambe « au travail » et il avait besoin d'aide.

Le travail de Cyril consistait à photographier les célébrités — en général contre leur gré. Il traînait devant les restaurants et les boîtes branchées, son appareil à la main, prêt à mitrailler tout ce qui bougeait. Son grand titre de gloire avait été de surprendre Madonna et Sean Penn en train de s'embrasser alors que personne ne soupçonnait leur relation. Un coup de chance en vérité. Mais ce coup-là lui avait rapporté beaucoup d'argent et un certain respect de la part des autres pigistes qui n'arrivaient pas à croire que Cyril avait fini par réussir un scoop.

Alison fut fascinée par l'oncle Cyril : dès qu'il fut remis de sa fracture, elle le suivit partout en le regardant opérer. Comme il n'avait pas d'enfant, Cyril ne vit pas d'inconvénients à traîner Alison derrière lui, d'autant plus qu'elle était assez costaude pour porter son matériel et écarter les autres photographes.

À l'âge de vingt ans, Alison se mit aussi à prendre des photos. Elle savait où surprendre les visages connus et était prête à tout pour obtenir un cliché. Elle se révéla encore plus tenace que l'oncle Cyril, allant jusqu'à poursuivre ces célèbres modèles jusque dans leurs voitures s'ils refusaient de coopérer. Elle s'en sortait parce qu'elle était une femme. Pas séduisante, certes. Mais on n'osait rien lui faire.

Au cours des années, Alison réussit quelques jolis coups : Jack Nicholson échevelé à la sortie d'une boîte de nuit. Charlie Dollar ivre mort et dégringolant un escalier. Hugh Grant abasourdi devant le poste de police après avoir été arrêté pour avoir batifolé avec une prostituée.

Puis, un beau jour, Lara Ivory fit irruption dans sa vie et tout changea.

Obsession n'était pas un terme assez fort.

5

Un été en France était presque terminé et Lara ressentait la tristesse des fins de tournage. Tourner un film — surtout en extérieurs —, c'était comme appartenir à une grande famille, la famille qu'elle n'avait pas. Tout le monde était aux petits soins pour elle : les équipes des films l'appréciaient car, malgré sa renommée, elle ne jouait pas les prima donna.

Nikki avait organisé une somptueuse soirée dans la villa qu'ils avaient louée. On avait dressé d'énormes buffets dans le jardin et transformé le court de tennis en discothèque.

— Tout a l'air merveilleux ! s'exclama Lara en quittant sa chambre.

Vêtue d'une robe sans manches blanche et vaporeuse, elle était rayonnante.

— Je pense bien, répliqua Nikki, les mains sur ses hanches vêtues de cuir noir. Je me suis esquintée pour que ce soit la soirée de l'année. Je tiens à ce que les gens sachent que, lorsqu'ils travaillent sur un film de Richard Barry, on reconnaît leurs efforts.

— J'espère que Richard apprécie les tiens, observa Lara.

— Il a intérêt, dit Nikki avec un grand sourire.

— Tu lui as si bien réussi. Il s'est beaucoup arrangé.

— Tu veux le reprendre ? demanda Nikki en plaisantant.

— Non, merci.

— Tant mieux, reprit Nikki, parce qu'il n'est absolument pas libre.

Comme s'il sentait qu'il était le sujet de la discussion, Richard fit son entrée.

— Encore à parler de moi toutes les deux ? demanda-t-il.

Comme d'habitude il feignait de ne pas en être ravi.

— Tu sais, Richard, dit Lara, tu as une chance incroyable d'avoir trouvé une femme qui tienne tant à toi.

— Hé !... protesta Richard. Et elle ? Elle est tombée sur moi !

— Ah... toujours aussi modeste, murmura Lara. Mais, sérieusement, reprit-elle, je suis vraiment heureuse pour vous deux.

— Maintenant, il ne nous reste plus qu'à trouver le type qu'il te faut, ajouta Nikki, toujours prête à jouer les marieuses.

— Je n'arrête pas de te le répéter, fit Lara avec patience. J'ai tout ce qu'il me faut.

— Allons donc ! ricana Nikki. Tout le monde a besoin d'une présence à ses côtés.

— Je suis sûr que Lara est parfaitement capable de se débrouiller toute seule, interrompit Richard.

Ça l'agaçait de voir Nikki décidée à la caser. Quant à Lara, elle aurait bien voulu qu'ils la laissent tranquille. Elle était très contente comme ça... enfin, la plupart du temps.

— Vous allez me manquer tous les deux, dit-elle avec regret. Ce ne sera plus pareil sans vous.

— Tu trimeras tant sur *Le Rêveur* que tu ne t'apercevras même pas de notre absence, répondit Nikki.

Elle parlait du prochain film de Lara dont le tournage commençait d'ici une semaine dans les Hamptons.

— J'aimerais retravailler avec vous deux, reprit Lara. C'était formidable.

— Dis-le à ton agent, lança Nikki. À l'entendre, tu es bouclée pour les trois prochaines années.

— Allons donc !

— Richard, demanda Nikki en lançant un coup de coude à son mari, est-ce que je parle à Lara du livre sur lequel j'ai pris une option ?

— Quel livre ? s'exclama Lara avec curiosité. Et pourquoi est-ce que tu m'en parles maintenant que je suis pratiquement partie ?

— Ça s'appelle *Vengeance*, continua Nikki, les yeux pétillants d'enthousiasme. Une histoire vraie au sujet d'une institutrice victime d'un viol collectif... Elle manque en mourir... Puis elle se rétablit et réussit à se venger.

— Ça a l'air passionnant.

— C'est moi qui le produis, annonça fièrement Nikki. Ma première tentative.

— C'est formidable !

— Richard a promis de m'aider : il aura un œil impitoyable sur tout ce que je fais. Je cherche un jeune metteur en scène dans le vent. Malheureusement, le film a un tout petit budget. Mais le rôle principal est formidable pour une comédienne.

— Je ne comprends pas, dit Lara. Pourquoi ne m'en as-tu pas parlé ?

Nikki lança un regard noir à Richard.

— Il a dit que je ne devrais pas t'embêter avec ça.

— Mais c'est exactement ce que tu es en train de faire maintenant, interrompit Richard. Je t'ai avertie, Nikki, ce n'est pas le genre de film qui intéressera Lara.

— As-tu un script ? demanda Lara.

— Rien encore qui me satisfasse.

— J'aimerais le lire.

— Vraiment ? demanda Nikki, pleine d'espoir.

— Je suis curieuse de connaître ton projet.

— Tu n'en as aucune idée, dit sèchement Richard. Essaie donc de l'arrêter... Moi, je n'y arrive pas.

— Mais c'est ça, la vie, murmura Lara. Aider les autres à concrétiser leurs rêves.

— Parfaitement ! renchérit Nikki. Et quand je serai une grande productrice, grosse, hyper-riche, qui passe son temps à s'envoyer un petit coup de reniflette, avec un gigolo à demeure et d'énormes budgets, la première personne que j'engagerai, ce sera Richard Barry... qui à cette époque sera un vieil ivrogne vivant à Santa Barbara avec de simples souvenirs et deux vieux chiens pleins de gaz.

— Merci, ma chérie. On peut dire que tu as l'art de nous remonter le moral.

— Je plaisantais.

— Tu crois que je ne m'en étais pas aperçu ?

— Arrêtez, tous les deux, interrompit Lara en riant. On croirait une tournée de province de *Qui a peur de Virginia Woolf* !

— Allons prendre un verre, proposa Richard. Autant être les premiers au buffet.

Beaucoup plus tard dans la soirée, Harry Solitaire entraîna Lara sur la piste de danse. Il transpirait dans son polo rouge et avait les mains moites. Sa femme, une charmante Anglaise arrivée juste à temps pour passer le dernier week-end avec lui, était assise dans un coin, à bavarder avec le premier assistant. Lara la plaignait. Après la tentative infructueuse de Harry dans la voiture, il s'était consolé successivement avec sa doublure, la scripte et deux figurantes. Une aventure discrète, ça n'existait pas sur un plateau de tournage : tout le monde était aussitôt au courant.

— Je tiens à te remercier de ne m'avoir rien dit pour l'autre soir, dit-il, lançant un coup d'œil furtif en direction de sa femme — il espérait que le premier assistant ne bavarderait pas inconsidérément.

— Si tu essayais de te comporter en gentleman et cessais de tromper ta femme ? suggéra Lara. Qu'est-ce que tu ferais si elle se conduisait de la même façon ?

— Elle ne ferait jamais ça, répondit Harry, horrifié.

— Peut-être le devrait-elle, riposta Lara.

— Ce n'est pas son genre, dit-il, la sueur perlant au-dessus de sa lèvre supérieure.

— Qu'est-ce qui t'en rend si sûr ?

— Pour les hommes, c'est différent. Tout le monde sait ça.

— Non, fit Lara résolument. C'est là où tu te trompes.

Harry n'allait pas discuter. Il avait dans ses bras la succulente Lara Ivory et c'était sa dernière chance. Il la serra contre lui et lui murmura :

— Je donnerais n'importe quoi pour faire l'amour avec toi. Tu le sais, n'est-ce pas ?

— Oh ! Harry, au nom du ciel, assez de gamineries.

Le repoussant, elle le planta au milieu de la piste de danse.

Ah ! les soirées de fin de tournage. C'était quelque chose...

Le lendemain matin, Lara partit de bonne heure pour l'aéroport. Nikki et Richard vinrent lui faire leurs adieux à la porte de la villa : tous deux en peignoir de bain, l'œil vague, avec une épouvantable gueule de bois.

— Je n'arrive pas à croire que c'est fini, déclara Nikki en s'étirant.

— Je sais ce que tu veux dire, renchérit Lara. Je ressens la même chose.

— Fais bien attention à toi, mon chou, continua Richard en lui tenant la main. Si tu as besoin de quoi que ce soit..., tu m'appelles. Tu sais que je suis toujours là pour toi.

— J'ai horreur des adieux.

Lara les embrassa rapidement et s'engouffra dans la voiture. Elle ne se retourna pas quand la longue limousine déboucha sur la route.

Cassie, sa fidèle assistante, l'attendait à l'aéroport de Nice. Cassie était une femme corpulente d'une trentaine d'années qui ressemblait très vaguement à Elizabeth Taylor. Cela faisait six ans qu'elle travaillait pour Lara et veillait à ce que tout se déroule sans problème. Aujourd'hui, elle avait hâte de mettre Lara dans l'avion de Paris où elles prendraient une correspondance pour New York.

— Je suis vannée, dit Lara en bâillant.

— Tu n'en as pas l'air.

Un représentant de la compagnie aérienne se mit en quatre pour leur faciliter l'embarquement. À Paris, un de ses collègues était là pour les accueillir et les accompagner jusqu'à leur vol Air France pour New York. Lara s'installa à sa place, en première classe, à côté du hublot. Cassie lui tendit le script du *Rêveur*, et une grande bouteille d'eau.

— Merci, dit-elle en buvant cavalièrement une longue goulée. Si je m'endors, ne me réveille pas.

De l'autre côté de la travée, un homme d'affaires se démanchait le cou pour mieux la regarder. Finalement, n'y tenant plus, il s'approcha.

— Lara Ivory, lança-t-il, à la fois impressionné et admiratif.

— C'est moi, répliqua-t-elle gaiement.

Elle savait exactement ce qu'il allait dire. Elle ne s'était pas trompée.

— Vous êtes bien plus belle en chair et en os, réussit-il à articuler, ému par cette femme éblouissante.

— Merci, murmura-t-elle.

Cassie arriva, interposant sa masse impressionnante entre Lara et son admirateur.

Il comprit et regagna sa place.

— Ah, grommela Cassie, les « civils » !

Lara se demanda ce que ce devait être que de sortir avec un « civil ». Les seuls hommes avec qui elle avait des contacts travaillaient dans le cinéma : acteurs, producteurs, metteurs en scène, techniciens. C'était sur un film qu'elle avait fait la connaissance de Lee. Un garçon d'une timidité terrible, accentuée par le fait de se retrouver sous le feu des projecteurs en qualité de petit ami. Deux mois avant leur rupture, elle savait que c'était fini. Il n'y avait plus de passion dans leurs rapports et Lee était malheureux de vivre dans l'ombre de Lara. En outre, elle était harcelée par une demi-folle qui la traquait et cela le rendait furieux. Ils avaient fini par se séparer sans histoire et, depuis lors, elle n'avait plus entendu parler de lui.

— Le steward m'a demandé si tu pourrais lui donner un autographe, reprit Cassie.

— Bien sûr, répondit-elle. Dis-lui de venir.

Quelques minutes plus tard, le steward — une folle munie de cils interminables et d'un regard très doux — s'agenouillait près d'elle.

— Je suis vraiment désolé de vous déranger, mademoiselle Ivory. Mais mon ami m'écorcherait tout vif si j'osais rentrer sans votre autographe. Ce n'est pas trop vous demander de signer son album ?

— Bien sûr que non. Comment s'appelle votre ami ? demanda-t-elle en prenant le cahier relié de cuir.

— Vous n'avez qu'à mettre : « À Sam, l'homme de mes rêves ».

Elle s'exécuta gentiment. Certaines stars refusaient de signer des autographes, d'autres les faisaient payer. Lara estimait que c'était un privilège qu'on lui en demande.

Elle dormit pendant presque tout le voyage, ne se réveillant qu'une demi-heure avant leur arrivée à New York. Elle avait espéré passer quelques jours dans sa maison de L.A., mais elle n'en eut pas le temps. Après trois jours frénétiques d'essayages et d'interviews à New York, il fallut partir pour la maison que le studio lui avait louée dans les Hamptons. Cassie était allée reconnaître les lieux quelques semaines plus tôt.

— Tout à fait ton style, lui avait-elle assuré. Très confortable. Avec un joli jardin et accès à la plage. Tu vas adorer : c'est extrêmement protégé.

La limousine la conduisit directement à l'hôtel St-Regis. On l'installa dans la suite orientale avec les compliments des studios Orpheus qui la prenaient en charge pour les sept semaines de tournage du *Rêveur* : une comédie légère dans laquelle deux divorcés se rencontrent, tombent amoureux, se quittent et finissent par se retrouver pour de bon. Une comédie contemporaine qui la changeait agréablement du film de Richard où jour après jour on l'avait enfermée dans des robes d'époque abominablement inconfortables. Son partenaire dans *Le Rêveur* était Kyle Carson, une valeur sûre, récemment séparé de sa femme après dix-sept ans de mariage. Lara l'avait brièvement rencontré à quelques cocktails et il lui avait paru charmant : elle espérait que sa récente séparation ne l'avait pas changé.

Le metteur en scène était Miles Kieffer, un vieil ami qui l'avait dirigée dans son premier film.

Le personnel de l'hôtel, qui avait gardé le souvenir de son dernier séjour, lui réserva un accueil chaleureux. Elle se montrait aimable avec tout le monde : c'était dans sa nature. Le directeur l'escorta personnellement jusqu'à la somptueuse suite qu'elle devait occuper pour s'assurer que rien ne manquait.

Elle songeait souvent à l'étrangeté de sa vie. Limousines et villas louées, voyages en première, tout le monde prêt à satisfaire ses moindres caprices. Pas étonnant après cela que les vedettes de cinéma soient imbues de leur personne : elles étaient si protégées et si dorlotées que la réalité cessait d'exister.

Elle pensa au projet de Nikki et eut envie de lire le

livre. Cassie était dans la chambre, occupée à défaire ses bagages.

— Cassie, lui demanda-t-elle en allant la rejoindre, voudrais-tu appeler la librairie du coin pour qu'on m'envoie un exemplaire de *Vengeance*.

— C'est comme si c'était fait, répondit Cassie en se dirigeant vers le téléphone.

Une heure plus tard, le livre était là. Après un dîner léger servi dans sa suite, Lara s'installa pour lire.

Elle lut jusqu'à une heure avancée de la nuit et finit par s'endormir, le livre sur ses genoux. Elle s'éveilla de bonne heure et à 9 heures, heure de New York, appela son agent à L.A.

— Quinn, dit-elle, c'est vrai que je suis prise pour les trois années à venir ?

— Tu es aussi occupée que tu veux l'être, Lara, répondit Quinn en s'efforçant de se réveiller. Je pourrais te faire travailler régulièrement dans les trois, quatre, cinq années qui viennent... tu n'as qu'à choisir.

— Si j'avais envie de tourner un film à petit budget ?

Voilà qui le réveilla pour de bon.

— Quelle idée ! lança-t-il, inquiet.

— Est-ce que je pourrais le faire ? insista-t-elle.

— C'est possible.

Un silence.

— Il y a quelque chose que je devrais savoir ?

— Pas pour l'instant.

— Bon, fit-il, soulagé. Je peux me rendormir ?

— Certainement.

Elle raccrocha, songeuse. Quinn était un excellent agent mais, comme la plupart de ses confrères, ce qui l'intéressait avant tout était de gagner de l'argent.

Elle s'imagina sa tête si elle lui annonçait qu'elle souhaitait faire le film de Nikki.

Pourtant, si le script se révélait aussi impressionnant que le livre, c'était là une forte possibilité.

6

Un petit groupe s'était constitué dans un coin de la pièce : les deux femmes du casting, le metteur en scène et une productrice. Joey se concentra sur les femmes. Il braqua ses yeux sur elles, l'une après l'autre. Son regard pénétrant en disait long : *Un autre jour... dans d'autres circonstances... j'aimerais te faire l'amour jusqu'à ce que tu demandes grâce. Jusqu'à ce que tu n'en puisses plus.* Les femmes saisissaient ce genre de regard : ça marchait à tous les coups.

La productrice, style poupée un peu fanée, s'éclaircit la voix.

— Prêts pour la lecture ?

Joey acquiesça, parcourant une dernière fois les feuillets. Puis il joua la scène de mémoire, une des femmes du casting lui donnant la réplique. Il fit de son mieux et, la répétition achevée, comprit qu'il avait réussi à les impressionner.

La plus âgée des femmes du casting abaissa ses lunettes et le regarda droit dans les yeux.

— Vous n'avez pas joué dans *Solide* ?

— Exact, répondit-il, flatté qu'elle s'en souvienne.

— C'était...

— Il y a six ans, précisa-t-il pour ne rien cacher et afficher sa sincérité.

— Qu'avez-vous fait depuis ? demanda le metteur en scène.

— Ma mère est tombée malade. Mon retour s'imposait pour m'occuper de ma famille.

— C'est navrant, roucoula la productrice. J'espère qu'elle se porte bien à présent.

— Non, répondit Joey. Elle... elle est morte. Je suis resté là-bas pour que ma petite sœur puisse aller à l'école.

— Très belle attitude ! s'écria la plus jeune femme du casting en le dévorant des yeux.

— Maintenant je suis rentré et ma carrière doit redémarrer.

— C'est un très petit rôle, précisa le metteur en scène.

— On ne peut pas toujours avoir la vedette, répliqua Joey.

— Bonne lecture, déclara la productrice.

— Merci d'être venu, continua le metteur en scène.

— Nous contacterons votre agent, conclut la plus âgée des femmes du casting.

Joey comprit qu'il était libre de partir. Ça ne voulait pas dire qu'on ne l'engagerait pas. Il leur avait plu, il le sentait.

Il sortit et aperçut dans la salle d'attente une douzaine de jeunes comédiens qui attendaient leur tour.

— Ne vous donnez pas la peine, le rôle est à moi.

Rien de tel pour leur saper le moral.

Trois jours plus tard, il obtenait le rôle.

— C'est plutôt bien payé, lui annonça Madelaine. Trois jours de travail répartis sur deux semaines d'extérieur dans les Hamptons... On paiera ton hôtel et une indemnité journalière. Ne me laisse pas tomber, Joey.

— Maddy, tu me crois capable de te jouer un tour pareil ?

Ce soir-là, il lui fit l'amour et elle s'endormit le sourire aux lèvres. Il avait glissé un somnifère dans son cappuccino de telle sorte qu'elle dormait profondément et ne s'aperçut pas de son départ.

Il vagabonda dans les rues et finit par entrer dans une boîte de strip-tease. Il paya une fille aux seins gonflés à la silicone pour lui jouer son numéro en privé. Il resta indifférent. Pourquoi s'obstinait-il à s'infliger ce genre de sexe à la sauvette qui ne signifiait rien ?

Il regagna l'appartement de Madelaine en taxi et se glissa dans le lit auprès d'elle. Jamais il n'avait eu de relation sérieuse. Jamais. Dans cette vie, il fallait exploiter ou se faire exploiter. Le sexe, c'était le pouvoir. Voilà tout.

Pour plus de sûreté, Madelaine paya à Joey des leçons d'art dramatique. Il l'avait laissée tomber une première fois, mais la joie des retrouvailles la persuada qu'il ne la quitterait plus.

Patsy Bull, son professeur, une grande Australienne blonde décolorée enveloppée dans d'amples cafetans, l'appelait « mon petit ». Fais ceci, mon petit. Tiens-toi droit, mon petit.

Patsy lui accorda toute sa confiance. Cela faisait six ans qu'il n'avait pas joué et il avait besoin d'être rassuré, de se sentir encore capable.

Quand il partit pour les Hamptons, il se jugeait de taille à affronter son rôle. Deux objectifs : se faire remarquer et se remettre en selle. Après tout, il n'avait pas de temps à perdre.

Dès son arrivée là-bas, Madelaine appela.

— Alors, l'hôtel ?

— Petit, rien d'extraordinaire.

— J'ai pensé que je pourrais peut-être te rejoindre pour le week-end.

— Ce serait formidable, Maddy.

Surtout pas. Il n'était pas question que les comédiens et les techniciens découvrent sa relation avec cette vieille peau. Pire encore... une vieille peau d'agent. Tout le monde croirait qu'elle lui avait décroché le rôle. En vérité, c'était son talent qui lui avait valu cet engagement. Sa présence.

Mais il était assez malin pour ne pas refuser l'offre de Maddy. À la dernière minute, il trouverait une excuse pour qu'elle reste à New York.

Il aurait dû se rendre directement à la caravane de l'habilleuse pour essayer ses costumes. Il préféra faire un tour. Garées derrière l'hôtel, les grandes caravanes étaient alignées comme le long cortège d'un cirque. Les costumes, le maquillage, le matériel de prise de vues, les accessoires, l'éclairage, les caravanes des vedettes : Joey observa les noms qui y étaient inscrits. Kyle Carson et Lara Ivory. Peut-être qu'un jour son propre nom figurerait sur le côté d'une caravane. *Joey Lorenzo*. Il en serait fier.

Son exploration terminée, il regagna sa chambre et but une lampée de vodka. Joey n'était pas alcoolique : il voulait simplement se détendre et arriver dans les meilleures dispositions possible sur le plateau.

En vérité, il voulait s'attirer la sympathie de tout le monde.

7

— Je serai la première à lire le script, annonça Lara tandis que Roxy, sa coiffeuse, s'efforçait d'arranger ses cheveux.

— Tu as tant aimé le livre ? demanda Nikki, tout excitée.

— Je n'ai pas pu le lâcher. J'ai passé toute la nuit à lire. Si tu voyais ma tête ce matin...

— Ben voyons, murmura Roxy.

Fille de Brooklyn, les cheveux roux, Roxy avait un corps plutôt maigre et des anneaux un peu partout. Elle avait coiffé Lara sur trois films et elles s'entendaient bien toutes les deux.

— Je devrais avoir un bon script bientôt, dit Nikki. Je te l'apporterai peut-être moi-même, je viendrai passer un jour ou deux.

— Richard te laissera faire ça ?

— Tu plaisantes ! s'exclama Nikki en riant. D'ailleurs, dès notre retour à L.A., il sera enfermé dix-huit heures par jour dans la salle de montage : tu sais comment il est quand il termine un film.

— Oui, je me souviens, répondit Lara, se remémorant de longues nuits solitaires.

— C'est formidable que le livre te plaise !

— L'histoire est très prenante.

— C'est une histoire vraie, tu sais. J'ai rencontré la femme à qui c'est arrivé.

— Si le script est aussi poignant que le livre, je marche.

— Bon sang ! Mais c'est fou.

— Pourquoi ?

— Parce qu'on n'a pas les moyens de t'avoir.

— Qu'est-ce que tu penses du minimum syndical et d'un pourcentage ?

— Quinn ne te laissera jamais faire.

— Il croit peut-être qu'il contrôle ma carrière, mais c'est *moi* qui décide, affirma Lara.

— Et dire que tout le monde s'imagine que tu es une petite fleur fragile... sous cette douceur se cache un cœur de pierre !

Lara se mit à rire.

— Exactement.

— Et, à propos de cœur de pierre, tu ferais mieux de te trouver quelqu'un pour te tenir compagnie sur ce film.

— Combien de fois faut-il que je te le répète ? soupira Lara. Je suis parfaitement heureuse toute seule.

— Très bien, je t'offrirai un vibromasseur pour ton anniversaire.

— Tu es vulgaire, tu sais ?

Lara raccrocha en riant.

— C'était mon amie Nikki, expliqua-t-elle à Roxy. Elle tient absolument à me caser.

— Nikki... Nikki... Ça n'est pas la costumière qui a épousé votre ex-mari ?

— Mais si.

— Eh bien... on peut dire que vous avez l'esprit large ! s'exclama Roxy en levant les yeux au ciel. Moi, j'ai deux ex et si j'en croise un dans la rue, je change de trottoir. Deux minables. Le premier sautait ma sœur. L'autre, je l'ai surpris en train d'essayer ma plus belle tenue de soirée. Qu'est-ce que vous en dites ?

Lara sourit : depuis qu'elle connaissait Roxy, les histoires les plus ignobles se succédaient. Yoko, sa maquilleuse, et Angie, sa doublure, avaient elles aussi des relations tendues avec les hommes. Lara se réjouissait d'être entourée de visages familiers sur ce film : des femmes avec qui elle avait déjà travaillé et qu'elle aimait bien avoir autour d'elle.

— Vous avez déjà rencontré Sir Carson ? demanda Roxy en reculant pour admirer son ouvrage.

— Pas encore.

— Un beau morceau.

— Quelle est sa réputation ? interrogea Lara.

Roxy connaissait tous les potins.

— Sa femme l'a flanqué dehors parce qu'elle l'a surpris à jouer au docteur avec une petite présentatrice de télé. Une semaine plus tard, elle a filé avec son prof de gymnastique. D'après les bruits qui courent, Kyle voudrait que madame revienne car elle lui réclame la moitié de sa fortune. Et vu la flopée de films qu'il a tournés au cours des dix dernières années, elle toucherait le gros lot.

— Très gros.

Roxy posait les derniers bigoudis quand on frappa à la porte de la caravane.

— Qui est là ? lança la coiffeuse.

La porte s'entrebâilla et Kyle Carson passa la tête. Bel homme, le genre décontracté : une sorte de Gary Cooper des temps modernes. Il avait un sourire charmeur et de beaux cheveux bruns qui semblaient se clairsemer un peu sur le devant, malgré l'ingénieuse moumoute qui dissimulait ce fait à ses adoratrices.

— Bonjour, dit-il. Lara Ivory est-elle là ?

Lara se retourna.

— Tu me surprends en bigoudis, marmonna-t-elle.

— Puis-je entrer ?

— Avec plaisir.

— Bonjour. Tout le monde m'a dit que c'était un

plaisir de travailler avec toi. Je suis ravi que nous en ayons l'occasion.

— Moi aussi, répondit-elle tandis qu'il approchait pour lui serrer la main. Je te présente Roxy : c'est le génie de la coiffure grâce à qui j'ai toujours l'air en forme.

— Mais oui, murmura Roxy. Il faut vraiment du génie pour que vous ayez l'air bien.

— J'ai pensé que je devrais passer te voir, expliqua Kyle, puisque nous commençons à travailler dès demain.

Il restait impressionné par sa beauté... Évidente, malgré les bigoudis.

— Si je peux faire quoi que ce soit pour toi... Si tu veux qu'on répète quelques répliques avant d'affronter la caméra... On pourrait peut-être dîner à l'hôtel ce soir ?

— Je ne suis pas à l'hôtel, répondit Lara. Le studio m'a loué une maison.

— C'est ce qui était prévu pour moi aussi, précisa-t-il. Mais puisque je viens de me séparer de ma femme, j'ai pensé que ce ne serait pas très drôle de me retrouver seul dans une maison. Je me suis dit que ce serait sans doute plus facile dans un hôtel.

— Tu as sûrement raison.

— Tu es au courant de ma séparation, n'est-ce pas ?

Il voulait s'assurer qu'elle le savait pratiquement disponible.

— On me l'a dit.

— Pour ce soir... je pourrais passer chez toi, si tu préfères.

— Tu sais, Kyle, je viens de rentrer d'Europe et je suis encore fatiguée par le décalage horaire. Ça t'ennuierait si on répétait demain sur le plateau ?

— Bon. C'était pour t'arranger.

— C'est très gentil, je te remercie.

Il lui lança un dernier sourire charmeur avant de sortir de la caravane.

— Eh bien, s'exclama Roxy, en voilà un qui a le béguin pour vous !

— Il est poli, tout simplement, ajouta Lara.

— Poli, mon œil... Il en bavait.

Roxy soupira, l'air nostalgique.

— C'est vrai qu'ils sont tous à vos pieds. Vous n'en avez pas marre ?

— C'est mon image qu'ils admirent, répondit Lara. En tant que comédienne, je crée à l'écran des personnages dont les gens tombent amoureux.

— Amoureux... Vous les faites bander, voilà tout ! Je vous le dis, je ne connais pas un type qui n'ait pas envie de vous faire l'amour.

— Merci, Roxy. Je suis ravie de l'entendre.

— Mon chou, c'est la vérité. Il faut vous y habituer.

Quelques minutes plus tard, Miles, le metteur en scène, arriva. C'était un homme de haute taille, la cinquantaine, avec de longs cheveux argentés, des lunettes à monture d'acier et l'air vif.

— C'est mon jour ! Tout le monde me surprend entièrement décoiffée, répliqua Lara tandis qu'il lui posait un baiser sur la joue.

— Toujours exquise, ma chère. Je n'oublierai jamais notre première rencontre.

— Moi non plus, Miles. C'est toi qui m'as mis le pied à l'étrier.

— Tu as fait du chemin depuis, ma chérie.

Il se jucha sur le bord de la table, en face d'elle.

— Alors, comment était-ce de travailler avec Richard maintenant que vous êtes divorcés ?

— Une expérience formidable. Je les adore, Nikki et lui. Être sa femme était un cauchemar. L'avoir comme ami, c'est beaucoup mieux.

Miles hocha la tête.

— J'entends d'excellentes critiques à propos du film.

— Richard est un merveilleux metteur en scène. Il connaît parfaitement son métier.

— Toi aussi.

— Je suis très contente de travailler de nouveau avec toi, Miles.

— Ça va être formidable.

— Comment va Ginny ?

— Toujours très prise par ses œuvres de charité à L.A. Je suis certain qu'elle essaiera de nous rendre une visite. Elle t'envoie toute son amitié.

— Envoie-lui la mienne.

— On dîne ensemble ce soir ?

— Ça t'ennuie si je te dis non ? Je compte sur une bonne nuit de sommeil pour être en pleine forme demain matin.

— Alors, à demain.

Il lui envoya un baiser et quitta la caravane.

— Encore un qui a le béguin pour vous, observa Roxy.

— Tu as l'impression que tout le monde a le béguin pour moi, dit Lara, exaspérée. Miles est un homme marié.

— Ce sont les pires, conclut Roxy avec un clin d'œil complice.

Plus tard, Lara regagna sa maison. Sur les instructions de Cassie, le cuisinier philippin avait préparé une salade. Elles s'assirent sur la véranda, face à une étendue de sable blanc et à la mer. Lara respira profondément.

— Je sens que je vais adorer cet endroit, murmura-t-elle en contemplant l'océan. Tu as fait un bon choix, Cass.

— Je ferai tout mon possible pour ne pas t'encombrer. Quand tu auras besoin de moi, tu n'auras qu'à crier.

— Dis donc... je t'ai demandé de rester avec moi : j'aurais peur toute seule.

— Le taux de criminalité est faible par ici, observa Cassie.

— Ce n'est pas ça qui m'inquiète, répliqua Lara. Depuis que j'ai été traquée par cette folle l'an dernier, je préfère ne pas rester seule.

— En tout cas, celle-là, elle est en taule.

— Elle en sortira.

— C'est ça, la gloire, lança Cassie en riant. Une folle, rien que pour toi.

— Je m'en passerais bien.

Lara repensa à cette femme odieuse et terrifiante qui l'avait harcelée pendant plusieurs mois : elle prenait des photos, la bombardait de lettres et de cadeaux et, pis encore, sonnait constamment à sa porte.

— Ici, annonça Cassie, nous avons un garde toute la nuit. Il sera installé dans sa voiture devant la maison — sans doute endormi — mais, à la moindre alerte, il nous viendra en aide.

— J'ai horreur de vivre de cette façon.

— C'est le studio qui paie, précisa Cassie, toujours pratique. Alors, quelle importance ?

Cassie ne comprenait pas : c'était un cauchemar d'avoir quelqu'un qui vous poursuivait.

— Je vais faire un tour sur la plage, annonça Lara. Ça te dit ?

— Je crois que je préfère un morceau de gâteau au chocolat et un peu de glace.

— Bravo pour ton régime. Bien, je vais marcher avant qu'il fasse nuit. Surtout, qu'on me réveille demain matin à 5 h 30.

— C'est comme si c'était fait.

La plage était déserte. Lara ôta ses sandales : elle adorait sentir le contact du sable humide sur ses pieds nus.

Elle pensa au livre de Nikki et au rôle de Rebecca : la victime du viol qui se venge. Elle avait très envie de jouer ce rôle : c'était un défi, et la vie exigeait parfois qu'on sache affronter de telles occasions.

Bien sûr, c'était un film à petit budget mais, si le script était bon, ça l'intéressait vraiment. Elle avait tout le succès qu'elle pourrait jamais vouloir : pourquoi prendre des risques ? Quelque chose qui rehausserait sa réputation de comédienne ? Qui pourrait peut-être lui faire prendre une revanche sur son passé ?

Lara Ivory... la belle vedette de cinéma. Si les gens soupçonnaient la vérité...

Si seulement ils savaient...

8

Après trois mois d'absence, Nikki avait mille choses à faire à L.A. Summer, sa fille, allait arriver d'un instant à l'autre. Sa principale préoccupation était donc d'ouvrir la maison de Malibu et de tout organiser. Summer passait parfois des vacances avec Nikki, mais elle vivait la plus grande partie de l'année avec son père à Chicago.

Nikki songeait souvent à sa vie d'autrefois et se demandait comment elle avait pu incarner cette personne-là : Mme Sheldon Weston, épouse et mère respectable, prisonnière d'un mariage sans amour. Elle était tombée enceinte à seize ans au cours d'une aventure de six semaines avec un homme plus âgé. Sheldon avait fait son devoir, il l'avait épousée. Il était bien obligé : il avait vingt-deux ans de plus qu'elle, c'était un psychiatre respecté, et il ne pouvait pas prendre le risque de ternir sa réputation. D'autre part, les parents de Nikki, très stricts, avaient insisté. Sans eux pourtant, elle n'aurait peut-être pas eu une jeunesse aussi débridée mais, comme à la maison on n'avait pas le droit de parler de sexe, elle avait bien dû se débrouiller toute seule avec ce tabou.

Non content d'être un psychanalyste extrêmement

brillant, Sheldon était un homme très autoritaire — un peu comme son père, au fond. Une fois mariée, Nikki constata qu'il s'attendait à la voir obéir à ses moindres caprices, et si au début le rôle de la petite épouse docile l'amusait, il ne tarda pas à lui peser — surtout après la naissance de Summer.

À cette époque, Nikki avait dix-sept ans et une terrible envie de s'amuser.

Sheldon en avait trente-neuf et s'attendait toujours à la trouver à la maison.

Au bout de deux ans, elle avait déjà la certitude qu'il la trompait. Elle savait que bien des femmes de la haute société de Chicago s'allongeaient sur son divan pour tout lui raconter et elle soupçonnait son mari de faire un peu plus que les écouter. Mais elle mit des années à le surprendre et, quand elle y parvint, elle ne put réunir assez de preuves concrètes pour les présenter à un tribunal.

Aussi le divorce n'avait-il pas été facile. Il l'avait menacée, si elle le quittait, de ne jamais la laisser revoir Summer. Mais elle avait engagé une excellente avocate, s'était battue et avait fini par obtenir une garde partagée.

Summer avait huit ans lors de la séparation. Elle n'avait pas caché sa préférence pour son père et la vaste maison qu'il habitait dans la banlieue de Chicago où elle pouvait monter à cheval et élever ses lapins. Elle détestait le petit appartement de sa mère. Nikki avait dû céder et la laisser habiter avec Sheldon.

Erreur. Summer s'était rapprochée de son père et traitait Nikki comme une sœur aînée un peu dingue.

Nikki en avait souffert mais, avec les années, elle avait fini par l'accepter. Au lieu de vouloir jouer les mères modèles, elle s'était concentrée sur sa carrière : d'abord assistante, elle était parvenue à se bâtir la réputation enviée d'une créatrice de costumes très demandée au cinéma — au grand dépit de Sheldon.

C'est ainsi que Richard Barry, quand il était arrivé

de Chicago pour tourner un film, avait engagé Nikki pour dessiner les costumes.

Leur première rencontre avait été du « pur Richard » : il lui avait lancé des ordres comme à une assistante, ce qui l'avait rendue furieuse. Quelques instants après, elle l'avait pris à part pour mettre les points sur les i.

— Je sais, lui avait-elle dit, que vous êtes le grand metteur en scène de Hollywood. Mais j'ai aussi ma réputation. Alors, s'il vous plaît, ne me dites pas comment faire mon travail — et je ne vous dirai pas comment diriger vos acteurs.

Deux soirs plus tard, ils s'étaient retrouvés dans le même lit et, à la surprise de Nikki, la nuit avait été sensationnelle.

Le film terminé, Richard l'avait demandée en mariage et elle avait accepté — même si, une fois encore, elle se trouvait face à un homme plus âgé qu'elle.

Cela faisait maintenant deux ans qu'ils étaient mariés et, malgré les réticences de Richard, elle se lançait dans la production et tentait de monter *Vengeance*.

Depuis que Nikki avait épousé un célèbre metteur en scène et qu'elle était allée vivre à Los Angeles, Summer se montrait beaucoup plus chaleureuse envers sa mère. Elle semblait réellement impatiente, cette fois, de venir passer des vacances avec eux. Naturellement, le fait de posséder une maison sur la plage de Malibu n'y était pas pour rien.

Summer était une très jolie jeune fille. Grande et gaie, parée de longs cheveux d'un blond éclatant. Richard l'avait surnommée Lolita et ils s'entendaient tous les deux à merveille : Summer avait plus d'affinités avec les hommes, pensait Nikki.

Sheldon s'était récemment remarié. Nikki avait imaginé que Summer détesterait Rachel, la nouvelle épouse, qui n'avait que trois ans de plus qu'elle. Mais, tout au contraire, les deux filles étaient devenues amies intimes. Summer avait même demandé si elle pouvait venir pour quelques jours avec Rachel.

— Pas question, avait répondu Nikki, horrifiée à cette idée.

Tout en s'affairant dans la maison pour s'assurer que tout était en ordre, elle était ravie à l'idée que Lara eût demandé à voir le script : quel beau coup si elle acceptait de tourner le film ! Aujourd'hui, le scénariste devait remettre son texte définitif. Elle espéra qu'il arriverait avant Summer, car elle désirait avant tout s'asseoir tranquillement dans un coin pour le lire.

Summer Weston inspecta le jeune chauffeur qui brandissait une pancarte blanche avec son nom écrit dessus en grosses majuscules. Il était mignon, un peu comique avec ses cheveux carotte ébouriffés et son air effronté. Il la dévisageait avec des yeux ronds et n'en crut pas sa chance lorsqu'elle se dirigea droit sur lui.

— Salut. Vous venez me chercher.

— Moi ?

— Eh oui, affirma-t-elle en lui lançant son sac de voyage.

Il s'en saisit.

— Euh... faut-il que j'amène la voiture ou pouvez-vous venir avec moi jusqu'au parking ?

— J'ai des bagages.

— Beaucoup ?

— Six valises.

— Alors, vous restez quelque temps ?

— Peut-être, lança-t-elle, coquette.

— Je vous accompagne pour récupérer vos bagages, puis je vais chercher la limousine.

— Super ! s'exclama-t-elle, tout excitée à l'idée que Nikki avait envoyé une limousine pour l'accueillir.

Ils s'engagèrent dans le long couloir.

— Vous êtes actrice ?

Elle rit en rejetant en arrière ses longs cheveux blonds.

— À votre avis ? répliqua-t-elle, enchantée qu'il le croie.

Il l'observa.

— Vous ressemblez à cette fille qui joue dans *Côte Ouest*... vous savez, Alicia quelque chose.

— Eh bien, ce n'est pas moi.

— Ça ne fait rien. Vous êtes plus jolie.

— Vrai ?

— Ouais.

Voilà un voyage qui commençait bien. L.A. allait sûrement lui plaire. Son père avait voulu qu'elle les accompagne aux Bahamas, son adolescente de femme et lui, mais, à son vif agacement, elle avait refusé. Moins elle passait de temps avec lui, mieux ça valait.

Ils arrivèrent devant le tapis sur lequel défilaient les bagages et attendirent ses valises.

— Je m'appelle Jed, dit le chauffeur en se rapprochant d'elle. Je fais ce boulot pour payer mon loyer... En fait, je suis comédien.

— Vous devez rencontrer des tas de gens géniaux.

— Oui. Comme vous. Seulement vous, vous ne pouvez pas me trouver un boulot.

— Mon beau-père est un metteur en scène connu, annonça-t-elle fièrement.

— Sans blague ? C'est qui ?

— Richard Barry.

Il ouvrit de grands yeux.

Quelques instants plus tard, assise au fond d'une longue limousine argent roulant vers Malibu, elle prit un joint dans son sac et l'alluma. Elle fumait de l'herbe depuis deux ans. Ça l'aidait à supporter sa situation.

Jed s'en aperçut tout de suite et la fixa dans son rétroviseur.

— Vous allez empester la bagnole.

— Et alors, c'est moi qui paye.

— Exact, dit-il en ricanant. Vous et votre riche beau-papa.

— Vous voulez une bouffée ? C'est gratuit.

Il hésita un moment puis répondit :

— Pourquoi pas ?

Elle se pencha jusqu'à la vitre de séparation et lui passa le joint. Il tira une profonde bouffée. On sentait l'habitude.

— Je pourrais me faire virer pour ça.

Mais cette perspective n'avait pas l'air de le bouleverser.

— Peut-être, mais pensez comme vous allez vous sentir en forme pour le reste de la journée, dit-elle en pouffant.

Le temps que la limousine arrive à Malibu, il lui avait donné son numéro de téléphone et le nom d'une boîte où il traînait pendant ses heures libres.

— Passez donc un soir, proposa-t-il.

— Peut-être.

— Vous devriez.

Nikki entendit la limousine arriver et se précipita pour ouvrir la porte.

— Bonjour, maman. Où est Richard ?

— Au montage, répondit Nikki.

Elle était un peu vexée que les premiers mots de Summer aient été « Où est Richard ? ».

— Je n'ai pas droit à un baiser ?

— Mais si, marmonna Summer en l'embrassant distraitement.

Nikki crut sentir un fort relent d'herbe.

Le jeune chauffeur était occupé à décharger les valises du coffre. Nikki lui indiqua la chambre de Summer.

— C'est formidable, L.A., déclara Summer en parcourant la maison. À Chicago, on étouffe. Bien sûr, j'aurais pu accompagner papa et Rachel aux Bahamas. Seulement j'y suis déjà allée deux fois : ce n'est pas très marrant. Et puis je voulais voir Richard... et toi, bien sûr.

Elle est merveilleuse, pensa Nikki en inspectant la

tenue de sa fille : un mélange de Madonna et de Pamela Anderson, un style en total désaccord avec la beauté fraîche de Summer.

— Demain, on ira faire du shopping, proposa-t-elle. Il y a des tas de nouvelles boutiques : tu vas adorer.

Summer soupira, comme si c'était la pire idée qu'elle eût jamais entendue.

— Allons, maman, tu sais bien qu'on n'a pas les mêmes goûts.

— Je ne suis quand même pas une vieille encroûtée, riposta Nikki. En fait, je suis une des plus brillantes créatrices de costumes du cinéma.

— Mais oui, maman. Seulement... on n'est pas sur la même longueur d'onde.

— Charmant !

— Je meurs de faim, lança Summer en se précipitant dans la cuisine. Il y a quelque chose à manger ?

Il y avait plein de choses à manger, mais Summer avait gardé cette attitude exaspérante d'ouvrir la porte du frigo en lançant :

— Pouah ! Rien de mangeable !

Elle ouvrit ensuite tous les placards de la cuisine sans les refermer.

Nikki essayait de garder son calme, mais les habitudes de sa fille la rendaient folle.

— Bon sang ! s'exclama Summer. Richard n'est pas là et il n'y a rien à bouffer.

— Dis-moi ce que tu aimerais et je vais envoyer la bonne faire des courses.

— Laisse tomber, maman. Je vais aller sur la plage. Je compte bien bronzer.

Adieu les étroites relations mère-fille, songea tristement Nikki.

Dès que le coursier eut apporté le script, Nikki s'en empara et se précipita sur la véranda. Summer était allongée en bas sur le sable. Elle avait enlevé le haut :

elle n'avait presque pas de poitrine, ça n'avait donc pas d'importance, mais ça ne se faisait pas, surtout sur une plage publique.

Elle songea à l'appeler pour lui dire de remettre son soutien-gorge, mais à quoi bon ? Dès que Nikki aurait le dos tourné, Summer l'enlèverait de nouveau.

Prenant le scénario, elle s'installa dans un confortable fauteuil en osier et se mit à lire.

Elle resta une heure et demie plongée dans sa lecture. L'adaptation était brillante. Posant le scénario sur une table, elle frissonna d'excitation : il fallait que Lara le voie tout de suite.

L'idée lui vint d'aller le lui porter elle-même. Puis elle se rappela la présence de Summer. Peut-être valait-il mieux envoyer le script par exprès à Lara, lui donner le temps de le lire et ensuite sauter dans un avion. Oui, décida-t-elle, c'était la bonne méthode.

Elle appela Richard dans la salle de montage.

— Le script est ici. Je viens de finir de le lire. Il est parfait.

— Ne t'excite pas trop. Il faut que les financiers y jettent un coup d'œil et ils ont *toujours* des commentaires à faire.

— Et alors ? À mon avis, il est assez bon pour que je l'envoie à quelques metteurs en scène, pour connaître leurs réactions.

— Oh !... ils doivent tous être impatients de le lire. Mais n'oublie pas que je suis bloqué pour les quelques semaines à venir : je ne te serai pas d'une grande aide.

— Je m'en sortirai, affirma-t-elle. C'est *mon* projet et, même si ton avis m'intéresse, j'ai déjà le mien.

— Tu es sûre de vouloir te lancer là-dedans ?

— Absolument.

Elle allait appeler Federal Express pour expédier le scénario à Lara quand elle se souvint que Summer était depuis trop longtemps sur la plage. Elle y jeta un coup d'œil. Summer était couchée dans le sable — toujours à moitié nue. Un garçon musclé était accroupi auprès d'elle et lui parlait. *Eh bien*, songea Nikki, *il ne lui a pas fallu longtemps pour se trouver des petits camarades.*

Elle prit conscience de sa sévérité, mais elle ne voulait pas voir sa fille connaître le même sort qu'elle : enceinte à seize ans, mariée à dix-sept, divorcée à vingt-cinq.

Elle appela Summer.

Sa fille la regarda comme une parfaite étrangère.

— Ouais ?

— Tu ne crois pas que tu devrais rentrer ?

Summer murmura quelques mots à l'oreille du garçon. Tous deux rirent aux éclats.

Nikki sentit qu'ils se moquaient d'elle mais elle n'en laissa rien paraître et rentra précipitamment dans la maison. Elle appela Federal Express et griffonna un petit mot pour Lara. Ensuite, elle téléphona à quelques metteurs en scène pour leur parler du scénario.

Summer connaissait son pouvoir de séduction. Cinq minutes après son arrivée sur la plage, ce grand gaillard de surfeur était arrivé et avait engagé la conversation. Elle avait ôté son soutien-gorge et lui avait expliqué qu'en Europe cette pratique était monnaie courante.

Il avait les yeux rivés sur elle. Elle lui demanda alors où trouver de l'herbe. Il promit de lui en fournir et l'invita à une soirée. Il était visiblement déjà amoureux.

Les hommes ! pensa Summer avec mépris. *Trop facile !*

Un peu plus tard, elle regagna la maison pieds nus et pleine de sable, une légère chemise couvrant à peine son bikini.

— Je sors, lança-t-elle à sa mère. Est-ce que je peux emprunter une voiture ?

— Tu es trop jeune pour conduire, lui fit remarquer Nikki. Il faut avoir seize ans, tu te rappelles ?

— Je conduis tout le temps la voiture de papa.
— Si ton père est prêt à en prendre le risque, c'est bien, moi non !
— Je conduis super-bien, maman.
— Je n'en doute pas, mais c'est toujours non. C'est la loi. Où vas-tu, d'ailleurs ? Je croyais que nous dînions tous ensemble ce soir.
— Désolée. Je suis invitée à une soirée.
— Déjà ?
— Tu ne voudrais pas que je reste à la maison à faire tapisserie ?
— À quelle heure est-ce que ton père te dit de rentrer ?
— À moi ? Allons donc !
— Ne fais pas la maligne, Summer. À quelle heure dois-tu être rentrée à Chicago ?
— Quand ça me plaît.
Ou bien, se dit-elle, *quand il me l'ordonne.* Sheldon aimait savoir qu'elle était rentrée quand il le souhaitait.
— Ici, répliqua Nikki en tapotant sa montre, ça ne marche pas pareil. Retour à minuit.
— Minuit ! s'exclama Summer. La soirée commence à peine à cette heure-ci.
— Comment le sais-tu ?
— J'ai des amis ici.
— Ah oui ? Qui ça ?
— Tu ne les connais pas.
Oh, mon Dieu ! Summer avait atteint un âge difficile. Nikki aurait besoin de l'aide de Richard et pour le moment il n'était absolument pas disponible.
— Je te donne l'argent du taxi, conclut-elle, pour ne pas paraître trop dure. Sois là à minuit. D'accord ?
— Bien, marmonna Summer.
Elle remonta dans sa chambre en maugréant contre la rigueur de sa mère.

Richard ne rentra qu'après 22 heures. Il était aux anges.

— Le film est incroyable ! s'exclama-t-il en se préparant un whisky bien tassé. Les extérieurs dans le midi de la France sont superbes et l'interprétation de Lara est remarquable.

— Bien. Et les costumes ?

— Viens demain au studio : je crois que tu seras contente.

— Vraiment ?

— Oui, ma chérie, je le pense.

— Je t'aime, Richard, murmura-t-elle en se blottissant contre lui.

— Je t'aime aussi, ma chérie.

Mais il avait visiblement autre chose en tête.

— Où est Summer ? Elle ne devait pas arriver aujourd'hui ?

— Si. Elle a déjà fichu sa pagaille et elle est sortie.

— Elle t'a laissée seule ?

— Richard, elle n'est pas venue pour me tenir compagnie. Je lui ai dit que j'étais d'accord pour qu'elle sorte à condition qu'elle rentre à minuit. Pas la peine de l'attendre. J'ai décidé de lui faire confiance.

— Très bien.

— Tu m'as négligée ces temps-ci, dit Nikki. Qui passe en premier... le film ou moi ?

— Le film évidemment, répliqua-t-il pour la taquiner.

— Imbécile ! Je ne sais pas pourquoi je t'aime.

Il l'enveloppa dans ses bras et lui donna un baiser.

— Porte-moi jusqu'à la chambre et viole-moi ! lança-t-elle.

— J'ai faim. Je n'ai dans l'estomac qu'un beignet et une tasse de café.

Elle prit sa voix la plus sexy.

— J'ai de quoi te rassasier.

— Ah oui ?

— Parfaitement, monsieur Barry. Tu vas voir...

Et voilà : à seize ans je me retrouvais sur mes fesses. Je n'allais pas rester avec Lulu, cette petite pute.

J'avais d'autres solutions. Avis Delamore, par exemple, la vieille peau qui dirigeait mon cours d'art dramatique. Avis prétendait être une célèbre actrice de théâtre venue d'Angleterre. J'en doutais, car ses colères révélaient un rien d'accent du Bronx.

Avis avait un faible pour moi. Dès que je sonnai à sa porte, elle me répondit : Tu n'as qu'à dormir sur mon canapé.

Tu parles ! Ce soir-là, au lieu du canapé, ce fut son lit. Comme je le disais, dès que je le désire vraiment, toutes les femmes sont à mes pieds.

Malheureusement, Avis n'était pas Lulu, avec son corps de strip-teaseuse et ses petits seins bien ronds. Avis était une grosse femme, la poitrine tombante et les cuisses lourdes. Je découvris la sensation de sauter une femme qui n'avait pas eu d'homme depuis quelque temps. Mon paternel avait raison : reconnaissantes, elles vous donneraient tout. Il n'y avait qu'à demander.

Elle m'occupa à bricoler sa vieille maison en ruine,

annonçant à tout le monde que j'étais son assistant. Moyennant quoi, je devais me la faire et j'empochais cinquante dollars par semaine. L'ennui, c'était qu'elle m'attendait tous les soirs et la cadence était un peu trop poussée à mon goût. Heureusement, je suivais mes cours de théâtre. Ce n'était pas mal, les filles abondaient, différentes et naturelles à chaque fois. Avis était ma pitance ; les autres fournissaient le dessert.

Bien sûr, je redoublais de prudence. J'étais assez malin pour comprendre qu'Avis n'apprécierait pas la situation.

Tout se déroula sans histoire jusqu'au jour où Betty, la fille d'Avis, revint de Californie. J'avais alors dix-sept ans, j'étais bien installé dans ma nouvelle existence et, quand Betty fit son apparition, je ne m'attendais pas aux problèmes qui allaient surgir.

Betty avait le même âge que moi et elle ne fut pas ravie de ma présence. Je surpris une conversation avec sa mère le soir de son arrivée.

— Qu'est-ce qu'il fout ici ? C'est répugnant : il pourrait être ton fils.

Entre Betty et moi, ce fut trois semaines de haine réciproque. La quatrième semaine, nous eûmes une incroyable partie de jambes en l'air sur le lit de sa mère et les choses commencèrent à se compliquer sérieusement.

Betty était une vraie salope, le genre de fille qui m'a toujours attiré. Elle méprisait sa mère et n'arrivait pas à croire que je pouvais coucher avec elle.

Un soir, elle vint me trouver.

— Je sais où ma mère range ses bijoux. On les prend et on file. On habitera ensuite avec mon père et sa copine à L.A.

— Tu veux lui voler ses bijoux ?

— Mais non, on va lui demander la permission, ricana Betty. Qu'est-ce que tu crois, abruti ?

Avis avait été généreuse avec moi, mais je le lui avais bien rendu.

D'un autre côté, Betty m'offrait l'excitation et l'aventure. Elle était jeune, jolie et déchaînée.

Alors nous sommes passés à l'acte

Enfin, j'étais sur la route de Hollywood.

9

Joey rôdait autour de l'hôtel. Il avait exploré la ville, inspecté la plage, et maintenant il s'ennuyait. Deux semaines d'extérieurs et seulement trois jours de travail répartis sur quatorze jours. Il fallait qu'il s'occupe pour ne pas devenir fou.

Il songea à aller sur le plateau : on tournait dans un restaurant du bord de mer. Mais traîner sur les tournages lorsqu'on ne travaillait pas, ce n'était pas très malin et très assommant.

La veille, il s'était rendu à la caravane des costumes : occupée par Éric, un homo aux cheveux blancs coupés en brosse, et Trinee, une jeune Portoricaine aux cheveux noirs qui lui tombaient jusqu'à la taille. On lui avait dégoté un T-shirt de soie noire et un costume blanc. Il se trouvait plutôt séduisant.

En y songeant, il décida de retourner à la caravane.

Trinee était toute seule, occupée à ranger des costumes tout en fredonnant.

Joey, appuyé au chambranle de la porte, l'observa quelques secondes.

— Où est Éric ? demanda-t-il, l'air intéressé.

— Sur le plateau avec Kyle Carson.

— Comment se fait-il que tu n'y sois pas ?

— Aujourd'hui, c'est moi qui suis responsable de la caravane.

Joey la fixa du regard. Elle était très jolie : un regard hardi, une bouche toute rose et de petits seins attirants. Malheureusement, elle était petite, et ça n'était pas son style.

— Je peux réessayer mon costume ? demanda-t-il.

— Tout allait bien, non ?

— Oui, mais ça m'aide à me mettre dans la peau du personnage.

— Bien.

Elle alla chercher le costume. Il remarqua à son doigt une petite perle montée en bague : cela expliquait sans doute le fait qu'elle n'ait pas encore succombé à son charme.

— Je vois que tu es fiancée, observa-t-il.

Un sourire s'épanouit sur son joli visage.

— Depuis deux semaines, répondit-elle fièrement en agitant sa bague.

— Je suis fiancé aussi, dit-il, décidant que ce n'était pas une mauvaise idée.

Trinee répandrait la nouvelle ; cela lui donnerait ainsi plus de poids et de distance face aux femmes du film. Il avait un principe qu'il s'efforçait de respecter : ne jamais coucher sur les lieux de travail.

— Vraiment ? Mon fiancé est boxeur. Que fait ta fiancée ?

Joey réfléchit. Il fallait faire bonne impression. Pas de mannequin ni d'actrice.

— Elle est avocate. La plus jeune de sa firme.

— Whoouu ! Super !

— Eh oui, renchérit Joey.

Il essaya de nouveau son costume.

— Tu es superbe.

Il se contempla dans le grand miroir, regrettant de ne pas avoir un rôle plus important.

— Est-ce que je pourrais garder les vêtements ? demanda-t-il.

— Tout dépend du producteur, répondit Trinee. En général non, à moins que tu sois la vedette.

— Un jour, je serai la vedette, déclara Joey. Tu peux compter sur moi.

— En tout cas, tu en as le physique. Tu sais, je suis étonnée qu'on t'ait engagé.

— Comment ça ?

— Kyle Carson va faire une de ces têtes quand il verra que tu es mieux que lui.

— Tu trouves ?

Puisqu'ils étaient tous deux fiancés, elle se permit quelques avances.

— Allons, tu le sais bien.

— Le metteur en scène m'a apprécié. La productrice aussi... Comment s'appelle-t-elle déjà ?

— Barbara Westerberg.

— Je lui ai bien plu.

— Je n'en reviens pas que Kyle ait laissé passer ça.

— Qu'est-ce que tu veux dire ?

— J'ai travaillé sur son dernier film. Mon vieux ! Tous les acteurs devaient être plus âgés et moins séduisants que lui.

Elle baissa d'un ton.

— Il perd ses cheveux, tu sais.

— Ça doit le mettre mal à l'aise.

— Pas vraiment, répliqua-t-elle. Il essaie toujours de sauter sur tout ce qui passe.

— Ah oui ?

— Seulement les femmes, lança Trinee en pouffant. Tu ne risques rien.

— Tant mieux.

— Quand tournes-tu ?

— Demain. La scène du bar.

— Tu seras formidable. Tu ferais mieux d'ôter ces vêtements. Le pantalon a besoin d'un coup de fer.

Lara fit son entrée sur le plateau entourée de ses suivantes : Roxy, vêtue pour le premier jour de tournage d'une minijupe citron vert et de bottes blanches, sa chevelure rousse flamboyant sous les projecteurs ; puis Yoko, sa maquilleuse, une jolie Japonaise aux cheveux noirs et au visage large ; Angie, sa doublure : une version de Lara pour quartier pauvre ; enfin, Cassie, portable en main, bloc et stylo prêts pour prendre des notes.

Kyle était déjà là, affalé dans son fauteuil. Il se leva en voyant Lara approcher.

— Bonjour, beauté. Tu as bien dormi ?

— Oh oui, répondit-elle.

Miles s'approcha.

— Tu es superbe. Cette coiffure te va à ravir.

Instinctivement, elle porta la main à ses cheveux.

— Merci. Je dois tout ça à Roxy.

Miles n'eut pas un mot pour elle. Elle ne comptait pas.

— Faisons tout de suite une mise en place.

Roxy grimaça derrière son dos.

Cassie tendit le script à Lara.

— Comment se fait-il, demanda Lara à Miles, que la première scène du premier jour soit toujours une scène de baisers ?

— Vois-tu meilleure façon d'éveiller la passion entre vous deux ? Du sexe déchaîné, ma chérie, ça marche à tous les coups.

Sans relever, elle poursuivit calmement :

— Si tu prévoyais cette scène plus tard dans le plan de tournage, le courant passerait mieux entre les comédiens.

— Ne t'inquiète pas, mon chou. Kyle et toi, vous allez brûler l'écran.

Il échangea un regard complice avec Kyle. C'était ça, la solidarité masculine.

Lara resta silencieuse. Elle avait appris que, pour une femme faisant carrière au cinéma, les petits détails ne devaient pas compter. Mieux valait réserver son énergie pour le tournage.

Miles leur décrivit exactement la scène, puis ils se mirent au travail, répétant plusieurs fois les dialogues.

La scène du baiser arriva. Lara se tourna vers Miles.

— Ça t'ennuierait d'attendre le vrai tournage ? Ce sera plus spontané.

Elle avait envie d'ajouter : et pas de langue, mais elle décida d'attendre de voir si Kyle était un gentleman. Heureusement, la scène était habillée. Plus loin dans le scénario, il y avait une scène de nu. Mais son contrat stipulait qu'elle n'en réalisait aucune et elle avait accepté qu'on engage une doublure pour le corps. Kyle manifestement n'était pas au courant car, en l'attirant vers lui pour ce premier baiser, il murmura :

— Ne t'inquiète pas, Lara. Quand on tournera la scène de nu, je serai à tes côtés.

Il lui parlait comme à une débutante. Elle avait déjà tourné neuf films à succès : elle savait exactement ce qu'elle faisait.

Quelques répétitions encore puis Angie vint s'installer devant la caméra tandis qu'on réglait les éclairages. Lara alla s'asseoir dans son fauteuil pour que Roxy rectifie sa coiffure et que Yoko lui remette du rouge à lèvres. Un quart d'heure plus tard, le tournage commença.

Lara adorait le silence qui descendait sur le plateau lorsque le premier assistant criait : « Tout le monde en place, on va tourner la première prise. » Elle aimait jouer la comédie, devenir quelqu'un d'autre : c'était sa vie, la seule vie qui lui donnât un sentiment de sécurité. La première scène aurait été mise en boîte à la première prise si Kyle n'avait trébuché sur son texte.

— Désolé, mon petit, murmura-t-il.

— On en fait une autre, cria Miles

La seconde fut la bonne. Tout fut parfait, du moins jusqu'au baiser. Lara garda les lèvres serrées quand Kyle se pencha pour l'embrasser : mais il parvint tout de même à glisser sa langue entre ses douces lèvres.

Elle bondit aussitôt en arrière, ne supportant pas cette brusque intimité.

— Coupez ! lança Miles. Un problème ?

— J'ai l'impression qu'elle me repousse, grommela Kyle. Nous sommes censés tomber amoureux. Ne devrait-elle pas y mettre un peu plus d'entrain ?

Lara le fusilla du regard. Rien de pire qu'un partenaire qui jouait à ce petit manège quand on tournait une scène d'amour. Ça n'était absolument pas nécessaire. Pourquoi s'adressait-il à Miles comme si elle n'existait pas ?

Sentant la tension, Miles prit Lara à part.

— Qu'est-ce qui se passe, mon chou ? Il y a quelque chose qui te tracasse ?

— Il exagère, Miles. Il n'a aucune raison de m'enfoncer sa langue dans la gorge.

— Tu veux que je lui parle ? proposa Miles.

— Oui, s'il te plaît.

Roxy et Yoko s'affairèrent autour de Lara. Miles alla de toute évidence parler à Kyle car, dès son retour, celui-ci s'adressa à Lara :

— Désolé de t'avoir offensée. Mais ça m'est venu tout naturellement.

— Tu ne m'as pas offensée, Kyle, répondit-elle calmement. Ta langue n'a rien à faire ici, tout simplement.

— La plupart des actrices adorent ça.

— Eh bien, je ne suis pas la plupart des actrices.

On tira un trait. Les choses étaient claires.

Au déjeuner, chaque équipe se réunit à une table différente. Roxy parla du petit ami de Yoko qui lui en faisait voir de toutes les couleurs et qu'elle devrait plaquer. Yoko riposta en déclarant que Roxy sortait avec des zinzins et des pervers et qu'elle était manifestement jalouse. Angie annonça que son mari travaillait avec une grande vedette des films d'action qui avait subi plus d'opérations de chirurgie esthétique que n'importe quelle autre femme. Cassie, qui s'était contentée d'écouter, finit par déclarer :

— Vous savez ce que je pense : la bouffe, c'est quand même mieux que les hommes !

Lara se félicita de ne pas avoir le même genre de tracas. Elle n'avait pas besoin d'un homme : elle était parfaitement heureuse toute seule. En tout cas, elle continuait à s'en persuader.

Joey rentra à l'hôtel et s'allongea sur son lit pour regarder un vieux film de Clint Eastwood. Il était détendu et se sentait bien.

Madelaine appela.

— Comment vas-tu ? demanda-t-elle.

— Il ne se passe pas grand-chose pour l'instant. Je crois que je travaille demain.

— Alors, fais de ton mieux. Ne me laisse pas tomber.

Il en avait assez d'entendre ses conseils d'institutrice : il l'avait plaquée une fois, était revenu et avait même commencé à lui rembourser l'argent qu'il lui avait volé. Et elle ne savait absolument pas par quoi il était passé.

— Écoute. Est-ce que je t'ai déjà laissée tomber ?

— N'en parlons pas. Je te confirme que je serai là ce week-end.

Il fallait absolument qu'il trouve un prétexte pour qu'elle ne vienne pas.

— Super. Ça me fera un peu de compagnie.

À la fin de la journée, Lara était épuisée. Elle adorait son métier, mais il lui pompait beaucoup d'énergie. De plus, elle passait de longues heures à attendre. C'est pourquoi elle aimait avoir son petit groupe à ses côtés : Roxy, Yoko, Angie et Cassie.

Après l'incident du baiser, l'atmosphère entre elle

et Kyle s'était résolument rafraîchie. Entre les prises, chacun restait dans son coin mais, devant la caméra, ils trouvaient encore assez d'ardeur pour que les scènes soient bonnes.

De retour à la maison, elle étudia son texte du lendemain. Le personnage joué par Kyle faisait une scène dans un restaurant et s'en allait. Un type au bar commençait alors à lui faire du gringue, ils se mettaient à discuter et, juste au moment où ils s'apprêtaient à danser tous les deux, Kyle réapparaissait. La scène se terminait sur ce plan : Kyle expédiant le type au tapis.

Hmmm, songea Lara, *voilà qui devrait flatter le côté macho de Kyle.* La plupart des jeunes premiers adoraient jouer les héros. Un grand nombre d'entre eux tenaient d'ailleurs à faire préciser dans leur contrat qu'il n'était pas question de leur faire jouer une scène où le public ne les verrait pas sous leur meilleur jour.

Elle consulta le tableau de service pour voir qui jouait Jeff, le type du bar. Joey Lorenzo : elle n'en avait jamais entendu parler.

Cassie était allée au cinéma avec Angie. Comme elle n'avait rien d'autre à faire, Lara se coucha de bonne heure.

Le lendemain matin, elle était debout à l'aube. Passant un survêtement, elle alla faire du jogging sur la plage déserte. Elle avait beaucoup de chance : elle pouvait manger n'importe quoi sans prendre de poids. Elle ne peinait pas non plus dans la salle de gym ! Le jogging, c'était autre chose : un moyen de s'éclaircir les idées et de puiser de l'énergie.

À son retour, Cassie était attablée dans la cuisine devant un bon petit déjeuner.

— Tu t'es levée tôt, observa-t-elle.

— Je suis allée courir pour être en forme pour le tournage.

— Miles a laissé un message hier soir. On passe les rushes à midi : il se demandait si tu renoncerais au déjeuner pour venir les voir.

— Absolument, confirma Lara même si le fait de se voir à l'écran était toujours pour elle une expérience pénible.

Lorsqu'elle arriva sur le plateau, Yoko et Roxy étaient comme d'habitude en train de se taquiner.

— Vous êtes en avance, dit Roxy.

— Qui me veut en premier ?

— Moi, répondit Roxy. Je vous mets des rouleaux et ensuite je vous laisse à Yoko.

Lara s'attarda un moment.

— Je serai dans ma caravane, dit-elle. Envoie quelqu'un me chercher quand tu seras prête.

— Je suis prête, reprit Roxy.

— Rien ne presse. Prends ton temps.

— J'ai besoin de récupérer, répliqua Roxy en riant. J'ai eu une nuit chargée.

— Ça oui, renchérit Yoko. Elle est sortie avec un des chauffeurs : le gros charmeur qui lit des magazines pornos toute la journée.

— Il n'est pas gros, protesta Roxy. Il a une forte ossature. D'ailleurs, j'aime bien pouvoir me cramponner à quelque chose de substantiel au milieu de la nuit.

— Et je parie que tu ne t'en es pas privée, ricana Yoko.

Lara regagna sa caravane, stupéfaite par l'attitude de Roxy et Yoko : elles faisaient l'amour si facilement en cette époque de sida.

Elle n'avait jamais agi ainsi : il fallait toujours des sentiments entre ses partenaires et elle.

Peut-être avait-elle tort ? Peut-être que les aventures d'un soir se révélaient passionnantes.

Non. Ça ne marcherait pas pour elle. Elle finirait bien par rencontrer quelqu'un qui lui plairait vraiment. Sinon... Eh bien, elle avait sa carrière, sa maison de L.A., ses chiens, ses chevaux et ses amis...

Mais, au fond d'elle-même, elle savait que ce n'était pas suffisant.

10

Joey s'amusait bien sur le tournage : des femmes partout qui s'assuraient de son bien-être.

Il était heureux comme un roi. La petite Japonaise qui l'avait maquillé était adorable. Ainsi que sa copine, la coiffeuse rousse. Il avait été futé de raconter à Trinee qu'il était fiancé. Elle l'avait naturellement répété à tout le monde : on pouvait regarder, mais pas toucher.

Trinee elle-même avait décidé ce jour-là de quitter la caravane de costumes.

— Je te surveille dans la scène de bagarre, avait-elle expliqué. On a un autre pantalon, mais pas de veste, alors tâche de ne pas te salir.

— Je ferai de mon mieux.

— J'y compte bien.

Ils savaient tous les deux pourquoi elle était là.

Renversée dans le fauteuil de maquillage, Lara laissait Yoko s'occuper de son visage : elle travaillait vite et d'une main légère. À cet instant, Jane, la seconde assistante, fit irruption dans la caravane. Une grande femme efflanquée avec un long visage chevalin.

— Yoko, rends-moi un service : maquille l'acteur qui joue Jeff.

— Je suis censée ne m'occuper que de Lara, rappela Yoko.

— Je sais. Mais il y a un problème avec une autre maquilleuse. Lara, ça ne t'ennuie pas ?

— Pas du tout. J'ai presque fini.

— Et le type qui s'occupe de Kyle ? demanda Yoko, qui tenait bon. Il ne peut pas le faire, lui ?

— Kyle passe plus de temps au maquillage que Lara. Il va retarder tout le monde.

— Bon, d'accord. Envoie-le-moi. Comment s'appelle-t-il ?

— Joey Lorenzo. Attends de l'avoir vu.

Lara se leva de son fauteuil.

— C'est fini ?

— Impossible d'améliorer l'original.

Lara se regarda dans la glace.

— J'aime bien la couleur du rouge à lèvres. Je te dirai ce que ça donne aux rushes.

— Peut-être que je peux vous accompagner, suggéra Yoko.

— Miles fait un filtrage terrible pour les projections.

— C'est idiot. Tous ceux qui travaillent sur le film devraient pouvoir y assister.

— Il est très sévère là-dessus.

— Ah, les metteurs en scène ! marmonna Yoko.

Lara se dirigea vers la caravane des coiffeuses. Roxy l'accueillit sur le seuil, vêtue d'un chandail léopard collant, d'une minijupe en cuir noir, et chaussée de ballerines en fausse peau de tigre.

— Dites donc ! Vous avez vu l'acteur qui joue Jeff ?

— Non.

— Vingt sur vingt, lança Roxy, enthousiaste. Trinee prétend qu'il est fiancé. Mais vous me connaissez... Ça me stimule encore plus.

— Dans quoi a-t-il joué auparavant ? demanda Lara qui s'intéressait plus à sa carrière qu'à son physique.

— D'après ce que j'ai entendu, ça démarrait bien pour lui, puis il a dû s'occuper d'un parent malade ou je ne sais quoi.

— Quand est-ce que tu l'as vu ?

— Il est passé et je l'ai envoyé chez l'autre coiffeuse.

Elle leva les yeux au ciel.

— Je deviens folle sur mes vieux jours. Ce type est beau à tomber ! Kyle va être furieux quand il le verra, reprit-elle en pouffant.

— Il est censé être séduisant, expliqua Lara. Sinon, pourquoi mon personnage se laisserait-il draguer ?

— Vous allez voir, dit Roxy en se léchant les babines.

Une demi-heure plus tard, Lara arriva sur le plateau où Miles l'accueillit en l'embrassant.

— Toujours aussi somptueuse, ma chérie.

Elle regarda autour d'elle. Pas trace de Kyle.

— L'autre vedette arrive. Un petit problème de cheveux aujourd'hui.

— Et le comédien qui joue Jeff ? questionna Lara.

— Sous cet essaim de femmes là-bas.

Lara jeta un coup d'œil.

— On ne parle que de lui. Qui est-ce ?

— Je ne pensais pas qu'il allait faire un tel tintouin.

Il claqua des doigts en se tournant vers Jane.

— Amène Joey. Miss Ivory désire le rencontrer.

Quand Jane vint lui taper sur l'épaule en lui annonçant que le metteur en scène demandait à le voir, Joey bondit.

Lara le regarda approcher. Une seconde, elle ressentit un choc : un pur désir sexuel, comme elle n'en avait pas éprouvé depuis longtemps. Roxy avait raison : il était vraiment bel homme.

Joey jeta un regard à Lara Ivory et fut frappé par sa

stupéfiante beauté. Tout en elle était ravissant : depuis ses cheveux blonds jusqu'à son visage et son corps.

Miles se retourna.

— Joey, venez saluer Lara Ivory. Je suis sûr que vous l'avez vue dans bien des films.

Lara lui tendit la main. Il la regarda droit dans ses yeux verts et sentit comme une décharge électrique.

— C'est... un honneur de travailler avec vous, balbutia-t-il.

Elle eut un doux sourire.

— Merci.

— En attendant Kyle, annonça Miles qui paraissait n'avoir rien remarqué, répétons votre dialogue.

— Bonne idée, répliqua Lara.

Joey continuait à la dévisager, fasciné, incapable de détourner son regard.

La scène se déroulait ainsi : il était planté au bar tandis que Kyle et Lara, assis à une table, échangeaient des insultes jusqu'au moment où Kyle sortait brusquement.

Joey lut son script : il avait pourtant appris son dialogue et connaissait son texte par cœur.

— Je vous regardais, dit-il, jouant le rôle de Jeff. C'est votre mari qui vient de s'en aller ?

— Ce n'est pas mon mari, répliqua Lara.

— Alors, j'imagine que vous êtes libre de danser avec moi.

Il pencha un peu la tête d'un air conquérant.

— Pourquoi le ferais-je ?

— Parce que je crois que vous en avez envie.

À ce point du scénario, elle était censée se lever et se diriger avec lui vers la piste de danse. La scène était courte, mais on sentait tout de suite que le courant passait entre eux.

Ils répétèrent deux fois la scène et ils allaient le faire une troisième fois quand Kyle fit son entrée, comme la vedette qu'il était.

— Kyle, dit Miles, je te présente Joey Lorenzo : c'est lui qui joue Jeff.

Kyle salua d'un petit signe de tête un peu sec.

— Allons-y. Je suis prêt.

— Parfait, dit Miles. Va t'asseoir avec Lara à la table. Joey, accoudé au bar.

Ils se placèrent devant la caméra, Lara et Kyle au premier plan.

— Répétition ! cria le premier assistant. Un peu de silence.

Kyle et Lara répétèrent leur scène sans que Miles se déclarât satisfait. Puis, maquilleuses et coiffeuses accoururent pour repoudrer et pomponner les deux vedettes. Enfin, ils furent prêts à tourner.

Il fallut neuf prises avant que Miles lance :

— Coupez ! Bon, on la tire !

Joey n'avait rien eu d'autre à faire que de rester assis au bar à les regarder. Il était furieux contre Kyle Carson qui le traitait comme le trente-sixième figurant. Il dévorait des yeux Lara Ivory.

Au moment de la pause déjeuner, Trinee le réquisitionna.

— Je t'accompagne au camion-cantine pour te protéger de toutes ces femmes.

— Qu'est-ce que tu racontes ? demanda-t-il, l'air innocent.

— Je ne te quitte pas, mon vieux, déclara Trinee. Nous autres, gens fiancés, il faut se serrer les coudes.

Il sourit, sans cesser de surveiller Lara. Miles lui avait pris le bras et ils quittaient le plateau ensemble.

Couchait-elle avec le metteur en scène ?

Non, elle avait trop de classe pour ça.

— Et Barbara Westerberg ? demanda-t-il à Trinee en pensant qu'il était temps de faire bon usage de son charme. Je ne l'ai pas vue.

— Elle ne vient généralement que l'après-midi, expliqua Trinee. Elle reste environ une heure... et puis elle s'en va. C'est ce que font les producteurs, à moins d'être producteurs exécutifs. Dans ce cas, on les a tout le temps sur le dos. Viens : je vais te passer un vieux T-shirt. Il ne s'agit pas que tu salisses tes affaires en déjeunant.

Il la suivit jusqu'à la caravane vestiaire où Éric, allongé sur le plancher, faisait des pompes.

— Oh ! s'exclama-t-il. Voilà nos deux fiancés !

— Très drôle, répondit Trinee en l'enjambant.

— Y a-t-il une salle de gym dans le coin ? demanda Joey.

Il avait besoin de faire des exercices, pour se maintenir en forme.

— Oui, celle de Kyle, dit Éric. M. Carson a sa propre caravane de gymnastique. Ça m'étonnerait qu'il te laisse l'utiliser.

— Il a l'air plutôt gentil, dit prudemment Joey.

— Attends un peu. Combien de lignes de texte as-tu ? demanda Éric.

— Pas des masses.

— Tu vas te retrouver avec une réplique et un coup de poing qui t'enverra au tapis. Enfin, si tu as de la chance.

Trinee lui lança une vieille chemise en jean.

Il accrocha sur un cintre sa tenue de scène.

— Tu viens déjeuner, Éric ? demanda-t-elle.

— J'arrive, ma jolie.

Ils visionnèrent les rushes dans la caravane de Barbara Westerberg. Lara étudia son interprétation, notant chaque geste. Les mèches que lui avait faites Roxy étaient parfaites. Elle se promit de la féliciter.

— Je suis enchanté ! s'exclama Miles. Tout le monde est satisfait ?

— Aucune critique, répondit Barbara.

— Super, la coiffure, continua Lara.

— Et moi ? demanda Kyle, l'air un peu boudeur.

— Kyle, tu sais bien que tu es aujourd'hui le plus

bel homme de l'écran, rétorqua Barbara. Kevin Kostner et Michael Douglas peuvent aller se rhabiller !

— Michael Douglas ! s'écria Kyle. Il a quinze ans de plus que moi.

— Il les fait, lui assura Barbara.

— Je m'en vais grignoter un morceau, dit Lara, pressée de fuir Kyle.

Miles la prit par le bras et ils quittèrent la caravane.

— Je connais bien ton opinion concernant Kyle, mais avoue que vous faites un sacré beau couple tous les deux.

— Ah !... la magie du cinéma, marmonna Lara.

— Tu as toujours eu cette magie en toi, depuis notre premier film. Tu étais si jeune, innocente et...

— Je jouais une pute. Le fantasme de tout mâle américain en bonne santé. La douce petite putain qui cesse de faire le tapin parce qu'elle a rencontré l'homme de sa vie.

— Ça a marché pour toi, mon chou. Tu es devenue une star. Au même titre que Julia Roberts dans *Pretty Woman.*

— Rien de tel qu'un bon rôle de pute pour faire démarrer une carrière, lança sèchement Lara.

Comme ils approchaient du camion-cantine, Cassie surgit.

— Lara, tu veux que j'aille te chercher quelque chose ?

— Ça va, merci, répondit-elle en remarquant que Joey Lorenzo était assis à une table, entouré de femmes.

— Je vais manger un morceau dans ma caravane. Le devoir m'appelle, dit Miles.

Lara se tourna vers Cassie.

— Tiens, je vais en faire autant. Quelque chose de léger, peut-être une salade.

— C'est comme si c'était fait.

Lara jeta encore un coup d'œil à Joey avec sa cour de femmes. Il leva la tête. Leurs regards se croisèrent un instant. Elle sourit, de ce petit sourire tranquille dont elle savait si bien se servir, puis elle tourna les talons et s'éloigna vers sa caravane.

Il était fiancé. Pas question de flirt.

11

Joey surprit le regard de Lara posé sur lui à plusieurs reprises, mais les choses n'allèrent pas plus loin avec la succulente Miss Ivory. Il gardait ses distances. Il se rendait bien compte que tous les hommes restaient bouche bée devant elle et que sa seule chance était de lui faire comprendre qu'il n'était pas comme les autres.

Il passa la journée assis au bar à jouer les seconds plans en attendant sa scène : qui n'arriva jamais parce que Kyle Carson était l'acteur le plus lent qu'il eût jamais vu.

Trinee lui tenait compagnie entre les prises, lui prodiguant les commentaires sur l'équipe du tournage.

— Parle-moi de Lara Ivory. Quel genre de femme est-elle ?

— Tout le monde l'adore, répondit Trinee. Elle est très populaire. En voilà une qui ne joue pas à la grande star.

Il lui lança un bref coup d'œil.

— Elle est belle, non ?

Joey acquiesça.

— Avec qui est-ce qu'elle couche ?

— Comment veux-tu que je le sache ?

— Allons, Trinee, si elle a une relation, toute l'équipe doit le savoir.
— Il paraît qu'elle est seule.
— Comment ça se fait ?
— Elle est difficile.
Trinee bâilla. Elle n'avait pas envie de parler de Lara.
— Alors, interrompit-elle, ta fiancée va nous rendre visite ?
— Peut-être, répondit vaguement Joey. Et le tien ?
— Marek vient pour le week-end. Et, mon vieux, je peux te le dire : je compte les jours !

Ce soir-là, Lara eut une longue conversation téléphonique avec Nikki. Elles parlèrent de Richard, enchanté de son rôle dans *Un été en France*. Puis elles discutèrent du *Rêveur* et Lara raconta des histoires sur Kyle Carson qui firent bien rire Nikki.
— Comment va Summer ? reprit Lara.
— Je n'arrive pas à la contrôler. Tout ce qui l'intéresse, c'est de sortir, sortir, et encore sortir !
— C'est de son âge. Elle ne voit pas en toi une mère. Après tout, tu n'as que dix-sept ans de plus qu'elle : elle est sans doute un peu jalouse.
— Non. Ce n'est pas ça. Une fille de l'âge de Summer trouve tous les gens idiots et se croit très maligne. Tu sais : j'étais pareille à son âge. Pas toi ?
— Je ne me souviens pas, répondit Lara.
Lara n'aimait pas parler de son enfance, Nikki le savait. La seule chose qu'elle savait était que les parents de Lara s'étaient tués dans un accident de voiture quand elle était très jeune. Elle avait ensuite été élevée par divers oncles et tantes. Un jour, Nikki s'était renseignée auprès de Richard : « Lara ne parle jamais de son passé. N'aborde pas ce sujet », avait-il répondu sèchement.

— En tout cas, promit Lara, je lirai le script dès que je l'aurai reçu.

— Alors rappelle-moi tout de suite : j'ai hâte d'avoir ta réaction.

Lara raccrocha. Elle avait envie de se promener sur la plage, mais pas toute seule : le noir l'effrayait.

Parfois, tout lui faisait peur... quand les souvenirs revenaient la hanter. Des souvenirs de cauchemar...

— Oh, la froussarde ! lui cria Andy, son frère aîné. La petite froussarde !

— Pas du tout ! Pas du tout ! riposta Lara Ann.

— Mais si.

À huit ans, il était très beau garçon. Quand ils ne se disputaient pas, Lara Ann l'adorait.

— Maman, maman... je peux avoir un autre morceau de poulet ? demanda-t-elle.

— Comment, ma chérie ?

Ellen, sa mère, évoluait dans la cuisine, l'air absent.

— Encore du poulet, maman, c'est drôlement bon.

— Désolée, chérie, il faut en garder pour papa.

— Pourquoi est-ce qu'on l'attend ? interrogea Andy. Il est toujours en retard.

— Parce que maman l'a demandé, répondit Lara Ann d'un air pincé.

— Toi, boucle-la, dit Andy en lui tirant la langue derrière le dos de sa mère.

— Non, c'est toi qui vas la boucler, répliqua Lara Ann, toute rouge. Maman a toujours raison, hein, maman ?

— Taisez-vous tous les deux ! s'écria Ellen en repoussant une mèche qui pendait sur son front.

Elle était ravissante, avec de grands yeux noisette et de longs cheveux blonds qui tombaient en vagues souples sur ses épaules.

Lara Ann leva les yeux vers sa mère et poussa un grand soupir.

— Je veux être comme toi un jour, maman. Tu es si jolie.

— Merci, chérie. Tu es très jolie toi aussi.

— Non, lança Andy. Elle est bête.

— Est-ce que je pourrai être une artiste célèbre quand je serai grande, maman ?

Elle pensait à l'école et au cours de peinture qu'elle trouvait si amusant.

— Tu pourras être tout ce que tu veux, mon ange, répondit Ellen en caressant doucement la joue de sa fille.

— Je sais ce que tu pourras être, ricana Andy, la plus moche du quartier.

— Je t'ai déjà prévenu, Andy, dit sévèrement Ellen, et je ne vais pas te le répéter. Ne sois pas désagréable avec ta petite sœur.

— Je ne suis pas méchante, moi, répliqua fièrement Lara Ann. Moi, je suis gentille.

— Tu es vilaine, vilaine ! s'écria Andy. Vilaine !

— Non.

— Si.

— Soyez sages ! s'exclama Ellen. Je ne suis pas d'humeur à supporter vos disputes.

— Est-ce que je peux regarder « Drôles de dames », s'il te plaît, maman ? demanda Lara Ann.

— Non, interrompit Andy, je veux regarder « Tarzan ».

— C'est à Lara Ann de choisir aujourd'hui. Ce soir, vous regarderez tous les deux « Drôles de dames ».

— Mince ! grommela Andy.

Ellen fronça les sourcils.

— Qu'est-ce que tu as dit ?

— Mince ! Mince ! Mince !

— Quand ton père va rentrer, il te fera te rincer la bouche avec du savon, jeune homme.

— Je m'en fiche.

— Tu verras un peu quand il apprendra ce que tu as dit.

— Maman, demanda Lara Ann, son joli petit visage reflétant une totale innocence, qu'est-ce que c'est un connard ?

— Quoi ? Qu'est-ce que tu as dit ? ricana Andy.

— Où as-tu entendu un mot pareil ? demanda Ellen.

— Papa a dit ça un jour en parlant de M. Dunn.

— Ton papa n'utilise pas des mots comme ça.

— Mais si ! Mais si ! Je l'ai entendu.

— Pas du tout. Ne dis plus jamais ce mot-là. C'est un très très vilain mot.

— Qu'est-ce que ça veut dire, maman ?

— Moi, dit Andy d'un air supérieur, je le sais.

Ellen se tourna vers lui, furieuse.

— Arrête, Andy. Arrête tout de suite !

Là-dessus, la porte s'ouvrit et Dan, le père de Lara Ann, entra. C'était un bel homme du genre grande brute, un peu empâté, avec une brioche qui se développait de jour en jour.

— Papa, papa ! cria Lara Ann en se précipitant vers lui.

Dan souleva sa petite fille en l'embrassant. Il sentait l'alcool, mais elle en avait l'habitude. Son père tenait un débit de boissons et, tous les samedis matin, il l'y emmenait. Quelquefois, quand il n'y avait pas trop de monde, ils s'asseyaient au fond et il la laissait boire autant de Coca-Cola qu'elle pouvait en avaler. Pendant ce temps, il buvait du scotch à la bouteille en lui recommandant de ne pas le dire.

— Papa, demanda-t-elle, est-ce que je peux avoir la moitié de ton morceau de poulet ?

— Tu es en retard, remarqua Ellen.

— Heureux que tu l'aies remarqué, riposta Dan.

— Qu'est-ce que c'est censé signifier ?

— Tu le sais très bien, dit-il en titubant.

— Non, pas du tout.

Dan prit une chaise et dit aux deux enfants d'aller regarder la télé dans l'autre pièce.

— Papa, je veux rester avec toi, protesta Lara Ann en se cramponnant à sa main.

— Oh ! mon petit chou. Je te verrai quand j'aurai dîné.

— Viens, froussarde, insista Andy la tirant par le bras.

Ellen agita le doigt vers son fils.

— N'oublie pas... « Drôles de dames ».

Lara Ann regarda tranquillement Farrah Fawcett et sa somptueuse crinière de boucles blondes. Andy jouait avec une petite voiture.

— Reste tranquille, Andy, dit-elle.

— Non ! Tu es une idiote. Les filles, ça doit la fermer.

Ils étaient si occupés à se chamailler qu'ils n'entendirent pas tout de suite les éclats de voix qui provenaient de la cuisine.

Au bout d'un moment, Andy murmura :

— Ils se disputent encore... Chut !

— Garce ! entendirent-ils. Tu me trompes, sale garce !

Puis la voix d'Ellen.

— Comment oses-tu m'accuser ?

— Je t'accuserai de ce que je veux. Tout le monde parle de toi et de ce dentiste ! Ce n'est pas seulement de tes dents qu'il s'occupe... Sûrement pas de tes foutues dents.

— Elliott Dunn n'est rien de plus qu'un ami.

— Mais oui, un ami qui te saute.

Les éclats de voix terrorisaient Lara Ann.

— De quoi est-ce qu'ils parlent ? chuchota-t-elle.

— Je ne sais pas, répondit Andy.

— Je ne veux pas être la risée de cette ville ! hurla Dan. Oh, non !... pas moi. Pas Dan Leonard.

— Les gens aiment cancaner. Cette histoire n'a aucun fondement.

— C'est ce que tu prétends.
— C'est la vérité.
Un moment de silence... Puis :
— Dan... Oh, mon Dieu !... Qu'est-ce que tu fais ?
— Je défends ma putain de virilité. Ce que j'aurais dû faire depuis longtemps.
— Dan, ne sois pas stupide, lança Ellen, affolée. Dan... je n'ai pas... Oh non ! Je t'en prie, non...
Une explosion fracassante résonna dans la pièce. Lara Ann sursauta et se boucha les oreilles. Elle savait que quelque chose de grave venait d'arriver.
Andy bondit.
— N'y va pas, gémit Lara Ann en s'accrochant au bras de son frère. J'ai peur, Andy. Reste avec moi.
— Il faut que j'aille voir.
Lara Ann se blottit sur le canapé. Elle entendit son père hurler, puis le bruit d'une brève lutte, et enfin une autre violente explosion.
Elle resta immobile. Son père entra soudain dans la pièce en courant, une lueur démente brillait dans son regard.
— Viens, mon bout de chou.
Il avait les yeux tout injectés de sang. Elle avait peur mais aimait son père plus que tout au monde, alors elle ne discuta pas.
— Où va-t-on, papa ?
— On s'en va.
Affalée sur le carrelage de la cuisine, sa mère : un mince filet de sang coulait sur sa poitrine.
Écroulé près de la porte, son frère. Du sang partout.
— Papa ! Papa ! Papa ! Maman a mal. Maman saigne. Andy aussi.
Mais il n'écoutait pas. La tenant toujours dans ses bras, il franchit la porte et la jeta presque à l'arrière de la voiture.
— Papa, papa, gémit-elle. Qu'est-ce qui s'est passé ? Pourquoi maman est par terre ? Pourquoi Andy est plein de sang ?

— Ce n'est rien, mon chou.

Elle ferma les yeux, terrorisée.

— Papa, il est arrivé quelque chose ! Qui a fait ça à maman et à Andy ? Qui a fait ça ?

— Ta mère a eu ce qu'elle méritait.

Lara Ann se mit à pleurer, de gros sanglots qui secouaient tout son corps.

Dan roula jusqu'à un motel et porta sa fille à l'intérieur. Elle pleurait toujours. Elle adorait son père mais elle savait au fond de son cœur qu'il avait fait quelque chose de très mal.

— Tais-toi et regarde la télé, lui dit-il d'un ton bourru.

— Je veux rentrer à la maison.

— Fais ce que je te dis. Allume la télé et ne pleurniche pas comme ta mère.

Il se vautra dans un fauteuil et prit une autre lampée de whisky.

Jamais son papa ne lui avait parlé ainsi. Mais elle savait que sa colère provenait de cette bouteille. Andy lui avait expliqué que ces boissons rendaient les gens méchants et malades.

Plus la soirée s'avançait, plus son père buvait. Elle le regarda, épuisée et désespérée.

Plus tard, cette nuit-là, elle perçut au loin les sirènes des policiers. Son père les entendit aussi.

— T'es bien comme ta mère, dit-il d'une voix pâteuse. T'es jolie, mais au fond tu n'es qu'une traînée. Une... sale... petite... traînée. Comme toutes les femmes. Tu comprends ?

Jamais son père ne lui avait dit de telles horreurs. Son monde s'écroulait et elle ne pouvait rien faire.

— Je veux Andy ! cria-t-elle. Et je veux ma maman !

Dan tira un pistolet de sa poche.

Lara Ann fixait l'éclat dur du métal. Il allait tirer sur elle, comme il l'avait fait sur maman et sur Andy.

— Papa..., commença-t-elle, une grimace tordant son petit visage.

— N'oublie jamais, marmonna-t-il. Au fond, tu n'es qu'une petite traînée, comme ta salope de mère.

Là-dessus, il enfonça dans sa bouche le canon du pistolet et tira.

Lara Ann vécut toute cette scène — elle avait cinq ans.

Lara rentra dans la maison, avec la même perspective que d'habitude : une longue nuit de solitude.

Peu importait. Elle vivait avec ce sentiment. Elle l'avait toujours fait.

12

Alison Sewell repéra pour la première fois Lara Ivory lors de la première d'un film. Ce jour-là, Alison était coincée derrière une horde d'hommes en sueur. Elle n'était pas populaire auprès de ses confrères photographes : chaque fois qu'ils pouvaient l'empêcher de prendre un cliché, ils ne s'en privaient pas.

Aucune importance : elle avait ses méthodes. Un bon coup de pied dans les tibias. Une aiguille à tricoter plantée dans une partie vulnérable du corps. Un évanouissement feint. Alison arrivait toujours à ses fins.

Cela faisait huit ans qu'elle était dans le métier. Elle avait succédé à l'oncle Cyril, décédé d'un cancer de la gorge. Elle gagnait convenablement sa vie en surprenant célébrités et politiciens dans des situations indécentes — les magazines à sensation raffolaient de ces photos. Plusieurs directeurs avaient été très généreux avec elle en échange de ses clichés, malgré leur inimitié.

Alison s'en fichait : elle n'avait pas de vie privée. Les hommes ne l'attiraient pas, les femmes non plus. Le sexe était la cause de tous les maux et Alison Sewell ne s'y intéressait tout simplement pas.

Elle habitait avec sa mère, maintenant clouée au lit,

dans la maison que l'oncle Cyril leur avait léguée. Elle passait ses journées à dormir et ses soirées à patrouiller dans les rues, vêtue de sa combinaison militaire et d'un blouson plein de poches dans lesquelles étaient glissés les précieux rouleaux de pellicule.

Alison travaillait seule.

Elle n'avait jamais vu Lara Ivory en chair et en os. La première fois, ce fut une bouleversante révélation. Une beauté pure et innocente. Un visage si parfait qu'Alison faillit éclater en sanglots.

Machinalement, elle souleva son appareil à bout de bras et prit autant de clichés qu'elle put. Puis elle rentra chez elle et développa le rouleau.

Quand les images apparurent, Alison fut frappée par l'incomparable fraîcheur de Lara, par son incroyable beauté. C'était le visage le plus extraordinaire qu'elle eût jamais photographié. Aussitôt, elle en voulut davantage.

Alors, Lara Ivory devint une réelle obsession.

Comme un lion affamé traquant sa proie, Alison entreprit de tout savoir sur la célèbre vedette. Elle changea ses habitudes de travail pour être présente à tout événement auquel Lara pourrait assister, toujours au premier rang, bousculant quiconque se dressait sur son chemin.

Lara bientôt commença à la reconnaître. Elle lui souriait, lui lançait un petit salut amical. Alison y vit un signe. Elle se mit à écrire des billets et à tirer des photos pour son idole. En général, une personne indésirable, attaché de presse ou garde du corps, s'interposait lorsqu'elle voulait les lui transmettre : elle entrait alors dans une colère noire car elle y voyait un obstacle à leur amitié.

Alison n'avait jamais eu d'amie à qui se confier. Et sa mère ne faisait que se plaindre, allongée dans son lit. Rongée par le cancer, son état empirait chaque jour.

— Tu n'avais qu'à pas autant fumer, lui répétait

sans cesse Alison, comme elle l'avait fait pour l'oncle Cyril.

Alison ne fumait pas. Elle préférait les tablettes de chocolat : jusqu'à sept ou huit par jour. Cela faisait peut-être grossir, mais elle n'était pas assez idiote pour fumer. Elle connaissait mieux que quiconque l'issue fatale du tabac.

Un jour, Alison décida de rendre visite à Lara. Elle repéra son adresse et la garda pendant des semaines avant de rejoindre Hidden Valley Road, une rue qui, d'après son plan, se trouvait quelque part du côté de Sunset Boulevard.

Alison se sentait tout excitée. Son geste était audacieux, cependant elle était sûre que Lara l'accueillerait à bras ouverts. Elle prit avec elle un album où elle avait réuni des photos de Lara les trois derniers mois. Il y avait de merveilleux clichés, mais le seul que les magazines aient retenu était celui qui montrait Lara et son petit ami de l'époque, un nommé Lee Randolph.

Alison voyait Lee Randolph d'un mauvais œil. Il ne méritait pas Lara. D'ailleurs, Alison ne comprenait pas pourquoi Lara avait besoin d'un homme : tous des porcs. Des menteurs, des tricheurs et des coureurs !

Quand elle arriva devant la maison, elle fut surprise de n'y trouver aucune protection spéciale : pas de grandes haies ni de portes de fer. Une simple allée conduisant à une maison de style ranch.

Elle sonna. C'était bien sa chance, Lee Randolph ouvrit la porte.

— Que désirez-vous ?

— Euh... j'ai quelque chose pour Lara.

— Je le lui remettrai.

— Non ! Je désire la voir personnellement.

Il la regarda bizarrement et lui demanda de patienter en lui claquant la porte au nez. Dix minutes plus tard, la police arrivait.

Le salaud ! Si seulement Lara savait comment il

recevait ses fans ! Il ne la protégeait pas, il l'isolait de ses amis.

Elle justifia son intrusion en se présentant comme une fidèle amie de Lara Ivory, mais les policiers n'en crurent pas un mot et elle dut repartir.

Après cet événement, elle écrivit à Lara — plusieurs fois par jour — afin de dénoncer la stupidité de Lee Randolph, son attaché de presse. Elle lui expliqua qu'elles deviendraient toutes deux de très bonnes amies s'il n'existait pas tous ces obstacles entre elles.

Puis elle fit d'autres tentatives pour s'introduire dans la maison de Lara. Chaque fois, la police revenait, jusqu'au jour où Alison fut menacée d'arrestation pour harcèlement.

Harcèlement ! Quel comble ! Elle était une amie de Lara, tout simplement.

Malgré tout, Alison ne voulait pas d'ennuis : elle cessa donc de se rendre devant la maison de Lara et continua seulement à lui envoyer des lettres et à la photographier.

Avec le temps, elle commença à remarquer que les gens qui entouraient Lara — censés assurer sa protection — conseillaient à leur vedette de ne pas regarder dans sa direction ni de s'approcher d'elle aux premières ou aux grandes soirées.

Elle crut d'abord que c'était l'effet de son imagination. Mais non, Lara ne lui souriait plus. Alison fut prise de colère.

Une seule chose à faire pour retrouver la confiance et l'attention de Lara.

Une chose que personne n'oublierait.

13

Joey n'avait même pas réalisé qu'on était vendredi et qu'ils n'en étaient toujours pas arrivés à sa scène. Pendant trois jours, il était resté collé sur un tabouret de bar à observer Kyle Carson, la grande vedette, couper une prise après l'autre tandis que Lara travaillait, sereine, adorable et jamais mécontente.

Kyle se comportait comme si Joey n'existait pas. Heureusement les femmes du plateau compensaient cette attitude : même si elles le croyaient fiancé, il recevait plus d'invitations qu'il ne pouvait en accepter. À vrai dire, il les avait toutes à ses pieds, y compris Trinee. Mais il n'en fit rien. Chaque chose en son temps. Il préférait les charmer, en inventant des histoires sur sa belle et intelligente fiancée.

Elles y croyaient fermement. Les femmes adoraient les hommes inaccessibles.

Chaque jour, Lara l'accueillait avec un petit geste amical et un sourire. Il n'avait jamais pu vraiment l'aborder, cependant il savait qu'elle l'avait remarqué.

Il s'était renseigné sur son compte. Trinee avait raison : elle était célibataire, même si tout le monde l'adorait. Elle séjournait dans une villa louée sur la plage avec son assistante et un garde du corps.

Malgré sa plaisante attitude, Joey la percevait comme une solitaire — tout comme lui. Le genre de femme qu'il aimait. Mais, pour une fois dans sa vie, il avait le trac.

Madelaine avait menacé d'arriver ce soir-là. Son problème immédiat était de l'en empêcher. Il l'appela.

— Tu ne vas pas le croire, dit-il d'une voix rauque.

— Quoi donc ? demanda Madelaine, méfiante.

— J'ai un mal de gorge épouvantable. Je peux à peine parler. Heureusement on ne tournera pas ma scène aujourd'hui. Mais je dois être d'attaque pour lundi, alors je vais passer le week-end au lit avec un thé chaud. Crois-moi, je regrette.

— Pas question, répliqua Madelaine. Je viens te soigner.

— Non, mon chou, non. Je dois me reposer.

— Mais, Joey, je me faisais une fête de te voir.

— Bon sang, Madelaine, tu veux me faire culpabiliser. Lundi, c'est ma grande scène... tu comprends ?

— Oui, répondit-elle avec regret. Tu as sans doute raison.

— Je pense que c'est plus sage ainsi, mais tu vas beaucoup me manquer.

— C'est vrai ?

— Allons, bébé, bien sûr.

Ce détail réglé, il regagna le plateau.

Lara avait lu trois fois le script de *Vengeance* : une histoire étonnante. Avec le metteur en scène approprié, ça ferait un excellent film.

Elle sortit de la caravane et se dirigea vers le plateau, heurtant Joey Lorenzo au passage.

— Pardon ! lança-t-il en reculant d'un pas.

— Ne vous excusez pas. Ce serait plutôt à moi de le faire, ça prend si longtemps d'arriver à notre scène. Vous devez devenir dingue à nous regarder bafouiller.

Une fois de plus, il s'émerveilla de son éblouissante beauté.

— Ce n'est pas grave, articula-t-il, être assis sur un tabouret de bar me rappelle mon époque juvénile.

— Ah oui ? répondit-elle, de plus en plus séduite par son corps et son humour. C'était il y a si longtemps ?

— Un moment.

— On cache son âge ?

— J'ai trente ans... et vous ?

Elle n'avait pas l'habitude de questions aussi directes.

— En fait, j'ai trente-deux ans. Mon attaché de presse insiste pour me rajeunir, mais tous les magazines connaissent la vérité. De toute manière, cela ne rime à rien.

Ils se mirent à rire tous les deux.

— La célébrité, ça ne doit pas toujours être facile à vivre.

— C'est vrai, répondit-elle en soutenant son regard. Mais on a des compensations.

— Oui, j'imagine.

Jane fit irruption.

— On a besoin de vous deux sur le plateau.

— Merci, Jane.

Elle repartit vers le lieu du tournage, suivie de Joey.

— Il paraît que vous êtes fiancé à une avocate. C'est une profession intéressante, non ?

— Ah oui ! répondit-il. Au moment du procès Simpson, j'ai eu droit à des commentaires quotidiens.

— Vous êtes fiancé depuis longtemps ?

— Un an. C'est un engagement, mais la porte n'est pas complètement refermée, vous voyez ?

— Je suis certaine que votre fiancée serait ravie d'entendre cela.

— Oh ! s'empressa-t-il d'ajouter, ne pensez pas à mal. C'est seulement que... vous comprenez, le mariage pour moi, c'est important. Quand je me marierai, ce sera pour toujours.

Il fixa sur elle un regard intense.

— Ce n'est pas votre avis ?

— Pour moi, ce n'est pas si simple, dit-elle en songeant que c'était exactement ce qu'elle avait pensé quand elle avait épousé Richard. Je suis divorcée.

— Je ne savais pas.

— Vous ne lisez pas les magazines à sensation ? Je n'ai pas vraiment divorcé dans la discrétion.

— Qui était l'heureux gaillard ?

— Richard Barry, le metteur en scène.

— Combien de temps avez-vous été mariée ?

— Assez longtemps pour comprendre que c'était une erreur. Mais nous sommes restés amis.

— C'est bien.

— Bon, au travail. Si Kyle cesse de trébucher sur son texte, peut-être qu'on en arrivera à votre scène cet après-midi.

— Ce serait une surprise.

Leurs regards se croisèrent longuement. Ses yeux semblaient la pénétrer jusqu'au cœur : il la rendait nerveuse.

— Eh bien... je suis ravie que nous ayons fini par bavarder un peu.

— Oui, prononça-t-il sans la quitter des yeux.

— Votre fiancée vient vous voir ce week-end ? demanda-t-elle.

Mon Dieu, Lara, quelle question idiote !

— Non, elle travaille sur un dossier. Pourquoi ?

— Oh !... Je... euh... je vous aurais bien invités tous les deux à une petite soirée chez moi demain.

— Ah oui ?

Elle n'arrivait pas à croire les paroles qui sortaient de ses lèvres. Était-elle folle ? Elle n'avait prévu aucune soirée.

— Ce sera amusant, reprit-elle. Yoko et Roxy et une bonne partie de l'équipe sont conviés.

Les yeux noirs de Joey restaient fixés sur elle.
— Puis-je venir seul ?
— Bien sûr, répondit-elle, un peu hors d'haleine.
— Alors, je viendrai.
— Parfait. Oh ! si votre fiancée arrivait, je vous en prie, amenez-la.

Elle s'éloigna rapidement pour rejoindre Miles qui l'attendait avec impatience. *Si je donne une soirée,* se dit-elle, *mieux vaut mettre Cassie tout de suite au courant. Elle va être ravie.*

Joey la regarda s'éloigner. Belle, incroyablement gentille et amicale. Jamais il n'avait rencontré une telle femme. Il avait désespérément envie d'elle.

14

Nikki était assise dans l'avion d'American Airlines à destination de New York. Elle avait annoncé deux jours plus tôt à Richard qu'elle rendrait visite à Lara.

— Pourquoi ? avait-il demandé avec agacement.

— Parce que c'est important. J'ai besoin de connaître sa réaction vis-à-vis du script.

— *Vengeance* n'est absolument pas un projet pour Lara, avait-il affirmé. C'est une grande vedette et tu fais un petit film.

— Je sais. Mais elle y pense quand même. Tu te rends compte si je l'avais !

— Tu ne peux pas tout le temps demander des services à tout le monde.

— La décision dépendra entièrement d'elle.

— Nikki, elle ne le fera pas.

— Ça n'est pas toi qui m'as dit qu'une des meilleures choses que puisse faire un producteur, c'est de suivre son instinct ? Eh bien, c'est ce que je fais.

— Si tu crois que c'est nécessaire... alors vas-y.

— Tu t'occuperas de Summer ?

— Elle sera très bien avec moi.

Elle avait averti Summer que Richard avait promis de veiller sur elle.

— Génial ! avait-elle répondu.

— Je rentre dans deux jours. Tâchez de bien vous amuser tous les deux.

— Pas de problème. L.A., c'est formidable. J'aimerais beaucoup y vivre.

— Ah oui ? lança Nikki, très surprise.

Elle imaginait la réaction de Sheldon si elle lui annonçait que sa fille voulait s'installer définitivement en Californie. Il serait furieux. Pas question qu'il la laisse partir.

— On en discutera dès mon retour.

Pour l'instant elle était en route, prête à persuader Lara d'accepter le rôle de sa vie.

Lara avait envoyé une limousine la chercher à l'aéroport. Nikki s'installa confortablement jusqu'à son arrivée aux Hamptons.

Il était 19 heures passées quand elle arriva et Lara était de retour.

— Quelle maison ! s'exclama Nikki en visitant. C'est charmant.

— J'envisage de faire une offre, dit Lara.

— Tu ne vas pas déménager ?

— Non. Ce serait une retraite : un endroit où personne ne pourrait me trouver.

— Comment donc... pour vivre encore davantage en recluse !

— Je ne suis pas une recluse.

— C'est toi qui le dis.

Plus tard, elles dînèrent sur la véranda.

— Alors ? demanda Nikki, incapable d'attendre plus longtemps. Qu'est-ce que tu penses du scénario ?

— Tu veux la vérité ?

— Bien sûr.

Lara sourit.

— Je l'adore !

— C'est vrai ?

— C'est exactement ce que j'attendais.

— Ça me fait tellement plaisir d'entendre ça !

— Maintenant, reprit Nikki, la question fondamentale : est-ce que tu vas le faire ?

— Eh bien...

Nikki se pencha. On sentait son excitation.

— Absolument !

— Merci, mon Dieu. Je vous promets de bien me conduire jusqu'à la fin de l'année !

Nikki partie, Summer comptait bien en profiter. Elle appela Richard à la salle de montage et trouva une excuse pour ne pas dîner avec lui : une soirée d'anniversaire pour une amie.

Richard se montra très compréhensif.

— Ne rentre pas trop tard, dit-il. Et, au nom du ciel, ne dis pas à ta mère que je ne t'ai pas emmenée dîner.

— Est-ce que je peux inviter quelques amis pour dimanche ?

— Pas de problème. Je travaille tout le week-end.

Adieu, Richard, se dit-elle, toute joyeuse.

Sautant à bas de son lit, elle réfléchit à l'organisation de sa journée. Dommage qu'elle ne puisse pas conduire. En vérité, elle *savait* conduire, mais, si elle se faisait prendre au volant de la voiture de Richard ou de Nikki, elle serait dans le pétrin : elle n'avait pas seize ans et, à son avis, ni l'un ni l'autre ne serait ravi de devoir aller la chercher au commissariat.

Elle avait beau avoir de l'argent de poche de Richard, de Nikki *et* de son père, elle se ruinait en taxis. Elle avait envoyé à son cher petit papa une lettre désespérée pour lui annoncer que Nikki ne lui donnait pratiquement rien. Par retour du courrier, il lui avait expédié cinq cents dollars sans même lui poser de question.

Elle avait déjà décidé que la meilleure solution serait de rester à L.A., de se faire envoyer de l'argent par petit papa chéri et de finir par s'installer de son côté.

Après tout, elle aurait seize ans dans deux mois : elle pourrait conduire en toute légalité.

Évidemment, se dit-elle, Sheldon n'aimerait pas qu'elle demeure en Californie, si loin. Mais, s'il faisait des difficultés, elle pourrait toujours le faire chanter. Elle savait des choses sur Monsieur le Grand Psychiatre... — que même sa chère Rachel, qui, si charmante qu'elle fût, était un peu bête, ne soupçonnait pas.

Oh oui !... si petit papa chéri ne coopérait pas, elle saurait comment s'y prendre.

Elle appela Jed, qui proposa de venir la chercher pour faire la tournée des boîtes. Jed était le contact idéal : il avait l'air de connaître tout le monde et la présentait comme la fille de Richard Barry, si bien qu'elle était accueillie comme une princesse. Elle était déjà sortie deux ou trois fois avec lui et avait rencontré toutes sortes de gens — dont Tina, une étonnante fille de dix-huit ans qui, avait-elle décidé, allait être sa nouvelle meilleure amie. Au lycée, elle traînait toujours avec des filles plus âgées : les gamines de quinze ans, ça n'avait aucun intérêt.

Jed avait essayé de coucher avec elle le lendemain de son arrivée. Elle l'avait repoussé, car sa décision était prise : si elle faisait l'amour avec quelqu'un, ce serait une vedette de cinéma. Malgré tout... Jed était un garçon utile.

Les boîtes ne ressemblaient pas à celles de Chicago. Il y avait toutes sortes de tentations : alcool et drogue. Ça n'intéressait pas Summer. Son seul vice, c'était un joint de temps à autre.

Les garçons essayaient bien de la faire boire, mais elle était très maligne. D'ailleurs, son père la surveillait avec un zèle malsain : il l'attendait toujours quand elle rentrait le soir pour voir si elle avait bu ou si elle s'était droguée ; pour lui poser des questions sur ses relations amoureuses.

C'était pesant. Elle avait hâte de se libérer un peu.

Jed était au volant de la limousine quand il arriva à la maison.

— J'ai un client à aller prendre à l'aéroport plus tard, expliqua-t-il.

— Quand ça ?

— À 1 heure du mat'. Ça nous laisse le temps...

Elle s'esquiva en riant et se précipita vers la longue et somptueuse voiture.

— Tu ferais mieux de t'asseoir derrière, comme ça, si je tombe sur un des autres chauffeurs, il croira que je fais une course.

— D'accord. Je serai ta riche cliente à qui tu obéis.

— Tu parles, dit-il en se penchant vers l'arrière pour lui caresser la poitrine.

Summer avait appris de bonne heure que tous les membres de la gent masculine étaient faciles à manier : un battement de paupières, une jupe légèrement remontée et c'était dans la poche. À Chicago, elle laissait les garçons pantelants. À Hollywood, ce n'était pas si différent. Elle se rendait pourtant compte qu'ici les filles étaient bien plus jolies : surtout Tina, si sophistiquée avec ses longues boucles brunes, ses lèvres pulpeuses et ses yeux de chatte étincelants. Summer avait compris qu'elle pourrait apprendre beaucoup de choses de Tina. Le plus tôt serait le mieux.

— Martini ? proposa Richard.

— Pourquoi pas ? répondit Kimberly Trowbridge.

Kimberly était une grande et séduisante jeune femme qui frôlait la trentaine. Elle était l'assistante provisoire de Richard.

Kimberly prévenait tous ses désirs et se révélait extrêmement efficace. Comme de toute évidence elle vouait un véritable culte à Richard, il était ravi de sa compagnie.

Ce soir-là, quand il avait terminé son montage, il lui avait demandé si elle voulait venir manger un morceau.

Proposition parfaitement innocente car, depuis qu'il avait épousé Nikki et renoncé à l'alcool, il avait été d'une fidélité exemplaire. Ça lui avait simplement paru une façon bien anodine de remercier Kimberly pour tout son travail.

Il l'avait emmenée dans un restaurant indonésien où les cocktails exotiques dissimulaient une dose de rhum inégalable ! À l'époque où il buvait, Richard descendait trois grogs d'affilée.

Kimberly fut impressionnée par le restaurant.

— Je n'étais jamais venue, dit-elle en promenant autour d'elle un regard admiratif.

— Alors, il faut que vous goûtiez ça.

Et il lui commanda un grog du marin et un choix d'amuse-gueule. Elle engloutit la mixture exotique comme de la citronnade, grignota un rouleau de printemps et deux travers de porc et s'éclipsa aux toilettes.

À son retour, il en était déjà à son second verre et un autre l'attendait. Il remarqua qu'elle avait défait deux boutons de son corsage, fait un petit raccord de maquillage et vaporisé un parfum musqué. Le grand jeu !

— Vous sentez bon.

— Je croyais que vous ne le remarqueriez jamais, répliqua-t-elle.

Après cela il n'avait plus qu'à l'inviter prendre un dernier verre chez lui.

La première boîte où Jed l'emmena était bondée.

Ils allèrent dans une autre boîte et rencontrèrent là-bas Tina avec quelques autres amis de Jed. Chaque fois que Summer rencontrait Tina, elle était accompagnée d'un homme différent.

— Je m'ennuie facilement, lui confia Tina en pouffant. Mais Jed, il est cool. Tu devrais le garder un moment... en attendant de savoir te débrouiller.

— C'est ce que je compte faire, acquiesça Summer.

— Je vois que tu as travaillé ton bronzage. Super ! Je devrais en faire autant.

Summer fut flattée de l'intérêt que lui portait Tina.

— J'ai une maison au bord de la plage : viens quand tu veux, dit Summer en griffonnant son numéro de téléphone.

— Peut-être, merci.

Jed lui raconta que Tina était mannequin dans une maison de prêt-à-porter en ville.

— Whaou ! soupira Summer avec envie. Quelle chance !

— Demande-lui de t'en toucher un mot, dit Jed. Elle a peut-être la possibilité de te faire entrer. Et, pendant que tu y es, dis à ton beau-père de me donner la vedette dans un de ses films !

— Et comment donc ! ricana Summer.

Ils éclatèrent de rire et Jed l'invita à rejoindre la piste de danse.

Richard prépara deux martinis avant d'entraîner Kimberly sur la véranda.

— C'est fantastique ! murmura-t-elle en buvant une gorgée. Une maison sur la plage... mon rêve !

Il posa son verre, furieux contre Nikki. Furieux qu'elle l'ait plaqué pour essayer de persuader Lara de jouer dans son petit film de rien du tout.

Il tendit la main vers Kimberly. Elle fondit dans ses bras. Il repoussa les boucles derrière ses oreilles. Puis défit les boutons de son corsage...

— Tu ne m'embrasses pas ? demanda-t-elle.

Il écrasa les lèvres de la jeune femme contre les siennes. *Mon Dieu ! Si Nikki apprend ça, elle va me quitter.*

Il la déshabilla lentement. Elle avait des dessous en dentelle affriolants. Il commença par dégrafer son soutien-gorge, découvrant de charmants petits seins aux bouts pointus. Il retira son string et son porte-jarretelles avant de rouler ses bas le long de ses longues jambes.

Quand elle fut nue, il l'allongea sur la table en verre de la terrasse et la prit rapidement.

À peine en avait-il fini qu'il aurait voulu la voir partie.

Il fallait se débarrasser d'elle avant que Lara l'apprenne.

Lara..., songea-t-il avec mélancolie, *jamais je n'aurais dû te laisser partir.*

Mais Kimberly avait d'autres intentions. L'entraînant sur une chaise longue, elle enroula ses jambes autour de lui, le retenant prisonnier.

— C'est délicieux, murmura-t-elle.

— Il faut que je t'appelle un taxi, il est tard.

— Je croyais que ta femme était en voyage, lança-t-elle d'un ton accusateur. Pourquoi est-ce que je ne reste pas ?

— Ma belle-fille habite ici provisoirement... elle va rentrer d'une minute à l'autre.

Tout cela était risqué : Summer aurait pu les surprendre en pleine action.

Il réussit enfin à se libérer des jambes de Kimberly et se précipita sur le téléphone pour appeler un taxi. Puis il ramassa les vêtements de Kimberly et la poussa doucement dans la direction de la salle de bains.

Quand elle en émergea quelques minutes plus tard, elle était rhabillée mais insatisfaite. Ils attendirent, un peu embarrassés, l'arrivée du taxi. Il lui fourra une poignée de billets dans la poche et la raccompagna en bas du perron.

— Qu'est-ce que c'est que ça ? dit-elle en regardant d'un air méprisant les billets tout froissés.

— Pour le taxi.

Elle garda l'argent.

Au moment où il allait l'installer dans la sécurité du taxi, une limousine s'arrêta devant la maison et Summer sauta à terre.

— Richard ! s'exclama-t-elle, surprise. Maman est rentrée ?

— Euh... non. Non... euh... mon assistante et moi venions juste de terminer notre travail.

— En effet, renchérit Kimberly.

Summer s'interrogea : la prenait-il pour une parfaite idiote ?

Jed jaillit de la limousine, décidé à se faire présenter.

— Monsieur Barry... J'admire votre œuvre. Vous êtes un des piliers du cinéma.

— Merci, dit sèchement Richard.

« Pilier » voulait-il dire « vieux jeton » ? D'ailleurs, qui était ce petit crétin ? Et pourquoi ramenait-il Summer en limousine ?

— B'soir, dit Summer en s'engouffrant dans la maison, soulagée de pouvoir se débarrasser de Jed sans difficulté.

Richard poussa Kimberly dans le taxi et suivit Summer dans la maison en claquant la porte derrière lui.

— Dors bien, Richard.

— Toi aussi, répondit-il, désemparé.

Plus tôt Nikki rentrerait, mieux cela vaudrait pour tout le monde.

15

La soirée chez Lara — organisée à la dernière minute par une Cassie frénétique — fut extrêmement réussie.

Lara s'assit dans le jardin avec Nikki. Il y avait aussi Miles et sa femme, Ginny ; une Barbara Westerberg solitaire, et Kyle Carson qui avait fait venir une fille pour le week-end : un mannequin anorexique.

— Si j'avais su que tu prévoyais une soirée, déclara Nikki en sirotant un Margarita, j'aurais apporté une tenue plus élégante.

— Tu es toujours formidable, répondit Lara, éblouissante dans sa petite robe rouge.

— Toi aussi, répondit Nikki. Tu trouves toujours les mots qui font plaisir.

— Par exemple : je vais tourner dans ton film. C'est ça ?

— C'est ça !

— Et Richard, tout seul à L.A., ça va ? demanda Lara, se souvenant qu'il ne supportait pas la solitude.

— Il a Summer pour s'occuper de lui, répondit Nikki. C'est dingue, non ? Elle adore mon mari — et elle me déteste. Comment ai-je pu échouer à ce point dans mon rôle de mère ?

— Tu n'y es pour rien. Je te l'ai dit : c'est une adolescente.

— Sans doute..., murmura Nikki sans conviction.

Ginny Kieffer, la femme de Miles, se mêla à la conversation. Blonde bien conservée d'un âge indéterminé, au visage sculpté avec soin, elle était l'orgueil de son chirurgien esthétique.

— Ah, les gosses ! grommela-t-elle. (Elle avait quelques verres dans le nez.) Je ne les supporte pas. Ces petits garnements ne sont même pas reconnaissants de ce qu'on fait pour eux. La seule chose qui les intéresse, c'est l'argent.

— Tu exagères, ma chérie, interrompit Miles en éloignant subrepticement le verre de vin qu'elle avait posé à côté d'elle.

— Qu'est-ce que tu en sais, toi ? Tu n'es jamais à la maison.

Nikki échangea un coup d'œil avec Lara. Les Kieffer attaquaient un nouveau round !

— J'aimerais avoir un bébé, lança le mannequin anorexique.

— Pas avec moi en tout cas, chérie, déclara Kyle.

Deux taches rouges apparurent sur les joues creuses de la jeune femme.

— Je ne te demandais pas de me mettre enceinte. Je connais une foule de types à New York qui se battraient pour ça.

Nikki vint à penser que cette fille ressemblait à un joli cadavre. Quelqu'un devrait l'alimenter !

— Une couverture de *Vogue,* et elle s'imagine que le monde est à ses pieds, murmura Ginny en cherchant son verre sur la table.

— Lara, je suis émerveillée de la rapidité avec laquelle vous avez organisé cette soirée, dit Barbara Westerberg. C'est adorable d'avoir invité l'équipe du film : ça me fait réellement plaisir.

— Je trouve bête de toujours attendre la soirée de

fin de tournage, justifia Lara. J'ai pensé que ce serait amusant d'en faire une au début.

Elle ne précisa pas que l'idée lui était venue à la vue de Joey Lorenzo qui, pour l'instant, ne s'était pas encore manifesté.

Où était-il, au fait ? Mais quelle importance ? N'était-ce pas ridicule de séduire un homme fiancé ? De plus, les femmes du film n'avaient d'yeux que pour lui.

— C'est une si charmante idée, poursuivit Barbara, toujours aimable avec ses vedettes. Je regrette de ne pas y avoir pensé la première.

— Tu peux peut-être payer le buffet, murmura Nikki sous cape.

Barbara fit semblant de ne pas avoir entendu.

— Oh ! Voilà Joey. Le pauvre... il a l'air perdu. Est-ce que je l'invite à notre table ?

— Qui est Joey ? demanda Nikki.

— Un acteur, répondit vaguement Lara.

Son cœur se mit à battre très fort, ce qui la mit en colère car il ne représentait rien pour elle.

— Tu parles de ce beau garçon qui se dirige vers nous ?

— C'est lui.

— Pas mal du tout, murmura Nikki. Tu devrais prendre une option avant que Barbara ne mette le grappin dessus.

— Ne sois pas ridicule, dit Lara, agacée. Il est fiancé.

— Fiancé, ça ne veut rien dire, déclara Nikki. Le mariage est le seul engagement définitif.

— Les acteurs ne m'intéressent pas, affirma-t-elle, tout en pensant, malgré tout, que celui-ci justement l'intéressait.

— Tu ne connais pas l'expression : un coup en extérieurs ? demanda Nikki d'un ton malicieux. C'est un des avantages du métier. Une grande passion pour un garçon superbe puis, à la fin du film, chacun se retire de son côté. C'est la routine.

— C'est ce que tu faisais avant de rencontrer Richard ?

— Tu parles !

Roxy dansait, vêtue d'une combinaison léopard, en se frottant sans vergogne contre son camionneur.

Elle était suivie de Yoko et de son petit ami, un grand gaillard aux airs de Monsieur Muscles.

Juste derrière, Trinee, accompagnée de son fiancé, un type bâti comme un chêne, une sorte de Mike Tyson un peu dingue.

Lara leur fit de grands signes, heureuse de voir que tout le monde s'amusait et s'efforçant de chasser Joey de ses pensées.

— Eh bien, lança Nikki en observant les couples qui se formaient. J'en connais qui vont s'amuser ce soir sur la plage !

Joey arriva enfin. Il lança un clin d'œil à Trinee et décida de ne pas rejoindre la table de Lara. Kyle le traiterait sans doute comme un moins que rien et il n'allait pas se laisser humilier devant elle.

Il aperçut Barbara Westerberg qui se dirigeait vers lui.

— Bonsoir, Joey.

— Barbara ! Vous êtes superbe. Très, très sexy.

Elle s'épanouit devant ses compliments.

— Merci, Joey.

Trinee l'avait renseigné sur Mme Westerberg. Elle avait été mariée à un producteur connu, qui l'avait fait entrer dans le métier. Deux ans plus tard, il était parti avec son comptable, laissant Barbara gérer toute seule sa florissante société de production. Elle avait continué à travailler, avait divorcé pour se remarier avec un scénariste qui n'avait jamais travaillé avant qu'elle ne lui trouve cette situation. Tous deux avaient des aventures à droite et à gauche.

— Vous avez l'air bien seul, Joey, dit-elle avec un

regard du style *quand vous voudrez*. Votre fiancée n'a pas pu venir ?

— Non... elle a eu un empêchement de dernière minute. Elle travaille sur une affaire très importante. On s'est parlé au téléphone... c'est pour ça que je suis en retard.

En vérité, c'était parce qu'il était resté dans sa chambre à attendre le coup de fil de Madelaine. Bien entendu, elle avait appelé à 21 heures pour vérifier qu'il était bien là.

— Désolant, dit Barbara, qui n'était pas sincère pour deux sous.

— Eh oui, acquiesça Joey. Mais... il faut la laisser faire... elle travaille à se faire un nom.

— J'insiste pour que vous veniez vous asseoir avec nous, reprit Barbara.

— Je ne vais pas pouvoir accepter. Kyle ne m'apprécie guère.

— Kyle n'aime *aucun* homme qu'il considère comme un concurrent.

— Moi ? De la concurrence ? Je n'ai que trois malheureuses scènes.

— Je sais, dit Barbara. Tâchez de comprendre, Kyle vieillit, il perd ses cheveux. Et voilà maintenant qu'il sort avec des enfants.

— Pardon ?

— La fille qui l'accompagne, elle a quoi ? Dix-sept ans !

Barbara jeta un coup d'œil autour d'elle pour s'assurer que personne n'écoutait.

— Ne répétez rien. De toute façon, je nierai tout.

— Vous pouvez me faire confiance, dit-il en la suivant vers la table d'honneur.

Lara se leva pour l'accueillir.

— Bonsoir, Joey. Je suis si contente que vous ayez pu venir.

Il contempla son visage. Il aurait voulu qu'elle lui

appartienne aussitôt. Elle avait quelque chose d'exceptionnel.

— Belle soirée. Merci de m'avoir invité.

Elle eut un sourire qui éclaira la nuit. Nikki lui donna un violent coup de coude.

— Euh... vous ne connaissez pas mon amie, Nikki Barry, articula-t-elle, rappelée à ses devoirs.

— Bonjour, dit Nikki en se redressant sur son fauteuil.

Barbara lui prit le bras d'un air possessif.

— Venez vous asseoir par ici, Joey, dit-elle en l'entraînant.

— Pardonnez-moi, balbutia Joey tandis que Barbara le guidait vers l'autre côté de la table.

— Vous êtes pardonné, répondit Lara avec un sourire amusé.

— Elle a le béguin pour lui, et je la comprends, murmura Nikki.

— Elles ont *toutes* le béguin pour lui, répondit tranquillement Lara. Mais, à mon avis, ce n'est pas un coureur.

— Voilà un agréable changement, dit Nikki en riant. Tu plaisantes ?

Lara sourit. Elle aurait voulu empêcher son cœur de battre aussi fort.

— Sa fiancée est avocate.

— Plus âgée que lui ?

— Comment veux-tu que je le sache ?

— Quel âge a-t-il ?

— Je n'en ai aucune idée, répondit Lara, qui le savait très bien. Je te l'ai dit... je ne suis pas intéressée.

— Oh ! mais si.

— Pourquoi dis-tu cela ?

— Je le sens. Dès qu'il met les pieds ici, je te vois te trémousser.

— Foutaise !

— Ah oui ? Maintenant *je sais* que tu es intéressée.

— Nikki, tu m'emmerdes, lança-t-elle.

— Quel vocabulaire ! s'exclama Nikki. Pas d'erreur, tu es amoureuse.

Lara s'éloigna pour circuler parmi ses invités, furieuse contre Nikki. Pourquoi d'ailleurs Barbara Westerberg draguait-elle Joey de cette façon-là ? Elle ignorait qu'il était fiancé ?

Freddie, un comédien toujours prêt à attirer l'attention, lui saisit la main au passage.

— Tu danses, Lara ?

— Avec plaisir.

Freddie l'entraîna jusqu'à la piste, ses paumes moites plaquées sur la taille fine de Lara.

— Quelle soirée ! s'exclama-t-il.

Il avait des cheveux roux un peu crépus, des sourcils en broussailles et un tic qui lui secouait la bouche.

— Je n'aurais jamais cru avoir le courage de t'inviter à danser, reprit-il.

Elle sourit : elle avait appris avec le temps à se montrer aimable mais non familière. Ça marchait toujours. Elle jeta un coup d'œil à sa table : Miles et Ginny se chamaillaient comme d'habitude. Penchée vers Joey, Barbara Westerberg lui parlait avec conviction. Kyle avait engagé la conversation avec Nikki tandis que son mannequin anglais rêvassait.

Elle comprit que Nikki avait raison et qu'il était stupide de lui en vouloir. C'était vrai qu'elle trouvait Joey séduisant, même si elle refusait de l'admettre.

— Merci, interrompit-elle, échappant habilement à l'emprise de Freddie. Tu es un merveilleux danseur.

— Je ne me laverai plus jamais les mains, dit-il avec un grand sourire.

Les serveurs rangeaient, la soirée était finie. Nikki dit d'un ton contrit :

— Désolée de t'avoir agacée.

— Pas du tout, répondit Lara.

— J'ai horreur de te voir seule.

— Écoute, Nikki, dit Lara d'un ton grave. Je sais

que tu es pleine de bonnes intentions, mais c'est *mon* problème, pas le tien. Et tu sais ? Ça n'est même pas un problème parce que je n'ai pas *besoin* d'un homme. Je suis très heureuse ainsi. Bien plus qu'avec Richard.

— Fichtre ! s'exclama Nikki.

— Alors, poursuivit Lara, sois gentille. Cesse de me harceler. Joey est un garçon séduisant — toutes les femmes de l'équipe en témoigneront —, mais, moi, je ne suis pas intéressée. Cesse de m'embêter avec ça.

— Compris, chef.

Lara surveillait les domestiques occupés à débarrasser.

— Je crois que la soirée a été réussie.

— Tout à fait. Oh ! est-ce que je t'ai dit pour Kyle ?

— Quoi donc ?

— Il m'a invitée à son hôtel.

— Je croyais qu'il était avec ce mannequin décharné.

— Hmm... je crois que notre grande vedette pensait à une partie à trois. Tu crois que ça me ressemble ?

— À vrai dire...

— Ne commence pas, dit Nikki en lui lançant une serviette au visage.

— Tu l'as déjà fait ? demanda Lara avec curiosité. Du temps de ta folle jeunesse ?

— Eh bien, je vais te dire... Pourquoi crois-tu que je me fais tant de soucis à propos de Summer ? Quand j'étais célibataire, j'ai tout essayé.

— Rentrons à présent. Il est l'heure de faire dodo.

— Oui, d'autant plus que je prends un avion de bonne heure.

— Dommage que tu ne puisses pas rester plus longtemps, répliqua Lara avec regret.

— Je dois rentrer. Je ne peux pas les laisser seuls trop longtemps. Tu connais Richard... il m'attend pour que je m'occupe de lui.

— Je sais..., murmura Lara.

Joey quitta la soirée de bonne heure, Barbara Westerberg sur ses talons. Inutile de rester alors qu'il ne pouvait pas approcher Lara. De plus, tout le monde réclamait sa compagnie ; ce n'était pas le bon moment pour agir.

Dans le hall de l'hôtel, il réussit à s'arracher à Barbara qui tenait absolument à l'entraîner dans sa chambre.

— Écoutez. Vous êtes une femme très sexy, mais je suis fiancé. Je ne pourrai pas faire cela et avoir la conscience tranquille.

— Personne ne le saura, lui assura Barbara.

— Tout le monde le saura, répliqua-t-il. D'ailleurs, vous êtes mariée.

Barbara abattit son atout maître.

— Vous savez, Joey, commença-t-elle. J'ai trois films en train... Il est très possible que je puisse vous donner un coup de main pour votre carrière.

Un silence lourd de sens.

— Je veux dire : un grand coup de main.

Si Lara Ivory n'avait pas existé, il aurait pu se laisser tenter. Pourquoi pas ? S'il pouvait coucher avec Madelaine Francis, il pouvait assurément coucher avec Barbara Westerberg. Mais les choses avaient changé. Depuis sa rencontre avec Lara, il n'avait aucune envie de faire quoi que ce soit qui risquerait de compromettre ses rapports avec elle.

— Désolé, ma réponse est non.

Elle fixa sur lui un regard dur comme l'acier.

— Vous ne pouvez pas ou vous ne voulez pas ?

— Aucune importance. Bonsoir, Barbara.

Il regagna sa chambre et s'assoupit après quelques gorgées de vodka.

Au matin, sa décision était prise. Il désirait Lara Ivory plus que tout.

D'une façon ou d'une autre, elle lui appartiendrait.

Betty était prête pour l'aventure. Ça ne me déplaisait pas non plus : nous formions un couple parfait. Me voilà donc, à dix-sept ans, en route pour la Californie.

Je dois vous avouer quelque chose : Betty était une véritable emmerdeuse. Les seuls moments où elle me laissait tranquille étaient nos débats amoureux... et ça ne durait pas longtemps.

Nous avons effectué une grande partie du trajet en stop. Je restais tapi dans les buissons pendant que Betty se plantait au bord de la route vêtue d'un short qui ressemblait plutôt à une petite culotte et d'un haut presque inexistant. Tous les camionneurs s'arrêtaient dans un grand crissement de freins. Aussitôt, je jaillissais de ma cachette et nous montions tous les deux. Ils n'étaient pas ravis mais ils ne pouvaient rien faire. Quelques-uns essayaient quand même de la draguer ; elle me faisait alors un clin d'œil en leur demandant combien ils paieraient pour une partie à trois.

Ça n'était pas mon truc. À dire vrai, je ne savais même pas ce que c'était. Quelques années en Californie, et c'était devenu ma spécialité : moi, deux filles sexy et trois mille dollars la séance. Mais j'anticipe.

Nous avons fini par arriver à L.A. Je m'étais imaginé que nous trouverions une somptueuse maison agrémentée d'une grande piscine comme au cinéma. Pas du tout : Betty me traîna jusqu'à Oxnard, une petite bourgade du bord de mer à mi-chemin entre L.A. et Santa Barbara, où son père vivait avec sa petite amie. Je savais qu'en restant là nous n'arriverions nulle part.

Ce n'était pas un problème : le père de Betty nous a chassés au premier coup d'œil. Alors on a repris la route, direction L.A. Pendant deux mois, on a vécu dans les rues du côté de Hollywood Boulevard — on avait encore les bijoux d'Avis planqués dans le sac à dos de Betty.

Betty adorait vivre dans la rue : passer du temps avec les autres gamins qui s'étaient enfuis de chez eux. Mais moi, je n'aimais pas cette vie : dormir dans des maisons abandonnées, faire les poubelles des restaurants et traîner sur le Boulevard. J'étais trop habitué au confort.

— On devrait vendre les bijoux de ta mère et trouver un appartement, suggérai-je.

— Il faudra payer un loyer tous les mois, protesta Betty. Où trouver l'argent ?

Elle avait raison. En fait, je n'avais aucune notion de l'argent, je n'avais jamais eu à en gagner : il y avait toujours eu une femme pour m'entretenir.

Malgré les protestations de Betty, j'ai vendu les bijoux et loué un studio. Une fois l'argent dépensé, Betty a commencé à tapiner pour payer le loyer ; la drogue était aussi entrée dans ses habitudes.

Betty était la seule à gagner de l'argent et elle estimait que je devrais chercher un boulot. Les disputes ne cessaient jamais.

— Bouge-toi, fais quelque chose ! me criait-elle.

Comme si elle allait faire la loi !

Moi, je cherchais une autre solution et un jour, en me baladant sur Sunset Boulevard, je l'ai trouvée. Une jolie femme d'une trentaine d'années, un cabriolet blanc en panne et le téléphone de voiture en dérangement.

— Dites donc, on dirait que vous avez besoin d'un coup de main.

— Ma voiture m'a lâchée, m'a expliqué la femme. Vous pouvez me rendre service et appeler l'Automobile Club pour moi si je vous donne ma carte ?

J'ai fait mieux que ça. J'ai moi-même réparé sa voiture, puis je lui ai demandé de me déposer à Fairfax. Le temps d'arriver, je lui avais raconté que j'étais un acteur au chômage qui venait de rompre avec sa petite amie et qui cherchait un endroit où dormir.

— Oh !... vous pouvez rester deux ou trois nuits dans le local de la piscine, proposa-t-elle en me dévisageant du regard.

Affaire conclue ! Trois jours plus tard, j'emménageais dans la maison puis dans son lit aux draps de satin.

Elle ne travaillait peut-être pas dans le cinéma, mais une chose était sûre : elle avait du fric. Et après quelques intenses débats amoureux, elle m'en fit profiter.

Je n'ai pas prévenu Betty de mon déménagement car je savais qu'elle m'aurait fait une scène. Je ne suis tout simplement jamais revenu.

Ainsi, deux jours avant mon dix-neuvième anniversaire, je vivais avec une jolie minette dans une maison de Hollywood Hills, avec l'impression d'avoir définitivement atteint le sommet. Mon seul ennui : je n'avais toujours pas un sou en poche.

Peu après mon installation, j'ai compris que ma nouvelle dame de cœur était une call-girl grand style.

— Tu devrais faire comme moi, me déclara-t-elle un jour, allongée sur les draps de satin et n'arborant que des talons aiguilles et un sourire énigmatique. Les femmes de cette ville sont désespérées. Les hommes aussi. Tu n'as que l'embarras du choix.

Voilà l'origine de ma nouvelle carrière. Ce n'était

pas exactement ce que j'avais projeté, mais, en attendant, pourquoi pas ?

Mon avenir dans le cinéma patienterait encore quelque temps...

16

Quand Nikki rentra de New York le lendemain après-midi, elle surprit Summer en pleine réception. La maison était bondée, les invités traînaient sans gêne en short et en maillot de bain

Elle s'arrêta au milieu du vestibule, perplexe. Que faire ?

— Avez-vous vu ma fille ? demanda-t-elle à un surfeur qui fixait sur elle un sourire hébété. Summer, répéta-t-elle, ma fille.

— Ah oui ! Summer. Je crois qu'elle est sur la véranda.

Bouillant de colère, Nikki sortit sur la véranda où elle découvrit une douzaine d'autres mignonnes en bikini et de morveux. Elle repéra Summer dans le coin en train de se bécoter avec un garçon torse nu dont le pantalon de toile moulant descendait dangereusement bas sur ses hanches décharnées. Elle s'approcha et lança sèchement :

— Excusez-moi.

Le garçon avait les deux pouces dans le haut du slip de Summer. Il tourna à peine la tête.

— Casse-toi, mémé, grommela-t-il.

— Non, protesta Nikki. Vous, vous allez vous casser. C'est *ma* maison et c'est *ma* fille que vous êtes en train de peloter.

Summer le repoussa et se redressa.

— Oh ! bonjour, maman, dit-elle d'un ton aussi détaché que possible.

Le garçon décampa.

— Je ne me rappelle pas t'avoir donné la permission de donner une fête, reprit Nikki, dans une colère froide.

— Tu n'étais pas là et Richard m'a dit que ça ne le dérangeait pas.

— Tu en es sûre ?

— Oui, j'ai dit que j'aimerais bien inviter quelques copains et il m'a répondu qu'il n'y avait aucun problème.

— Summer, il y a au moins cinquante personnes en train de dégrader ma maison. Ce n'est pas ce que j'appelle quelques copains.

— Tu sais ce que c'est, maman, la nouvelle se répand très vite, et puis c'est dimanche, les gens n'ont rien à faire, alors ça devient vite la foule. Ce n'est pas ma faute.

— C'est la mienne peut-être ?

Oh, mon Dieu ! pensa Nikki. *On dirait ma mère !*

— Qu'est-ce que tu veux ?... Que je les mette à la porte ?

— Mais oui. Exactement. Que tous ces gens-là fichent le camp de ma maison. Tout de suite.

— Bon sang, maman, ce que tu fais vieux jeu.

— Cinq minutes, prononça Nikki entre ses dents. Tu m'entends, Summer ? Je te donne cinq minutes pour tous les évacuer.

Nikki tourna les talons et se dirigea vers sa chambre. Un couple complètement nu était sur son lit, en pleine partie de jambes en l'air. La fille n'avait pas plus de quinze ans, le garçon, un ou deux ans de plus.

— Vous n'êtes pas dans un hôtel ! dit-elle furieusement. C'est ma chambre ici.

La fille ramassa ses sous-vêtements et son copain prit le joint qui se consumait dans un cendrier.

— Écoutez. Je vous laisse vous habiller, mais, après, fichez le camp d'ici.

Quand ils furent sortis de la chambre, elle ferma la porte à clé, décrocha le téléphone et appela Richard à la salle de montage. Une femme répondit.

— Qui est à l'appareil ? demanda Nikki.

— Kimberly. Et vous, qui êtes-vous ?

Une assistante qui prenait de grands airs : la totale !

— C'est Mme Barry à l'appareil. Passez-moi mon mari.

Quelques instants plus tard.

— Salut, ma chérie. Te voilà de retour ?

— Oui, je suis rentrée et notre maison est envahie de mineurs obsédés sexuels, répondit-elle sèchement. C'est toi, Richard, qui as permis à Summer d'organiser cette orgie ?

— Je te demande pardon ?

Elle reconnaissait ce ton indifférent. Il était assis devant ses tables de montage avec son équipe et se fichait éperdument des activités de Summer.

— Summer m'a raconté que c'était *toi* qui lui avais donné ton accord, renchérit-elle d'un ton accusateur.

— Tu ne peux pas lui reprocher ça un dimanche après-midi. Cette petite s'ennuyait, j'ai accepté qu'elle invite quelques amis. Tout simplement.

— Ces quelques amis, comme tu dis, c'est devenu cinquante personnes. Quand je suis entrée dans notre chambre, il y avait un couple de mineurs en train de faire l'amour sur *notre* lit !

— Ah, Seigneur ! gémit-il.

— Est-ce que tu n'étais pas censé la surveiller pendant mon absence ? De toute évidence, elle est déchaînée.

— Alors, de toute évidence, tu n'aurais pas dû la laisser avec moi.

Nikki tenta de garder son calme.

— Je n'ai pas envie de faire une scène à ce sujet.

— Écoute, interrompit-il brusquement. Je travaille. On en reparlera plus tard.

— Merci beaucoup ! lança-t-elle en raccrochant.

Elle attendit un bon quart d'heure avant de sortir de sa chambre. La maison était vide.

— Summer ! appela-t-elle.

Pas de réponse. Elle se précipita dans la chambre d'amis : la résidence provisoire de Summer. Un ouragan était passé par là.

— Summer ! répéta-t-elle.

Toujours pas de réponse.

Elle repassa dans le living-room et sortit sur la véranda. Summer avait emmené tout le monde sur la plage. Ils étaient campés devant une autre maison, un lecteur de disques laser déversant des flots de musique rap.

Elle revint dans la maison : un carnage. Ils avaient ouvert la cave à liqueurs et renversé des verres sur la moquette. Les cendriers débordaient et elle piétinait maintenant sur des cartons de pizzas à moitié mangées. Ils avaient même envahi le bureau de Richard mais, heureusement, n'avaient pas touché à sa table de travail.

— Ça n'est pas moi qui vais nettoyer tout ça, marmonna-t-elle en décrochant le téléphone pour essayer de joindre Sheldon à Chicago.

— Missié Weston, pas là, lui annonça une domestique à l'accent prononcé.

— Quand rentre-t-il ?

— Sais pas. Lui aux Bahamas.

C'était bien le style de Sheldon : à peine débarrassé de Summer, il s'était offert des vacances de rêve. La petite était avec elle et il s'en fichait éperdument. Il aurait pu au moins lui dire quelle emmerdeuse leur fille était devenue. Mais non. Il lui avait laissé le plaisir de le découvrir toute seule.

— C'était super ! observa Tina. Dommage que ta mère ait tout gâché.

— Je sais, acquiesça Summer en buvant une gorgée de bière. Elle est vraiment casse-pieds.

— Je n'aurais pas cru : elle est si jeune et paraissait assez sympa.

Summer prit une poignée de sable et le laissa couler entre ses doigts.

— Elle m'a abandonnée quand j'étais gosse. Elle est partie.

— Qui s'est occupé de toi ?

— Mon père. C'est un grand psy.

Tina hocha la tête, comme si elle comprenait.

— Je suis sûre qu'il te pourrit.

Non, ça n'est pas ce qu'il fait, songea Summer en regrettant de ne pas avoir le courage de se confier à Tina. *Il vient dans ma chambre au milieu de la nuit, me tripote partout et me viole. Il fait ça depuis que j'ai dix ans. Maintenant qu'il a épousé Rachel, c'est moins souvent, mais il continue quand je me retrouve seule avec lui.*

— Mon père est à Chicago, se contenta-t-elle de dire. Je suis venue ici passer quelque temps avec ma mère et son nouveau mari.

— Oh, les beaux-pères ! Ils me donnent froid dans le dos ! J'en ai eu trois et tous ces vicelards me faisaient du gringue. C'est pour ça que je me suis taillée quand j'avais seize ans : je ne supportais plus la situation. Tu comprends, c'est embarrassant : un vieux schnock qui te poursuit dans toute la pièce pendant que ta mère fait des courses au supermarché.

Summer aurait bien voulu avoir autant de courage.

— Ta mère ne s'en est jamais aperçue ? interrogea-t-elle.

— Va savoir. Qu'est-ce que ça peut faire ?

Elle se leva d'un bond.

— Je vais prendre une autre bière, reprit-elle. Tu en veux une ?

Summer secoua la tête et Tina s'éloigna. La fête continuait tout autour d'elle, mais elle ne se sentait pas bien. Le simple fait de penser à son père suffisait à lui faire retrouver au creux de l'estomac cette vieille nausée qui avait accompagné son enfance.

La première fois qu'il avait pénétré dans sa chambre, c'était déjà terrible. Mais, après, il était revenu de plus en plus souvent et Summer restait impuissante face à cette situation. À dix ans, elle était pétrifiée. D'ailleurs, il lui avait fait jurer le silence, la menaçant de toutes sortes de choses horribles si elle parlait.

Avec le temps, elle avait appris à supporter ses vices. Elle avait honte de le raconter : si elle se confiait à quelqu'un, on croirait qu'elle ne s'y opposait pas. Alors, si pénible que ce fût, elle avait gardé pour elle ce terrifiant secret.

Peut-être que le fait d'en parler à Tina arrangerait les choses.

— Ta femme a l'air d'une vraie garce, chuchota Kimberly à l'oreille de Richard.

Il jeta un coup d'œil vers ses deux monteurs pour voir s'ils l'avaient entendue.

— C'est évident, murmura-t-elle : elle ne te comprend pas.

Est-ce que ça n'était pas *lui* qui était censé dire ça ?

— Richard, lui dit Jim, son chef monteur, en se retournant. Regardez un peu ça : c'est ce que vous vouliez ?

Il s'éloigna de Kimberly pour visionner la séquence qu'ils venaient de monter à sa demande.

— Il nous faut le gros plan sur Lara. Je me suis trompé. Remettez-le.

Kimberly avait raison : depuis que Nikki s'était mis en tête de faire de la production, son caractère s'était dégradé. Elle le traitait comme un baby-sitter et téléphonait pour se plaindre alors qu'elle savait pertinemment qu'il travaillait.

Jim inséra le gros plan de Lara. Richard visionna la séquence : il était satisfait.

— Merci, les gars, dit-il en se levant et en s'étirant. À lundi. Allez retrouver vos familles : on a sans doute oublié de quoi vous aviez l'air !

Kimberly s'attarda, attendant que les deux autres soient partis. Richard était occupé à prendre des notes sur son ordinateur.

— Tu n'as pas de petit ami ? demanda-t-il quand il remarqua sa présence.

— Maintenant, si, répondit-elle d'une voix sexy.

Il allait dire : « Oh, mais pas du tout ! » quand elle ôta sa robe. Il se retrouva avec ses deux adorables petits seins qui le regardaient droit dans les yeux...

Une tentation parfois, ce n'était que ça.

À la tombée du jour, Summer regagna la maison.

— Désolée, maman, murmura-t-elle comme si ce n'était qu'une bêtise. Je crois que j'ai été un peu dépassée.

— Dépassée ! s'exclama Nikki. Ils ont saccagé la maison. Qui va nettoyer tout ça ?

— La bonne le fera.

— La bonne ne le fera pas ! cria Nikki, rouge de colère. C'est toi, jeune personne, qui vas t'en charger.

Summer faillit éclater de rire.

— Pas question, dit-elle. Ce n'est pas moi qui ai mis tout ce bazar.

Nikki resta quelques instants sans voix. Elle commençait à se lasser sérieusement du caractère exécrable de sa fille.

— Summer, tâche de bien comprendre une chose : tu peux faire ce qu'il te plaît quand tu es avec ton père. Mais, ici, c'est *moi* qui décide, et si ça ne te plaît pas, je te mets dans le prochain avion pour Chicago. Compris ?

Summer avait saisi. Quand Richard rentra, la maison était en ordre et Summer, vêtue correctement, l'accueillit avec un gros baiser.

— Merci de t'être occupé de moi pendant que maman n'était pas là, dit-elle avec un air angélique. Tu es formidable !

Richard jeta un coup d'œil à Nikki comme pour dire : *De quoi te plains-tu ? Cette petite est parfaite.*

Nikki avait envie de répondre : *C'est un numéro, Richard.*

Mais elle n'en fit rien. Ils allèrent tous les trois dîner au restaurant et Summer se comporta parfaitement bien toute la soirée.

Pendant le dîner, Nikki raconta à Richard que Lara avait accepté de jouer dans *Vengeance*. Il ne dit pas un mot.

— Tu ne trouves pas ça formidable ? insista-t-elle.

— Non, répondit-il, le visage fermé. Tu ne vas t'attirer que des ennuis.

Elle n'allait pas en discuter devant Summer. En fait, elle n'allait pas en discuter du tout. Il avait son avis, elle, le sien.

Quand ils furent couchés, elle avait envie de faire l'amour, mais lui n'était pas d'humeur.

— Je suis crevé, dit-il. J'ai travaillé toute la journée.

— Moi, j'ai passé six heures dans un avion, répliqua-t-elle. Et je ne suis pas crevée.

— À demain, conclut-il en lui tournant le dos.

Il y avait des semaines qu'ils n'avaient pas fait l'amour, il fallait agir. Peut-être un week-end à Carmel ou à San Francisco, dans un endroit romantique où ils pourraient être seuls...

Le matin, quand elle s'éveilla, Richard était déjà parti, Summer aussi. Il avait laissé un mot sur la table de la cuisine : *J'ai emmené Summer au montage. Je t'appellerai plus tard.*

Elle éprouva un petit pincement de jalousie. Pourquoi ne l'invitait-il pas, elle ?

Ne sois pas ridicule, se dit-elle. *Il fait ça pour t'aider. Il me débarrasse de Summer avant qu'elle me rende complètement dingue.*

D'ailleurs, il savait qu'elle avait rendez-vous aujourd'hui avec un de ses metteurs en scène éventuels : c'était vrai, pour l'instant, son film comptait plus que tout.

17

Lundi matin : le tournage allait reprendre dans le restaurant. Partout on ne parlait que de la réception donnée chez Lara.

— C'était très réussi ! s'exclama Roxy. Vous avez le sens de l'accueil. De l'alcool à gogo, une musique stupéfiante, une piste de danse endiablée. Tout le monde était enchanté.

— Merci beaucoup. Je me suis bien amusée moi aussi.

— C'est vrai : je vous ai vue tourbillonner sur la piste de danse avec Freddie.

— Je suis contente que tout le monde soit ravi.

— Au fait, murmura Roxy, vous êtes au courant pour Joey et Barbara Westerberg ?

— Non. De quoi s'agit-il ? interrogea Lara, l'estomac serré.

— Elle a essayé d'entraîner Joey jusqu'à sa chambre en fin de soirée et il l'a envoyée valser. Mme Westerberg ne s'en remet pas, elle est furieuse.

Pourquoi se sentait-elle soulagée ? *Il est fiancé, oublie-le,* se dit-elle sévèrement. D'ailleurs, elle n'avait rien d'une aventurière affamée d'hommes comme Barbara Westerberg.

— Je la plains de tout mon cœur, grommela-t-elle avec une méchanceté inhabituelle.

À peine était-elle arrivée sur le plateau que Miles la prit par le bras et l'entraîna dans un coin.

— Nous avons un gros problème. Kyle n'aime pas l'acteur qui joue le rôle de Jeff. Il veut qu'on le vire.

— Je te demande pardon ?

— Je sais, je sais, c'est dingue. Il était à l'arrière-plan de ta scène ces trois derniers jours.

— Que vas-tu faire ?

— Le garder et ne pas tenir compte des commentaires de Kyle. Le temps presse, nous ne pouvons pas nous offrir le luxe de tout recommencer. Mais je préfère te prévenir car il va sûrement t'en parler.

— Je saurai quoi lui répondre.

— Je n'en doute pas.

— J'espère que tu n'en as pas parlé à Joey.

— Qu'est-ce que tu crois ? On tourne sa scène ce matin.

— Bien. Parce que tu sais comme nous sommes sensibles, nous autres comédiens.

— Oh oui ! surtout Kyle, répliqua Miles avec un rire ironique.

Pendant qu'on réglait les éclairages, Angie, sa doublure, était assise à sa place. Joey était au bar, entouré de femmes. Lara remarqua que Trinee, la jolie petite costumière, ne le quittait pas des yeux.

— Voici ce que je vais faire, dit Miles. On tourne la scène et, une fois qu'elle est dans la boîte, Kyle ne peut plus rien faire — sauf être furieux. S'il m'embête trop, je réglerai le problème au montage.

— Je n'arrive pas à croire qu'il soit aussi fragile, rétorqua Lara.

— Mais si... c'est un comédien.

— Je te remercie, Miles. Est-ce que je ne viens pas de te dire combien nous autres acteurs nous sommes sensibles ?

— Mon chou, tu n'es pas comme les autres. Tu sais intérioriser tes problèmes.

Est-ce que « intérioriser ses problèmes » rimait avec solitude ?

Personne pour s'occuper d'elle, la tenir dans ses bras et partager ses secrets...

— Répétition ! cria le premier assistant. Tout le monde à son poste.

Lara prit place. Miles suivit. Joey s'approcha.

— Bien, déclara Miles. Joey, vous entrerez dans le champ de la caméra de gauche.

— Enfin, lança Joey, rayonnant.

Lara lui sourit en murmurant :

— Vous savez quoi ? M. Carson ne sera pas sur le plateau ce matin : alors, avec un peu de chance, ça va aller vite.

— À moins que ça ne soit moi qui commence à oublier mon texte, dit-il d'un ton désabusé. Je n'ai pas tourné depuis longtemps.

— Vous vous en sortirez très bien, j'en suis sûre.

— Avec vous, n'importe qui se sentirait à l'aise.

Était-ce son imagination, se demanda Lara, ou bien avaient-ils du mal à détourner les yeux chaque fois que leurs regards se croisaient ?

Miles régla la scène, puis décréta une courte pause pendant qu'on réglait les lumières et que le second assistant disposait ses figurants.

— Désirez-vous un café ? proposa Joey.

— Non merci. Mais je prendrais bien un verre d'eau.

— Très bien. Allons-y.

Ils se rendirent au buffet de rafraîchissements installé à l'extérieur. Joey lui servit un verre d'eau.

Cassie arriva en courant.

— Comment vas-tu, Lara ? demanda-t-elle d'un ton protecteur.

— Très bien, Cass. Je t'appellerai si j'ai besoin de quelque chose.

— D'accord, répondit Cassie en lançant à Joey un regard méfiant.

— Vous êtes surveillée en permanence, n'est-ce pas ?

— Non, heureusement, répliqua Lara en le contemplant avec admiration.

— Il paraît que Kyle veut me virer.

— Où avez-vous entendu cela ?

— Quand il y a des problèmes, j'ai des antennes. Seulement, ils ne peuvent rien contre moi parce que je suis dans tous les arrière-plans.

— Exactement.

— Alors qu'est-ce que va faire Miles ?

— Il ne va certainement pas vous virer. Et s'il osait le faire, j'aurais mon mot à dire.

— Ah oui ?

— Ce ne serait pas juste.

— Personne n'a dit que les jeunes premiers devaient être justes.

— Je suis une jeune première et moi, je suis juste.

— Ça, oui, tout le monde le sait : vous êtes formidable.

Cherchait-il à la draguer ou se montrait-il seulement aimable ?

— Il paraît que Barbara Westerberg vous en a fait voir, dit-elle, décidant qu'il était seulement aimable.

— Les nouvelles vont vite.

— Avec Roxy et Yoko, il n'y a pas de secrets.

Il marqua un temps avant de répondre.

— Barbara est une femme charmante, finit-il par dire. Je crois qu'elle ne prenait pas en compte ma vie privée.

— Vous êtes vraiment un gentleman à l'ancienne, n'est-ce pas ? Vous refusez de dire du mal de qui que ce soit. C'est une qualité que j'apprécie beaucoup.

Il la fixa d'un regard intense.

— Vous voulez que je vous énumère tout ce que j'aime chez vous ?

Elle s'était trompée : ce n'était pas seulement de l'amabilité.

— Vous ne seriez pas en train de flirter avec moi ?

— Je n'oserais pas.

— Ah non ?

— Pas question.

— Comment s'est passé le procès que plaide votre fiancée ? demanda-t-elle, se disant qu'il était plus prudent de changer de sujet.

— Elle travaille encore dessus.

— Comment s'appelle-t-elle déjà ?

Il eut tout d'un coup l'esprit complètement vide. Il s'était inventé une fiancée sans nom !

— Euh... Philippa, balbutia-t-il.

Jane surgit derrière eux.

— Lara, Joey... on vous demande tous les deux sur le plateau.

Il lui prit son verre et leurs mains s'effleurèrent un instant. À ce contact, elle tourna brusquement les talons et se dirigea d'un pas vif vers le plateau. *Avoue-le, Lara, Nikki a raison. Tu es séduite, tu n'y peux rien.*

Leur scène se déroula à merveille. Quand Miles eut fini, il fit plusieurs gros plans de Lara et deux ou trois plans serrés de Joey. Personne ne bafouilla et ils avaient terminé avant midi.

— Ouf ! soupira Lara en s'éventant avec un journal. Quel changement de travailler avec vous !

— C'est bien, dit Miles. Pour une fois, nous avons de l'avance. Maintenant, on va tourner la scène de la bagarre.

— Ah, ça veut dire que j'ai congé pour le reste de la journée ! s'exclama Lara en plaisantant.

— Ah non ! reprit Miles. Tu regardes le combat, tu te souviens. C'est toi la belle éplorée.

— En fait, dit Roxy qui s'affairait sur les cheveux de Lara avec une brosse et une bombe de laque, c'est elle la garce qui cause tous ces problèmes !

Tout le monde se mit à rire. Là-dessus, Jane arriva

en courant et chuchota quelque chose à l'oreille de Miles.

— Bon, on va faire la pause déjeuner plus tôt, déclara-t-il, l'air agacé.

— Pourquoi ? demanda Lara.

— Kyle n'est pas prêt. Apparemment, il a des ennuis avec sa foutue moumoute.

Joey comprit que, s'il voulait que les choses aillent un peu plus loin avec Lara, il ferait mieux de ne pas traîner. Quand ils auraient tourné la scène de la bagarre, son travail sur le film serait terminé.

Il sauta sur l'occasion.

— Je ne sais pas, vous, mais moi, j'en ai assez de la cuisine du traiteur. Voulez-vous grignoter un hamburger avec moi sur la plage ?

Elle le considéra un long moment sans rien dire. Des yeux verts au regard calme et le plus beau visage qu'elle eût jamais vu.

— Avec plaisir.

18

Nikki rencontra trois metteurs en scène. Le dernier fut Mick Stefan : un garçon de vingt-neuf ans. Son portrait n'était pas séduisant : dents écartées, filiforme, cheveux ébouriffés et d'énormes lunettes aux verres épais. Une cigarette d'eucalyptus pendait au coin de ses lèvres minces et il semblait incapable de rester tranquille.

— Je veux tourner votre scénario. J'en ferai un film féroce.

— Féroce ? interrogea Nikki.

— Ouais... La petite, l'héroïne, elle est mal barrée et, ce qui me branche, c'est son courage. Après mon passage, sa rage sera palpable.

Nikki était ravie qu'il ait aimé le script. Mick Stefan était un débutant plein d'avenir. Il avait déjà dirigé deux petits films qui tous les deux avaient remporté des récompenses prestigieuses. Maintenant, il était lancé et les studios lui couraient après.

— J'ai de bonnes nouvelles, déclara-t-elle.

Mick mâchonnait le bout de sa cigarette tout en la regardant à travers l'épaisseur de ses verres.

— Je vous écoute.

— Lara Ivory a accepté de jouer Rebecca.

— C'est une blague ? dit-il d'un air écœuré.

— Un problème ?

— Oui, plutôt. Lara Ivory est une vedette. Je veux faire ce film sans grand nom.

— Je ne comprends pas. Comment comptez-vous que j'arrive à financer mon film sans aucun nom ? Vous devriez sauter de joie à l'idée que Lara Ivory ait accepté de jouer un rôle comme celui-ci.

— Seigneur ! C'est une de ces chichiteuses... elle ne sait même pas jouer.

— Oh si ! elle sait, affirma Nikki, volant à la défense de son amie. Lara est une actrice de talent.

— Certainement, dans tous ces films à plus de soixante millions de dollars.

— Mick, déclara Nikki, vous devez bien comprendre qu'avec Lara Ivory nous aurons vraiment une chance de voir le film décoller. Sans elle, il risquerait d'être perdu dans la masse.

— Vous pensez qu'on va ignorer un film que *je* tourne ? répliqua-t-il sèchement.

Elle commençait à se lasser de son arrogance. Après tout, c'était elle la productrice !

— Vous savez, si je devais trancher entre vous et Lara Ivory, qui croyez-vous que je choisirais ?

Mick ôta ses lunettes et lui lança un grand sourire.

— Moi ? répondit-il d'un air charmeur.

Nikki secoua la tête.

— Erreur. Non seulement Lara est une excellente comédienne, c'est aussi une de mes amies, et elle a accepté de travailler au pourcentage. Alors, Mick, si ça ne vous intéresse pas, dites-le, et nous cesserons de perdre notre temps.

— Oh ! une petite dure, n'est-ce pas ? J'adore ce genre de tempérament.

Sans relever, elle poursuivit gravement :

— C'est mon premier film en tant que productrice et je veux que ça marche. Je serais ravie de vous engager si vous êtes capable de vous intégrer à une équipe. Sinon, dites-le maintenant.

— Elle fera la scène du viol ? interrogea-t-il.

— Oui.

— Pas de connerie de doublure ?

— Non, répondit Nikki même si elle n'avait pas encore discuté de la question avec Lara.

— Parce que, si elle doit jouer les prima donna... je ne suis pas dans le coup. Mais si elle marche à fond... c'est d'accord.

Après le départ de Mick, Nikki arpenta la maison. Parmi tous les metteurs en scène qu'elle avait vus, c'était lui qu'elle voulait. Il avait de la passion, de l'enthousiasme. Et puis elle aimait son travail.

Elle jeta un coup d'œil à la pendule. Presque 18 heures. Où diable était Richard ? Summer et lui étaient partis toute la journée et il n'avait même pas fait l'effort de téléphoner. Elle avait besoin de ses conseils avant de prendre la décision d'engager Mick. Elle devait aussi parler à Lara. Il fallait que tout marche bien et c'était son rôle de s'en assurer.

Après être restée là à regarder Richard monter son film, Summer commença à s'ennuyer et appela Jed qui justement était chez lui. Il l'emmena faire du surf... ou du moins elle le regarda en faire. Jed restait à distance car elle lui avait fait clairement comprendre qu'elle n'était pas intéressée. « Platonique, lui avait-elle annoncé, ou rien du tout. »

Un peu plus tard, elle retrouva Tina qui l'emmena au magasin où elle travaillait de temps en temps à présenter de la lingerie et des maillots de bain pour les acheteurs de passage. Le propriétaire était un Grec au visage rond qui la suivit partout d'un œil lubrique — jusqu'à l'arrivée de sa grosse épouse. Un air renfrogné vint aussitôt remplacer son sourire paillard.

— Sa vieille lui a fait la leçon. Je suis même étonnée qu'elle le laisse m'employer. Bien sûr, ajouta-t-elle d'un ton songeur, les acheteurs adorent me reluquer... surtout avec toute cette mode des transparences.

— Depuis combien de temps est-ce que tu travailles ici ? interrogea Summer, intéressée.

— Assez longtemps, répondit Tina en faisant la grimace. Je ne sais pas. Quelquefois, quand je vois tous ces vieux schnocks, les yeux exorbités comme s'ils n'avaient jamais vu une femme, ça m'amuse.

— Oh ! fit Summer.

Et tout d'un coup elle se félicita de ne pas être là avec un tas de vieux cochons en train de la fixer.

Tina la ramena en ville dans sa voiture de sport rouge.

— Je t'appelle plus tard, dit-elle. Peut-être qu'on fera quelque chose.

Summer acquiesça. De toute façon, ce serait sûrement plus drôle que Chicago.

19

— Voilà, lança Joey, j'ai kidnappé la princesse.

— Que voulez-vous dire ? demanda Lara.

— Vous avez vu la tête de Cassie quand vous lui avez annoncé que vous partiez déjeuner ?

— C'est son côté... protecteur.

— Il me semble que tout le monde parle de nous.

— Je me demande bien pourquoi. Si deux personnes ne peuvent même plus déjeuner ensemble...

— Le problème, c'est que vous n'êtes pas n'importe quelle personne !

— En tout cas, vous avez eu raison de me traîner jusqu'ici. Ce hamburger, c'est exactement ce dont j'avais envie.

Joey avait mille répliques toutes faites dans son répertoire, mais cette femme méritait beaucoup mieux.

— Racontez-moi quelque chose d'original sur vous, un secret qui ne figure pas dans tous les magazines à sensation. Je vous ai parlé de ma vie privée, vous me devez une confidence.

Elle sourit.

— Mais je n'ai pas de vie amoureuse.

— Allons donc.

— Enfin... j'en ai eu. J'ai été avec un homme pendant un an... nous avons rompu il y a six mois. Ce n'est pas facile de vivre avec moi, ajouta-t-elle en soupirant.

— Pourquoi donc ?

— Cela ne vous paraît pas évident ? Chaque fois que je vais à la première d'un film ou d'une pièce, les photographes me harcèlent. L'homme qui m'accompagne aura droit à la une des magazines parce qu'il est nouveau dans ma vie. Ce n'est pas facile pour un homme. Vous apprécieriez, vous ?

— Oh !... je suis assez solide.

Elle ne put s'empêcher de sourire.

— J'ai remarqué.

— Ah oui ?

— Je vous ai observé sur le plateau... Toutes ces femmes qui se pressent autour de vous. Vous n'êtes pas encore célèbre, mais je vous assure que c'est écrit. Comment allez-vous gérer ça ?

— Comme maintenant.

— Non, vous ne comprenez pas, dit-elle, son regard s'assombrissant un moment. Tout change quand la célébrité envahit votre vie. Tout d'un coup, vous êtes encerclé par des gens qui feraient tout pour vous satisfaire.

— Vous vous trompez, Lara : les gens vous admirent car vous êtes généreuse et sincère.

— Comment pouvez-vous dire cela ? Vous me connaissez à peine.

— Je n'ai rien fait d'autre que vous observer ces trois derniers jours.

— Vous y étiez bien obligé, répondit-elle vaguement. Toujours coincé à l'arrière-plan de notre scène.

— Ce que je sais, dit-il sincèrement, c'est que je n'ai jamais vu une femme aussi belle que vous.

— Question de gènes, murmura-t-elle avec embarras. Tout ça, c'est... à cause de mes parents.

— Vous n'aimez pas les compliments, n'est-ce pas ?

— Ils me mettent mal à l'aise.

— Pourquoi ?

— Je n'en sais rien.

Il était fiancé, elle était libre : mauvaise combinaison.

— Que faites-vous le soir ? demanda-t-il.

— Oh ! Des folles soirées, je traîne sur la plage. Et vous ?

— Je reste dans ma chambre d'hôtel.

— Et vous parlez à votre fiancée ?

— Elle est trop occupée, répondit-il en s'empressant d'éloigner cette Philippa imaginaire. Son travail lui prend tout son temps.

— Et vous acceptez cette situation ?

— Je ne sais pas. À vrai dire..., reprit-il d'un ton hésitant. Je ne vais pas vous ennuyer avec mes problèmes.

— Allez-y. J'en ai quelques-uns moi-même dont je pourrai vous parler.

— Mais oui... Bien sûr. Racontez-moi un peu tout ça que je le vende aux journaux.

— Je parie que vous le feriez.

— N'importe quoi pour gagner une poignée de dollars.

Ils se regardèrent en souriant.

— C'est drôle, poursuivit-il. Combien rencontrez-vous de gens avec qui vous avez l'impression d'être bien ? Vous savez, le genre frère et sœur.

— Je pourrais être votre grande sœur, dit-elle.

— Hé... doucement... vous n'avez que deux ans de plus que moi.

— J'ai l'impression de faire l'école buissonnière, avoua-t-elle. Jamais je ne quitte le plateau quand je travaille. C'est plutôt amusant.

— Comme je vous le disais, ils doivent tous être en train de parler de nous.

— Ils ne se doutent pas combien tout ça est innocent.

— Peut-être qu'on devrait leur donner de quoi parler, lâcha-t-il nonchalamment.

— À quoi pensez-vous ?

— Si je vous emmenais dîner ce soir dans ce petit restaurant de poissons que j'ai découvert.

Elle prit une profonde inspiration.

— Oh !... Joey, il faut que je vous prévienne : on me repère toujours dans les lieux publics ; il y a toutes les chances pour que des paparazzi jaillissent d'un buisson. J'ai comme l'impression que Philippa n'aimerait pas vous voir en ma compagnie dans tous les magazines.

— Elle n'est pas jalouse, protesta-t-il.

Elle n'existe même pas.

— Moi, dit-elle doucement, je le serais.

— Non. Je ne vous vois pas ainsi.

— Vous seriez surpris. Je peux devenir une vraie garce.

— Oh non ! déclara-t-il en secouant la tête, pas vous.

Là-dessus, son regard croisa de nouveau celui du jeune homme et son intensité la fit frissonner.

— Euh... nous devrions rentrer, il est tard.

— Vous avez raison. Je dois répéter avec Kyle et le coordinateur des cascades. Ça devrait être intéressant.

— J'en suis certaine ! N'oubliez surtout pas une chose : tout le monde est de votre côté.

Ils regagnèrent la voiture où le chauffeur les attendait. Joey ouvrit la portière et elle se glissa sur la banquette arrière.

— Alors, demanda-t-il, pour le dîner ? C'est d'accord ?

Elle sentit son estomac se serrer. C'était ridicule. Pourtant... pourquoi pas ?

— Oui, murmura-t-elle. Vivons dangereusement.

Il acquiesça comme s'il avait toujours su qu'elle dirait oui.

— Je passerai vous prendre à 19 heures.

Assise dans la caravane du maquillage, Lara se faisait faire un raccord aux lèvres. Elle n'arrêtait pas de penser à Joey...

— Hmmm, fit Roxy qui s'affairait avec un pinceau. Il est baraqué.

— Qui donc ? demanda Lara, brusquement ramenée à la réalité.

— Le pape, répondit Roxy. Qui est-ce que vous croyez ? Joey Lorenzo, bien sûr.

— Ah oui ! Joey. Il a l'air gentil.

— Ha ! s'exclama Roxy. Et votre déjeuner, c'était comment ?

— Vous savez, Roxy, cela ne vous regarde pas.

Roxy stoppa net la discussion, elle respectait la vie privée de Lara.

Joey travaillait avec le responsable des cascades quand Kyle fit son entrée : il s'avança vers le cascadeur, ignorant une fois de plus la présence de Joey.

— Indiquez-moi les mouvements. Qu'on en finisse.

Le cascadeur commença à lui expliquer la scène, en montrant à Kyle comment lancer un coup de poing sans réellement frapper Joey.

— Je sais, je sais, fit Kyle d'un ton impatient. J'ai fait ça mille fois.

Tout se passa bien pendant les répétitions, mais à peine Miles les avait-il appelés pour une prise que Kyle s'élança, frappant Joey pour de bon : un direct en pleine mâchoire.

C'était si inattendu que Joey s'écroula. Il était assez professionnel pour rester au sol jusqu'au moment où Miles cria : « Coupez ! » Mais quand il se releva, il était prêt à tuer.

Miles s'interposa entre eux et dit à Kyle :

— Qu'est-ce qui s'est passé ?

— Ma main a dû glisser, ricana Kyle. Il vaudrait mieux la refaire.

Miles prit Kyle à part.

— Retiens ton coup, ordonna-t-il sèchement.

— Oui, oui...

Le silence se fit sur le plateau tandis qu'on tournait de nouveau la scène. Kyle cette fois retint son coup.

— Bon, encore une fois, cria Miles, qui n'était pas encore satisfait.

Roxy donna un coup de coude à Yoko.

— Regarde-le mettre ce pauvre garçon au tapis, chuchota-t-elle.

— Tout le monde en place ! cria le premier assistant.

Kyle frappa Joey si fort que celui-ci crut qu'il lui avait brisé la mâchoire, mais, malgré sa colère, il réussit à rester allongé jusqu'au moment où Miles cria : « Coupez ! On la tire, elle est bonne ! »

Dès qu'il sut que la caméra ne tournait plus, il se releva et se précipita sur Kyle, le fit pivoter sur ses pieds et lui allongea un direct au menton.

Un instant, Kyle n'en crut pas ses yeux. Puis il riposta par un crochet du gauche et bientôt les deux acteurs se battaient comme des chiffonniers.

Plusieurs membres de l'équipe intervinrent pour les séparer, mais Joey avait eu le temps de mettre en sang le nez de Kyle.

— Espèce de petite ordure ! hurla Kyle, les yeux exorbités, sa moumoute glissant dangereusement. Plus jamais tu ne retravailleras, tu peux être tranquille !

Joey s'éloigna en se frictionnant les jointures. Lara le rejoignit au moment où il quittait le plateau.

— Il l'a bien cherché, marmonna-t-il.

— Il vous a provoqué, ajouta-t-elle. Tout le monde est témoin.

— Oui, mais j'aurais dû lui faire payer ça plus tard. Pas ici, devant tout le monde.

— Joey, il le méritait.

— C'est ce que j'aime chez vous. Vous prenez toujours le parti du plus faible.

Elle posa doucement une main sur son bras.

— On ne peut pas dire que vous soyez particulièrement faible.

— On dîne toujours ce soir ? demanda-t-il en tournant vers elle un regard intense.

— Bien sûr. Je ne manquerais ça pour rien au monde.

Il comprit qu'avant peu elle lui appartiendrait.

20

L'incident s'était produit par une brûlante soirée de juin. Alison Sewell était d'assez méchante humeur. Sa mère l'exaspérait avec ses perpétuelles jérémiades : à tel point qu'Alison avait payé la fille de la voisine pour la garder quand elle sortait.

Elle était partie à 18 heures pour être bien placée devant la grille de la Guilde des metteurs en scène pour une projection à laquelle Lara Ivory devait assister. Elle attendait là, se demandant qui serait le cavalier de Lara. À en croire *Derrière l'écran*, l'émission télévisée préférée d'Alison, elle s'était récemment débarrassée de Lee Randolph. Lara était donc de nouveau libre : Alison espérait qu'elle choisirait mieux son prochain prétendant. Si Lara faisait de mauvais choix, elle serait obligée de la mettre en garde — Alison en savait long sur tous ces gens. Elle connaissait l'identité de ceux qui trompaient leurs femmes, étaient des pédales honteuses, aimaient les travelos ou avaient un penchant pour les prostituées.

Si Lara avait rompu avec Lee, c'était sans doute parce qu'elle avait tenu compte de tous les avertissements qu'Alison lui avait adressés. Elle pensa qu'avec l'absence de Lee Randolph elle pourrait enfin rendre visite à Lara.

— Voilà le bulldozer, entendit-elle un photographe dire à un confrère tandis qu'elle se frayait un chemin jusqu'au premier rang.

— Va te faire voir, marmonna-t-elle en se postant juste derrière le cordon qui séparait les photographes des vedettes.

— Ça pue par ici, dit un des types.

— C'est ton haleine, riposta-t-elle.

L'hygiène corporelle n'avait jamais été au premier rang des préoccupations d'Alison. Elle prenait un bain tous les quinze jours quand elle-même ne pouvait plus supporter son odeur.

— Lara ! Lara ! Lara !

Le cri de la foule monta comme un hymne d'adulation. Alison se mit au garde-à-vous en voyant Lara arriver vêtue d'une robe verte assortie à ses yeux extraordinaires. Mais cette tenue était trop décolletée pour son goût. Lara n'était pas une petite starlette qui devait étaler la marchandise pour attirer l'attention. Elle était Lara Ivory, la reine de Hollywood.

Quelqu'un la conseillait mal, Alison devint furieuse à cette pensée.

— Regarde-moi cette poitrine, fit observer un des photographes. Je leur dirais bien deux mots.

Alison se retourna vers lui.

— Ferme ta sale gueule, siffla-t-elle.

— Dégage ! grommela-t-il.

Furieuse, elle lui allongea un coup de pied dans les tibias, qui lui valut quelques insultes.

Lara jeta un coup d'œil, son attention attirée par l'altercation.

Elle veut que je vienne la rejoindre, pensa Alison.

Sans vraiment réfléchir, elle se précipita, plongea sous le cordon, courut jusqu'à Lara et la serra dans ses bras.

Après ça, tout parut défiler au ralenti. Le chargé de

presse de Lara bondit, essayant de repousser Alison. Mais elle était trop rapide pour lui : elle lui décocha un direct du droit en pleine figure.

Lara était abasourdie.

— Je suis venue vous sauver ! cria Alison pour la rassurer. Je suis la seule qui s'intéresse vraiment à vous.

Sans lui laisser le temps de dire ou de faire quoi que ce soit d'autre, deux robustes gardes de la sécurité foncèrent sur elle : ils l'empoignèrent et l'entraînèrent plus loin.

Un policier accourut et elle réussit à lui envoyer un coup de pied dans l'entrejambe, malgré les gardes qui ne la lâchaient pas.

Puis elle se retrouva à l'arrière d'un fourgon de police.

Alison était maintenant une femme en colère.

21

Éclairé aux bougies, le restaurant de la plage offrait une ambiance tout à fait romantique. C'était la première fois que Lara vivait d'aussi savoureux moments simplement à bavarder : échanger des banalités ou parler sérieusement du métier de comédien. Aucun lien ne les unissait, ainsi leur conversation était libre et sincère. L'atmosphère était détendue, mais Lara percevait toutes sortes de messages intérieurs :

Il est superbe. Tu l'adores. Il est drôle et sexy. Que faire ?

Rien, pensa-t-elle sévèrement. *Avant tout, il est fiancé.*

— Kyle menace de me poursuivre en justice, dit Joey sans en paraître trop ému. Je vais contacter mon avocat : ça me fera un peu de publicité.

Ils plaisantèrent tous deux à ce sujet. Elle but une gorgée de vin en se demandant s'il ferait le premier pas. Dans le cas contraire, elle devrait renoncer à lui, malgré ses envies.

Le serveur apporta la carte des desserts.

Sur l'insistance de Joey, elle commanda un gâteau au chocolat tandis qu'il prenait une tourte aux noix de pécan. Ils partagèrent leur pâtisserie, savourant chaque bouchée.

— Je m'en vais demain, dit Joey. Je n'ai plus rien à faire ici.

— Où allez-vous ? interrogea-t-elle.

— Je rentre à New York.

Elle savait que cela ne la regardait pas, mais elle ne put s'en empêcher.

— Est-ce que Philippa et vous partagez un appartement ?

— Pour le moment, oui.

— Vous avez raison, acquiesça-t-elle. C'est toujours mieux de bien connaître quelqu'un avant de l'épouser.

— Richard et vous avez vécu ensemble avant de légaliser votre union ?

— Non. Mais nous aurions dû.

Elle marqua un temps avant de poursuivre.

— Richard s'est révélé quelqu'un de très complexe et de très exigeant. Maintenant qu'il a épousé mon amie, Nikki — vous l'avez rencontrée à la soirée l'autre jour —, il s'est beaucoup calmé.

— Attendez un peu... exigeant... exigeant. Qu'est-ce qu'il lui fallait ? D'autres femmes ?

— Vous êtes très perspicace. Je l'ai surpris à plusieurs reprises avant de finir par comprendre qu'il n'avait aucune intention de cesser son manège.

— Seigneur ! C'est difficile d'imaginer qu'un homme veuille vous tromper.

— Je n'ai rien de si spécial, Joey, murmura-t-elle avec un pâle sourire.

— Je ne veux plus jamais entendre ça de votre bouche.

Confuse, elle détourna la tête puis se remit à parler, beaucoup trop vite.

— J'aimerais un jour rencontrer Philippa. Peut-être que, si vous venez tous les deux à L.A., vous me rendrez visite... J'ai un petit ranch sur Old Oak Road. J'y garde mes chevaux et mes chiens.

— Vous aimez les animaux, n'est-ce pas ?

— Je les ai toujours trouvés plus vivables que les hommes.

— J'envisage parfois de prendre un chien. Puis je me rends compte qu'il serait malheureux enfermé toute la journée dans un appartement. D'autre part, Philippa n'aime pas les animaux.

— Vous devriez essayer de la convertir. Achetez-lui un petit chiot.

— Pour qu'elle le laisse seul tout le temps ? Non, ce n'est pas une bonne idée.

— Je le garderai pour les vacances, insista Lara en plaisantant.

— Dites donc, interrompit-il en regardant sa montre, j'ai promis de ne pas vous faire veiller tard. Vous travaillez demain.

— Oh ! ça va, s'empressa-t-elle de dire.

Lara n'avait pas envie que cette soirée s'achève.

— Non, protesta-t-il. Je ne veux pas être responsable si des poches viennent abîmer vos beaux yeux.

Était-il possible qu'il n'essaie pas de l'embrasser ? Ce serait une première. Elle était extrêmement intriguée. D'un claquement de doigts, il réclama l'addition.

Ils marchèrent quelques minutes sur la plage, puis Joey héla un taxi et donna au chauffeur l'adresse de Lara. Elle avait proposé de prendre sa voiture et son chauffeur, mais Joey avait refusé : il ne voulait pas faire le bonheur des magazines à scandales.

— Voulez-vous venir prendre un dernier café ? proposa-t-elle quand le taxi arriva devant chez elle.

Il n'avait pas eu le temps de répondre que le garde aperçut Lara et Joey sortant du taxi.

— Bonsoir, Miss Ivory.

Joey secoua la tête.

— Vous ne devez pas vous coucher tard.

— Vous passez sur le plateau demain pour faire vos adieux à tout le monde, n'est-ce pas ? supplia-t-elle.

— Ça ne me paraît pas une bonne idée. Je ne voudrais pas provoquer une nouvelle scène entre Kyle et moi.

Le garde rôdait autour d'eux.

— Merci, Max, dit-elle brièvement.

Il comprit le message et s'empressa de battre en retraite.

— Désolée, reprit-elle, en espérant au moins un simple baiser.

— Ne vous en faites pas. Je préfère qu'il y ait des gens qui veillent sur vous. Je ne supporterais pas de vous savoir là toute seule.

— Vous êtes sûr, pour le café ?

Mon Dieu ! Elle ne pouvait quand même pas plus insister.

— Tout à fait sûr, affirma-t-il. Oh ! au fait... si jamais vous venez à New York, Philly et moi serons ravis de vous recevoir.

— Elle ne m'en voudra pas d'avoir passé la soirée avec vous ?

— Elle sait qu'elle peut me faire confiance, renchérit-il en déposant sur sa joue un chaste baiser. Merci, Lara..., merci pour tout.

Là-dessus, il tourna les talons et rentra à l'intérieur du taxi.

Lara était abasourdie. Allait-il simplement sortir de sa vie sans qu'elle le revoie jamais ?

Mais oui, Lara, c'est ainsi.

Elle se précipita dans la maison, toute tremblante. Elle aurait tant voulu qu'il entre mais, de toute évidence, il avait des principes : une qualité qu'elle était forcée d'admirer.

Elle se déshabilla, se glissa entre les draps et tenta de trouver le sommeil.

Au bout de quelques minutes, le téléphone sonna.

Elle décrocha avec le fol espoir d'entendre la voix de Joey.

— Salut, murmura-t-elle d'une voix un peu rauque.

— Salut à toi aussi, répondit Nikki. Je ne te réveille pas au moins ?

— Non, non, je... je viens de rentrer.

— Hum... après une brûlante soirée, j'espère.

— À vrai dire, j'ai dîné avec Joey Lorenzo.

— Tu plaisantes ?

— Ne va pas te faire des idées, Nikki, c'était purement amical.

— Bien sûr : un type aussi beau, c'est purement amical...

— Combien de fois faudra-t-il que je te dise qu'il est fiancé ? Et même, si tu veux savoir la vérité, je lui ai proposé de monter prendre un café et il a refusé.

— Tu te fiches de moi ?

— Pas du tout. Il est charmant et je l'aime bien, mais il n'est absolument pas disponible.

— Eh bien ! c'est quelque chose.

— N'est-ce pas ?

— Quoi qu'il en soit, je t'appelais à propos de Mick Stefan. Je l'ai rencontré aujourd'hui.

— Comment ça s'est passé ?

— Il est un peu zinzin. Mais j'adore son travail et je suis certaine qu'il fera un boulot formidable.

— C'est une bonne nouvelle, non ?

— Écoute, avant de l'engager, il me faut ton avis sur un point.

— Oui ?

— Il a commencé à me demander comment tu réagissais à propos de la scène du viol. Je lui ai dit que tu utilises toujours une doublure corps, mais, selon lui, la scène est essentielle pour le film et il pense que tu dois la tourner entièrement.

Lara réfléchit avant de répondre.

— Si c'est Mick qui fait le film et s'il est aussi bon qu'on le dit, alors, je veux bien coopérer.

— C'est tout ce que j'avais besoin d'entendre, conclut Nikki avec un soupir de soulagement.

Lara raccrocha. Elle n'arrivait pas à trouver le sommeil et, à son grand agacement, Joey envahissait son esprit. S'emparant de la télécommande, elle se brancha sur un film avec Sylvester Stallone et Sharon Stone : elle essaya de se concentrer sur les deux acteurs qui se tordaient sur l'écran dans une fougueuse étreinte. Tout ce dont elle avait besoin : une scène d'amour torride. Elle éteignit le récepteur. Malgré tous ses efforts, elle ne parvenait pas à chasser Joey de ses pensées.

Joey rentra à son hôtel. Il était au comble de l'excitation : Lara l'avait invité et il n'en avait pas profité. C'était pourtant la seule façon de charmer une femme qui avait tous les hommes à ses pieds : la faire languir. En cet instant même, elle devait se demander pourquoi il lui résistait, et c'était exactement le désir de Joey.

Quelques membres de l'équipe du film traînaient au bar : Roxy, Yoko entre autres. Roxy lui fit signe de venir les rejoindre.

— Je suis épuisé, répondit-il. Il faut que je dorme un peu.

— Je peux t'offrir un verre, insista Freddie. Pour te récompenser d'avoir flanqué ton poing dans la figure de Kyle Carson, conclut-il au milieu des acclamations.

— Je ne faisais que rendre service à la communauté, dit-il modestement.

— Allons, ajouta Roxy. Viens prendre un verre avec nous.

— Bonne idée, renchérit Yoko. Assieds-toi à côté de moi.

Il n'était tenté par aucune de ces femmes. Elles ne représentaient rien face à Lara Ivory.

— Un coup de fil à donner. Je vous verrai demain matin.

Il monta dans sa chambre et contempla le téléphone, se contraignant à ne pas appeler Lara. Elle devait attendre. Avoir envie de lui autant qu'il désirait son corps.

Il avait déjà décidé que, sitôt rentré à New York, il prendrait l'argent qu'il avait gagné avec le film, rembourserait Madelaine et irait s'installer ailleurs. Il n'aurait ainsi plus aucune obligation et elle ne pourrait crier son passé sur tous les toits.

Évidemment, quitter Madelaine rimait avec pauvreté, cependant il avait toujours réussi à s'en sortir, et continuerait.

L'espace d'un instant, il faillit céder et décrocher le téléphone, mais il maîtrisa son envie à la dernière seconde.

Il savait exactement comment pousser Lara à en vouloir davantage. Elle représentait son avenir et il ne pouvait pas se permettre de gâcher cette occasion.

22

— Ce n'est pas une façon de se conduire, protesta Madelaine, le visage crispé de colère.

— Comment ? demanda Joey, indifférent.

— Quelle réputation vas-tu te faire dans le métier si tu casses la figure des acteurs du plateau ? Kyle Carson est une grande vedette... tu ne peux pas te permettre de te mettre mal avec ce genre de personne. Laisse-moi te dire une chose, Joey, si tu te comportes ainsi dans le travail, la nouvelle se répandra vite et les engagements cesseront.

— Nous avions une scène de bagarre, expliqua-t-il. Kyle Carson, la grande star, était censé retenir son coup de poing. Au lieu de cela, il m'a envoyé au tapis.

— Kyle Carson est la vedette du film, lança Madelaine. Tu aurais dû encaisser et te taire.

— Tu sais, Mad, je ne fais pas ce métier pour servir de punching-ball.

— Tu ne resteras pas longtemps dans le métier en te comportant ainsi.

Elle se montrait irritable depuis son retour. Il en connaissait la raison : il avait refusé de lui faire l'amour. Naturellement, il avait trouvé une excuse crédible : une possible infection vénérienne.

— Comment ? avait-elle demandé, stupéfaite.

— Cette petite crête sur le membre... Je ne sais pas ce que c'est, lui avait-il déclaré sans vergogne. Ça m'inquiète un peu. Je sais que la fille avec qui je sortais avant toi avait un passé un peu agité.

— C'est incroyable ! s'était exclamée Madelaine, devenant toute pâle. Si j'avais attrapé quelque chose !

— Ne t'inquiète pas. Je suis sûr que ça n'est rien. Tiens, regarde, avait-il ajouté en commençant à ouvrir son pantalon.

— Non. Demain, tu verras un docteur.

Le lendemain, il lui raconta qu'il avait vu un médecin : le praticien lui avait annoncé que ce n'était qu'une irritation et qu'il devrait éviter de faire l'amour pendant deux semaines : cela déplut fort à Madelaine.

Le troisième soir après son retour, il attendit qu'elle se fût endormie, alla droit dans un bar, trouva un téléphone et appela Lara dans les Hamptons.

Elle répondit.

— Vous vous souvenez de moi ? demanda-t-il.

— Joey, répondit-elle, ravie d'entendre sa voix.

— J'appelle pour avoir des nouvelles du film, déclara-t-il avec désinvolture.

— Tout se passe à merveille, merci. C'est gentil de penser à nous.

— Je dois terriblement manquer à Kyle, dit-il d'un ton badin. Il ne s'est rien passé après mon départ ?

— Il a pas mal grommelé et a demandé à Miles de vous couper du film...

— Il va le faire ?

— Pas si j'ajoute mon grain de sel. Notre scène est dans le script que j'ai accepté. Je compte la voir à l'écran.

— J'aime les femmes déterminées.

— Oh ! si vous saviez...

Bref silence.

— Écoutez... Lara, ces jours passés en votre compagnie ont été merveilleux.

— J'ai été ravie aussi.
— Vous partez quand pour L.A. ?
— Dans trois semaines. Mon prochain projet est le film de Nikki.
— Nikki ?
— Vous l'avez rencontrée chez moi. Elle produit son premier film. Elle vient d'engager Mick Stefan comme metteur en scène.
— Un choix intéressant. Même si les potins rapportent qu'il est plutôt dingue.
— C'est un genre de rôle différent pour moi... quelque chose qui va étendre ma gamme de comédienne.
Elle marqua un temps puis ajouta d'un ton songeur :
— Vous savez, Joey, ce n'est pas un film de vedettes... il y a peut-être quelque chose pour vous. Voulez-vous que je demande à Nikki s'ils veulent vous rencontrer ?
— Ce serait formidable.
— Le problème, c'est qu'ils sont tous sur la côte ouest.
— Je peux prendre un avion pour L.A.
— Et Philippa ?
— Trop occupée, comme d'habitude.
— J'en parlerai à Nikki, c'est promis.
— Ça serait gentil. Euh... Lara ?
— Oui ?
Un long silence.
— Rien... Je vous rappellerai dans deux ou trois jours... Je ne veux pas vous retenir.
— Mais non, mais non, s'empressa-t-elle d'ajouter, je regardais la télévision.
— Eh bien... c'était bon de vous parler.
— Pour moi aussi, Joey.
Il raccrocha, se dirigea vers le comptoir et commanda une bière.
La situation s'améliorait. Lara Ivory *et* un rôle dans son nouveau film : pouvait-on rêver meilleure combinaison ?

Lara raccrocha. Elle devait en convenir : elle était heureuse comme une adolescente d'avoir eu des nouvelles de Joey. En vérité, elle ne pensait qu'à lui.

Elle appela Nikki pour lui demander s'il pourrait y avoir quelque chose pour Joey dans son film.

— Mick a des idées très arrêtées, dit Nikki. Mais, pour te rendre service, je peux arranger un rendez-vous entre eux. Il vient bientôt à L.A. ?

— S'il a une chance de voir Mick Stefan, il sautera dans le prochain avion.

— Voyons un peu... Ce garçon est fiancé, tu as dîné avec lui, tu l'as invité à venir prendre un café... et il n'a pas marché. Maintenant tu essaies de lui décrocher un rôle dans *Vengeance*. Est-ce que par hasard tu voudrais tenter ta chance ?

— Pas question, protesta Lara, indignée. Nous sommes simplement bons amis.

— Vous êtes simplement bons amis parce que c'est lui qui contrôle la situation, ajouta Nikki.

— Tu crois que je ne pourrais pas l'avoir ? répliqua Lara vivement.

— Tu es trop bien pour t'en prendre au fiancé d'une autre. Ce n'est pas ton style.

— N'en sois pas si sûre. Tu ne sais pas tout de moi.

Elle raccrocha. Nikki était parfois exaspérante.

— Je crois que Lara a fini par se trouver un jules, lança Nikki d'un ton détaché.

Richard posa sur la table de nuit le numéro de *Variety*, ôta ses lunettes et la regarda.

— Qu'est-ce que tu as dit ?

Ils étaient confortablement assis au lit, entourés de journaux et de quotidiens professionnels.

— J'ai dit, répéta lentement Nikki, que Lara s'est trouvé un mec.

— Qu'est-ce qui te fait croire ça ?
— Pendant son film, elle a rencontré un comédien. Il est censé être fiancé. J'ai l'impression qu'il y a quelque chose entre eux. Elle veut que je le voie pour *Vengeance*. Il est prêt à prendre l'avion pour venir ici. Voyons, est-ce qu'elle se donnerait tout ce mal si elle n'était pas intéressée ?
— Tu le connais ?
— Je l'ai rencontré quand j'étais dans les Hamptons. C'est un beau garçon : le genre macho, brun. Je ne sais pas dans quelle mesure il a du talent mais, ma foi... si c'est ce qu'elle désire, pourquoi ne pas lui donner une chance.
— Pourquoi aurait-elle une liaison avec un acteur ?
— Ce n'est pas notre affaire.
— Mais si, insista-t-il avec agacement. Je veille sur Lara et sur ses intérêts : elle a *besoin* qu'on s'occupe d'elle.
— Richard, lui rappela Nikki, c'est ton ex-femme. Tu n'as plus à veiller sur elle.
— Je croyais qu'elle était ton amie.
— Elle *est* mon amie et je l'adore. Rien ne me ferait plus plaisir que la voir avec un homme. Ça va faire un an qu'elle n'a aucune relation sexuelle.
— Mon Dieu, que tu es vulgaire !
Elle s'approcha de son mari en lui caressant doucement la cuisse.
— Ce n'est pas ce qui te plaît chez moi ?
Il reprit son numéro de *Variety*.
— Je ne suis pas d'humeur, dit-il en repoussant sa main.
— Autrefois tu l'étais.
Elle ajouta en plaisantant :
— Au fait, pour un vieux monsieur, tu es un chaud lapin.
— Je ne suis pas vieux, répondit-il, vexé.
— Bon, bon. Disons : pour un monsieur entre deux âges.

— J'ai horreur de cette formule, grommela-t-il.

— C'est pourtant ce que tu es, précisa-t-elle, continuant à le taquiner.

— Où est Summer ce soir ? demanda-t-il, changeant de sujet.

— J'ai renoncé à suivre ses allées et venues. La seule personne qu'elle veuille écouter, c'est toi.

— C'est parce que tu la traites comme un bébé. Fais-lui comprendre que tu lui fais confiance.

— Mais je ne lui fais pas confiance, Richard. Chaque fois que je la vois, elle est avec un garçon... à se faire embrasser, peloter ou Dieu sait quoi.

— Ce n'est pas ce que tu faisais à son âge ?

— Si, mais pas devant ma mère.

— Sois moins sévère... peut-être que vos rapports s'amélioreront.

Nikki se rendit soudain compte que, depuis l'arrivée de Summer, leur vie sexuelle avait résolument périclité. En général, quand elle prenait l'initiative, il était toujours prêt. Pas ce soir. En fait, cette situation durait depuis un mois.

Elle fit une nouvelle tentative et, lui arrachant *Variety* des mains, elle lui caressa le torse du bout des doigts.

Il tendit la main pour éteindre la lampe de chevet.

— Je suis fatigué.

Elle vint se blottir contre lui.

— Demain soir, murmura-t-elle en bâillant. Allons au lit de bonne heure : comme ça nous ne serons fatigués ni l'un ni l'autre.

— Entendu. Ho ! Nikki...

— Oui ?

— Ne pousse pas Lara dans une histoire.

— Moi ?

— Oui, toi. Elle se débrouille très bien toute seule.

Nikki s'écarta. Il voulait vraiment que Lara reste seule. Il n'aimait pas l'idée de la savoir avec un homme. Au fond, il avait le sentiment d'avoir encore des droits sur elle.

À un moment, elle se sentie vexée et furieuse. Puis elle pensa : *C'est idiot... c'est moi qu'il aime, pas Lara.*

Puis elle ferma les yeux et sombra dans un profond sommeil.

Le lendemain matin, Lara s'aperçut qu'elle n'avait aucun numéro pour contacter Joey : elle envoya donc Cassie au bureau de la production pour se renseigner. Il était bien sur la liste de l'équipe du film, avec une adresse à Manhattan.

Ce soir-là, elle rentra chez elle avec le numéro de Joey et resta assise sur son lit en se demandant si elle allait l'appeler. Elle finit par se décider : après tout, elle avait une raison parfaitement légitime.

Elle composa son numéro à New York. Une femme répondit : sans doute Philippa. Affolée, elle raccrocha.

Oh ! formidable, se dit-elle. *Tu l'aimes vraiment, parce que dans le cas contraire tu parlerais à sa fiancée et tu lui expliquerais la raison de ton appel.*

Pour tout arranger, elle fit cette nuit-là un rêve érotique dont il était le héros et s'éveilla au petit matin, tout excitée.

Nikki avait raison. Il était temps qu'elle se trouve un homme.

23

— On devine tes sentiments dans les rushes, lui dit Miles tandis qu'ils prenaient leur petit déjeuner à la cantine.

— Je te demande pardon ? répondit Lara.

— C'est une histoire d'amour que nous tournons. On ne peut pas dire que la passion entre Kyle et toi soit flagrante.

Elle fit la grimace.

— Tu dis ça à cause de la scène du baiser d'hier ?

— Tout juste.

— Je suis désolée, Miles. Kyle avait mangé de l'ail au déjeuner, il avait une haleine épouvantable et, par-dessus le marché, il essaie toujours de m'enfoncer sa langue jusqu'au fond de la gorge.

— Je sais qu'il est casse-pieds, reconnut Miles. Seulement, on tourne un film, et à l'écran vous êtes censés être tous les deux désespérément amoureux. Les sentiments doivent être transparents, sinon on va se ramasser.

— J'essaie.

— Essaie encore. Imagine que c'est quelqu'un d'autre.

Imagine que c'est Joey. L'idée lui jaillit soudain

dans la tête. *Joey Lorenzo dont je n'ai pas de nouvelles depuis deux semaines et demie alors que je lui ai promis une audition pour* Vengeance. *Ne devrait-il pas appeler tous les jours ?*

— D'accord, Miles. Je te promets de faire un effort, dit-elle en se levant pour gagner la caravane de maquillage.

Aujourd'hui, on tournait la grande scène d'amour : elle devrait donc faire appel à tout son talent de comédienne pour se mettre vraiment dans la peau du personnage. À ses yeux, Kyle Carson était vraiment faux. Il présentait au monde une image. Celle de la vedette de cinéma maltraitée par la vie et abandonnée par sa femme, alors que dans la réalité c'était un coureur de jupons déchaîné, la braguette toujours au vent. Au cours des dernières semaines, les femmes avaient défilé : une nouvelle tous les deux jours.

Lara soupira : non seulement elle n'aimait pas l'embrasser, mais elle craignait aussi d'attraper quelque chose. Dieu merci, elle avait une doublure corps qui la remplaçait pour les plans les plus intimes de la scène d'amour. La semaine précédente, trois comédiennes étaient arrivées de L.A. afin de passer une audition pour doubler ces séquences. Miles avait demandé à Lara d'assister à l'une d'entre elles.

— Après tout, avait-il dit, ce sont tes nichons qu'on sera censé voir. Tu ne veux pas qu'ils aient l'air moches, n'est-ce pas ?

— Je suis sûre que tu choisiras la plus belle paire, répliqua-t-elle en se demandant quel effet ça devait faire de parader devant une bande d'inconnus en exhibant ses seins.

On finit par engager Wilson Patterson, une habituée qui avait doublé différentes parties du corps pour Michelle Pfeiffer, Julia Roberts et Geena Davis. Elle n'était pas très belle mais possédait un corps magnifique et ne se faisait pas prier pour le montrer.

Ce jour-là, Wilson était plantée, complètement nue,

au fond de la caravane de maquillage où on l'enduisait de fond de teint des pieds à la tête.

— Bonjour, dit Lara en entrant.

— Salut, répondit Wilson, nullement gênée. J'espère que je vais vous faire honneur.

— J'en suis certaine.

Elle décida que dans son prochain contrat elle ne permettrait pas une doublure corps. C'était vraiment de la tricherie.

Elle ferma les yeux, laissant les mains douces de Yoko s'affairer sur son visage. Ses pensées de nouveau revenaient à Joey. Nikki avait appelé la veille en disant :

— Où est-il ? La distribution est pratiquement bouclée. Je croyais que tû voulais que je le rencontre.

— Je n'en ai aucune idée, avait-elle avoué, un peu penaude. Je n'ai pas réussi à le joindre.

Elle ne comprenait pas : pourquoi n'avait-il pas appelé ? Peut-être Philippa et lui étaient-ils partis pour se marier. Cette idée la dérangeait plus qu'elle ne voulait bien l'avouer.

Kyle l'attendait sur le plateau, l'haleine parfumée à la menthe et arborant un grand sourire.

— Alors, princesse, lança-t-il en l'accueillant, prête pour notre grande scène d'amour ?

— Sois gentil, Kyle. Pas d'ail au déjeuner aujourd'hui.

— Désolé pour hier, dit-il, nullement désolé. Ça t'a gênée ?

— Je ne te ferais pas un coup pareil. Alors ne me le fais pas.

— Ah... Lara, Lara ! Tu es si parfaite. Que fais-tu pour t'amuser ?

— Je travaille, répondit-elle, le visage fermé.

— Travailler, ce n'est pas s'amuser. Il faut se laisser aller de temps en temps.

— D'après ce que j'ai entendu dire, tu ne t'en prives pas.

Il eut un petit rire grêle.

— Qu'est-ce qu'un homme est censé faire quand sa femme le plaque ? Quand j'étais marié, c'était pour toujours. Aujourd'hui, j'ai l'impression d'être sorti de prison.

— Tu n'es pas inquiet à l'idée d'attraper une saloperie ?

Il la considéra comme si elle était folle.

— Moi ? Allons donc. Je n'ai qu'à regarder une fille et je peux te dire si elle est saine.

— Ça n'est pas très malin, Kyle.

— Tu me traites d'idiot ?

— Mais pas du tout.

Une heure plus tard, ils étaient plongés dans une scène d'amour torride. Elle détestait cette situation, mais c'était une comédienne : elle ferma les yeux et se représenta l'image de Joey. Leurs baisers prirent une nouvelle intensité ; Miles serait content.

Au milieu de la seconde prise, elle sentit Kyle se frotter contre sa cuisse : elle fit comme si elle n'avait rien remarqué.

— J'ai envie de toi, murmura-t-il sitôt que Miles eut crié « Coupez ».

Très froide, elle répondit :

— Tâchons de nous conduire en professionnels.

— Qu'est-ce que tu as... tu es frigide ? Tu n'aimes pas les hommes ?

— Exact, répondit-elle. J'ai été nommé lesbienne de l'année, tu ne savais pas ?

Quand sa doublure corps arriva, elle n'avait plus qu'une envie, c'était de s'en aller. Wilson entra vêtue de son seul maquillage. Kyle se mit aussitôt à prodiguer des plaisanteries sur ses seins.

Lara quitta le plateau : elle ne tenait pas à voir les hommes du plateau lorgner Wilson.

Son chauffeur attendait dans la voiture. Il avait hâte

de la déposer chez elle pour revenir en quatrième vitesse se rincer l'œil.

Elle avait son après-midi libre : elle passa un short et un T-shirt, prit une serviette et son script de *Vengeance* puis descendit sur la plage. Elle se trouva un coin à l'ombre, et se mit à étudier le texte de Rebecca. *Vengeance* était le film qu'elle cherchait depuis longtemps...

Elle resta un moment sur la plage déserte, à savourer la solitude. Quand elle regagna la maison, Cassie l'accueillit sur le perron, l'air agité.

— Cet acteur est là, annonça Cassie.

Elle se rembrunit, espérant que ce n'était pas Kyle qui la poursuivait jusque-là.

— Quel acteur ?

— Tu sais bien : le beau gosse. Joey je-ne-sais-quoi.

— Joey est ici ? demanda-t-elle, tout excitée.

— Je sais que j'aurais dû le renvoyer, gémit Cassie, mais il a tellement insisté. Il m'a assuré que tu voudrais absolument le voir. Il est assis dans sa voiture.

— Tu l'as fait attendre dehors ?

— Tu ne m'avais pas prévenue de son arrivée. Tu l'attendais ?

— Mais oui, dit-elle, exaspérée. J'ai dû oublier de te le dire.

— Ah bon ! marmonna Cassie, vexée de ne pas être dans la confidence.

— Fais-le entrer, reprit Lara en se précipitant dans la salle de bains d'amis.

Elle se regarda dans la glace, se recoiffa puis se mit rapidement un peu de rouge à lèvres. Elle avait le cœur battant.

S'efforçant de se maîtriser, elle sortit sur la véranda et s'installa dans un fauteuil.

Quand Joey arriva, elle était calme et impassible.

— Hé, vous êtes drôlement mignonne en short !

— Hé ! répondit-elle en lui souriant.

Plantée sur le seuil, Cassie les observait tous les deux en se demandant ce qui se passait.

— Vous voulez boire quelque chose ? Thé, café... ? proposa Lara.

— Je prendrais bien une bière, merci.

— Cassie... Une bière et un Seven Up pour moi.

— Tout de suite, répondit Cassie en retournant à regret dans la maison.

— Eh bien, Joey, en voilà une surprise. Asseyez-vous.

— Vous devez vous demander ce que je fais là.

— Vous ne deviez pas m'appeler ? demanda-t-elle en essayant de prendre un ton détaché. Je vous ai arrangé un rendez-vous à L.A.

— J'avais d'autres choses en tête. Ces deux dernières semaines ont été un peu rudes.

— Je suis désolée pour vous, déclara-t-elle, admirant une nouvelle fois l'homme qu'elle avait tant attendu.

— Puis aujourd'hui, c'en était trop. Il fallait que je parle à quelqu'un... et vous me comprenez si bien. Vous ne m'en voulez pas d'être venu vous voir ?

— Vous avez fait tout ce chemin pour moi ?

Il hocha la tête.

— Philippa et moi, nous avons rompu. Elle m'a rendu sa bague, et me voici, expliqua-t-il avec un petit rire tristounet. Maintenant, je suis prêt pour L.A.

— C'est à ce sujet que vous vous disputiez ?

— Oh non ! dit-il en s'éclaircissant la voix. Elle était si absorbée par sa carrière qu'elle négligeait totalement notre couple.

Un long silence puis un nouveau regard.

— J'ai besoin d'une femme qui me laisse une place dans sa vie.

— Bien sûr, murmura Lara avec compassion.

— Je pensais qu'avec le temps les choses changeraient, poursuivit-il. Et puis j'ai commencé à me rendre compte que sa carrière passait avant moi et qu'il serait impossible de bâtir un avenir ensemble.

— Je comprends que vous soyez bouleversé, mais, s'il en était ainsi, vous avez pris la bonne décision.

Cassie revint avec un plateau sur lequel elle avait disposé une canette de bière, une boîte de Seven Up et un gâteau au chocolat. Elle posa le plateau devant eux et resta dans les parages, mourant d'envie de savoir ce qui se passait.

— Merci, dit Lara pour la congédier.

Cassie n'eut d'autre choix que de rentrer dans la maison.

— Vous savez ce qu'il y a de dingue dans cette histoire ? demanda Joey.

— Racontez-moi tout.

Leurs regards se croisèrent.

— Comment se fait-il que je sois ici ?

— Je... je ne sais pas, répondit-elle en sentant une bouffée de chaleur lui monter au visage.

— On aurait dit qu'il fallait que je vienne. Comme si vous étiez la seule personne à qui je puisse parler sans me sentir jugé.

— Je suis flattée.

— Vous comprenez, je sais que vous êtes une grande vedette, mais au fond je vous considère comme mon amie.

Un autre long silence.

— Vous me trouvez dingue, n'est-ce pas, Lara ?

— Non, Joey. Je *suis* votre amie.

Il se leva et s'avança jusqu'à la balustrade, lui tournant le dos.

— Je n'ai jamais trompé Phily, déclara-t-il. Et pourtant, croyez-moi, les occasions n'ont pas manqué.

— J'en suis certaine, murmura-t-elle.

— Je croyais qu'on allait se marier. Maintenant, je suis libre.

— Et que désirez-vous à présent ?

Il pivota sur ses talons et une nouvelle fois leurs regards se croisèrent longuement.

— J'aimerais prendre l'avion pour L.A. et rencontrer Mick Stefan. Qu'est-ce que vous en pensez ?... C'est trop tard ?

— Je ne sais pas, dit-elle franchement. Je rentre à L.A. dans quelques jours. Le studio m'envoie un avion. Si vous voulez, je vous prends en stop.

— C'est une bonne idée.

— Où est-ce que je peux vous contacter ?

— Eh bien... Je ne peux pas retourner dans notre appartement, il est à elle maintenant.

— Alors vous n'avez aucun endroit où séjourner ?

— J'ai loué une voiture et j'ai fourré mes deux valises dans le coffre. C'est ma nouvelle maison.

— Où allez-vous descendre jusqu'à notre départ ?

— Je pensais m'installer dans l'hôtel où je résidais pendant le tournage.

— Non. Ne faites pas ça. Tout le monde se demandera pourquoi vous êtes ici.

— Hé !... fit-il avec un rire amer. Même moi je me le demande.

Elle fixa sur lui le regard de ses yeux verts.

— Vous avez une bonne raison, Joey. Je suis votre amie.

Il admira une nouvelle fois son incroyable beauté.

— Très bien, chère amie, voulez-vous dîner avec moi ce soir ? Je connais un formidable petit bistrot à homards sur la plage.

Elle sourit.

— Le même que l'autre fois ?

— On s'est bien amusés, non ?

— Joey..., proposa-t-elle dans un brusque élan, pourquoi ne vous installeriez-vous pas ici ? Je vais demander à la femme de chambre de préparer la chambre d'amis.

— Voyons, Lara, les gens vont jaser.

— Je suis majeure, vous savez. Vous disiez qu'il vous fallait une amie.

Un silence.

— Alors... vous voulez bien rester ?

— Ma foi...

Ils échangèrent un chaleureux sourire.

— Bien, conclut Lara, l'estomac noué.

24

Richard comprit qu'il avait fait une erreur en couchant avec son assistante. Dès l'instant où le sexe intervenait, tout changeait : Kimberly ne cessait de le harceler, réclamant en permanence quelques moments d'intimité. Il regrettait son acte, d'autant plus que Summer les avait presque surpris. Elle n'avait rien dit, mais elle n'avait pas les yeux dans sa poche : elle savait. Il fallait simplement espérer qu'elle n'ouvrirait pas la bouche.

Elle le surprit un matin au petit déjeuner.

— Richard, prononça-t-elle d'un ton candide, tu veux bien parler à maman pour moi ?

— De quoi ? demanda-t-il, sur ses gardes.

— Eh bien... voilà. Je... je veux rester à L.A. Je n'ai pas envie de retourner à Chicago.

— Dis-le-lui toi-même.

— Elle ne m'écoutera pas... on finit toujours par se disputer.

Elle lui fit un sourire ravageur.

— Mais si toi, tu le fais...

— D'accord, acquiesça-t-il, un peu à contrecœur.

— Merci, Richard, dit-elle en lui plantant un petit baiser sur la joue. Tu es formidable !

Et il comprit qu'elle savait à quoi s'en tenir.

Les comédiens entraient dans le bureau de Mick Stefan et en ressortaient sur un rythme trépidant. Ce n'était pas un homme patient et, si la lecture d'un acteur ne lui donnait pas immédiatement satisfaction, il se levait et agitait ses grands bras en criant « *Sayonara* ».

Nikki était abasourdie. Ses méthodes de travail se révélaient très originales — différentes de celles de Richard, en tout cas. Pour lui faire plaisir, Richard assista à une séance de casting : il repartit au bout de vingt minutes, l'air écœuré.

— On ne peut pas traiter les gens ainsi. Ce type est malade. Un de ces jours, il trouvera un comédien qui l'attendra sur le parking avec un 45 chargé !

Nikki se crut obligée de défendre Mick.

— C'est son style, expliqua-t-elle. Chacun ses méthodes de travail.

Elle s'inquiétait cependant de la réaction qu'aurait Lara devant Mick. Même si celle-ci avait donné son accord verbalement pour faire le film, elle n'avait pas encore signé de contrat. Son agent traînait les pieds. Nikki l'appelait tous les jours, mais il trouvait toujours une excuse pour se dérober. Il n'avait manifestement aucune envie de voir sa cliente la plus importante devenir la vedette d'un film à petit budget — d'autant plus qu'elle avait pris la décision sans le consulter. Nikki était certaine qu'à peine Lara débarquée à L.A., Quinn comptait bien la dissuader de faire ce film.

Mon Dieu ! Quel cauchemar si Lara lui faisait faux bond !

Elle parla à Mick.

— Écoutez, dit-elle. Je ne dis pas que Lara joue les stars ni rien de ce genre, mais il faut absolument que vous la traitiez avec respect.

— Respect... Qu'est-ce que c'est que ça ? ricana Mick, son éternelle cigarette au coin de la bouche.

— D'abord, elle déteste la fumée de cigarette, dit sèchement Nikki. Elle n'aimera pas vous voir fumer sur le plateau.

— Je ne fume pas quand je travaille. Voilà un problème de réglé.

— Il y a votre langage aussi. Pouvez-vous vous surveiller un peu pour elle ?

— Merde alors, vous vous foutez de ma gueule ? lança-t-il pour agacer Nikki. Je m'en vais la traiter comme n'importe quel autre comédien.

— Parfait, gémit Nikki. Ça va être absolument parfait.

Richard s'empressa de lui annoncer qu'elle avait engagé le mauvais metteur en scène.

— C'est un irresponsable, déclara-t-il. Je me suis renseigné.

— Tu as aussi vu son travail : alors tu sais qu'il est très doué.

— Moi, répondit Richard sans aucune modestie, je suis très doué aussi. Mais je ne hurle pas après les gens en me conduisant comme un dément.

— Donnons-lui une chance. Je pourrai toujours le virer en cas de malheur.

— Bien raisonné, répondit-il en ricanant. Est-ce que tu sais combien ça coûte de congédier un metteur en scène une fois le tournage commencé ? *Vengeance* est un film à petit budget et ton *travail* est de veiller à ce qu'il reste. Si tu veux mon avis, tu as fait une grande erreur en persuadant Lara de se lancer dans cette aventure.

— Je ne l'ai pas persuadée, c'est elle qui a voulu le rôle.

— Je pense que tu t'en apercevras quand ton petit génie de metteur en scène et elle vont se retrouver face à face : ça ne va pas être une partie de plaisir.

Richard exprimait là ses pires craintes.

— Tout ira bien, affirma-t-elle. Tu verras.
— Je l'espère pour toi.

Mick la convainquit d'engager Aiden Sean pour le rôle du méchant. Aiden était un comédien marginal et dangereux, d'une beauté qui n'avait rien de conventionnel : un style un peu sinistre qui convenait parfaitement au rôle du violeur. Un problème se posait : ses cures de désintoxication étaient si nombreuses qu'il était ingérable. Une seule chose le rachetait, c'était un acteur extraordinaire.

— Êtes-vous certain de pouvoir le contrôler ? demanda-t-elle à Mick avant d'accepter de l'engager.

— *Moi ?* fit Mick en levant les yeux au ciel. Mais je peux contrôler une armée de fourmis défilant sur vos charmantes petites fesses !

— Nous sommes sur un budget très serré. Nous ne pouvons pas nous permettre une seconde de dépassement.

— Vous me dites ça tous les jours, répondit Mick en bâillant.

— Je vous le répète dans l'espoir que ça vous entrera bien dans le crâne.

— Vous savez, déclara Mick, comme s'il venait de prendre une décision, je vous aime bien. Vous êtes sacrément coriace... mais sexy quand même. Comment êtes-vous arrivée dans ce métier ?

— Ne vous inquiétez pas de ça, répondit-elle sévèrement. Votre seul souci, c'est de terminer *Vengeance* dans les délais et dans le budget.

Le lendemain matin, Summer se leva de bonne heure pour attraper Nikki au vol au moment où elle sortait.

— Comment ça marche, ton film, maman ? demanda-t-elle, mignonne comme tout dans son pyjama froissé.

Nikki avait suivi le conseil de Richard et mis la

pédale douce avec sa fille. Après tout, elle n'en était pas responsable : Summer habitait Chicago et serait bientôt dans un avion qui la ramènerait là-bas. Mais elle ne pouvait s'empêcher de regretter qu'elles ne fussent pas plus proches.

— Tout se passe bien, répondit-elle, très étonnée de l'intérêt de sa fille.

— Richard m'a dit que tu avais engagé Aiden Sean.

— C'est exact, dit Nikki. Tu approuves ma décision ?

— Il est absolument super ! s'exclama Summer. Je donnerais n'importe quoi pour le rencontrer.

C'était donc cela qui expliquait ce soudain intérêt. *Hmmm...*, songea Nikki en se rappelant le temps où elle aussi avait ses héros : elle avait adoré Robert Redford et avait eu un coup de foudre pour Al Pacino.

— Nous ne commençons pas le tournage avant un bon moment, dit-elle. Peut-être viendras-tu nous voir sur le plateau.

— Ce serait génial !

— Il faut que j'y aille maintenant. Quels sont tes projets pour aujourd'hui ?

— Comme d'habitude : shopping, bain de soleil. J'ai rencontré une fille... Tina... on traîne ensemble. Merci, maman, dit Summer avec un grand sourire.

— De quoi ?

— Oh ! je ne sais pas. C'est super d'être ici.

Nikki s'en alla, enchantée. Quand Summer le voulait, elle pouvait être adorable.

Ce soir-là, Nikki et Richard dînèrent tranquillement dans un petit restaurant italien de Malibu. Richard était encore d'humeur massacrante et continuait à lui énumérer les règles du cinéma.

— Contrairement à ce que tu crois, je connais mon travail, riposta Nikki, exaspérée par ses critiques.

— Tu as un directeur zinzin, un jeune premier camé

et Lara comme jeune première, déclara-t-il. Ça promet, ce tournage.

— Merci, Richard. Merci pour tes paroles d'encouragement.

Ce soir-là, ils étaient allongés dans leur lit, chacun de son côté. La télévision était allumée, mais ni l'un ni l'autre ne regardait l'émission.

J'ai commis une erreur en entreprenant ce film, songeait Nikki. *Il nous éloigne l'un de l'autre.*

Elle ne pouvait malheureusement plus rien y faire. Elle devait continuer. Elle n'avait pas le choix.

Pendant ce temps, Summer faisait la tournée des boîtes sur le strip. Ses vacances étaient formidables. À Chicago, les choses étaient beaucoup trop compliquées : son père et tout le reste... Si seulement elle pouvait s'installer définitivement à L.A.

Au *Viper Club*, la boîte de Johnny Depp sur Sunset, elle s'assit dans un coin avec Jed, Tina et quelques autres copains — la plupart ivres ou camés.

— Oh, mon Dieu ! s'exclama-t-elle soudain. Regardez qui vient d'arriver.

— Qui donc ? demanda Tina.

— Aiden Sean et Mick Stefan.

Les yeux exorbités, elle suivait du regard le comédien émacié et le metteur en scène dégingandé qui se dirigeaient vers le bar, accompagnés d'une rousse vêtue d'une robe de caoutchouc noir moulant et de bottillons violets.

— Ils sont géniaux ! J'y vais.

— Tu ne peux pas faire ça, répondit Jed. Tu ne les connais même pas.

— On s'en fout, lança Summer. Aiden va jouer dans le film de ma mère et c'est Mick le metteur en scène : alors c'est presque comme si je les connaissais. Allons, Tina, viens avec moi.

— Non. Je vais pas chercher les hommes : c'est eux qui viennent me trouver.

— Eh bien, moi, j'y vais !

Elle fonça sur Aiden Sean.

— Salut, dit-elle en le regardant droit dans les yeux.

Il l'ignora.

— Du vent, la blonde, grommela la rousse camée.

— Bonjour, beauté ! répondit Mick. Un verre ?

Elle possédait une fausse carte d'identité que Jed lui avait donnée : alors, pourquoi pas ?

— Martini, dit-elle, sachant que c'était dans le vent de commander ça.

— Un martini, ça marche, dit Mick.

— Euh... merci, balbutia-t-elle.

Elle fixait toujours Aiden qui ne lui accordait pas la moindre attention. Dommage, c'était lui qu'elle voulait et non pas ce metteur en scène débile.

Trois martinis plus tard, elle se sentait délicieusement grise. Jed vint la rejoindre pour la prévenir qu'il fallait partir.

— Je la raccompagnerai, déclara Mick.

— Pas question, mon vieux, objecta Jed.

— Mais si, réussit-elle à articuler. Mick va s'occuper de moi.

À contrecœur, Jed s'en alla.

— Je vais avoir une belle gueule de bois demain, dit-elle en riant.

— J'ai un remède magique contre les gueules de bois, ajouta Mick avec un clin d'œil.

— C'est quoi ? demanda-t-elle hardiment.

— Viens jusqu'à ma limousine et je vais te montrer, proposa-t-il.

Pourquoi pas ? Si elle partait avec Mick, peut-être Aiden s'apercevrait-il de son existence.

— D'accord.

— C'est parti ! lança Mick.

Et ils sortirent tous les deux.

À vingt et un ans, j'avais la réputation de satisfaire la clientèle. Et il ne manquait pas de femmes riches à Hollywood, toutes prêtes à s'envoyer en l'air.

J'avais mon propre appartement, une Corvette neuve et toute une liste de rendez-vous réguliers. Au fond, c'était la bonne vie, mais il me manquait l'essentiel : être une vedette de cinéma.

Je menais une double vie. Une première penderie était pleine de costumes — cadeaux pour la plupart de clientes reconnaissantes. Une autre bourrée de jeans et de T-shirts.

D'un côté, j'étais un étalon renommé. De l'autre, un garçon qui suivait des cours de théâtre et avait une petite amie, Margie : une fille adorable qui ignorait tout de mes autres activités. Elle s'imaginait bien à tort que je venais d'une famille riche.

J'aimais bien Margie à cause de son innocence. La plupart des filles que j'avais rencontrées à Hollywood avaient commencé par gagner un concours de beauté ou une connerie de ce genre. Après ça elles avaient filé à Hollywood, s'étaient fait sauter par tous les play-

boys de la ville et avaient fini camées jusqu'aux narines.

Margie était différente. Elle habitait avec sa famille. Ancienne enfant vedette, elle avait été l'héroïne d'une série jusqu'à l'âge de quinze ans et sa carrière s'était brusquement arrêtée.

Elle en avait maintenant dix-neuf et essayait de revenir dans le métier. On s'amusait bien tous les deux. C'était la première fois que je me distrayais avec une fille qui ne me remettait pas d'argent.

J'avais parmi mes clientes une certaine Ellie von Steuben dont j'avais l'intuition qu'elle pourrait me rendre service. Ellie était mariée à Maxwell von Steuben, un grand producteur. Je la rejoignais deux fois par semaine dans un somptueux studio de Wilshire Boulevard. Je ne savais pas à qui était l'appartement, mais sans doute pas à elle.

— C'est chez toi ici ? lui demandai-je un jour.

— Non, avait-elle répondu, refusant d'en dire plus.

Ellie avait dû être une vraie beauté en son temps. Encore aujourd'hui, à cinquante ans passés, les hommes se retournaient sur son passage. Elle prétendait que son mari ne l'avait pas touchée depuis des années.

— De toute façon, il a des goûts trop bizarres pour moi, me confia-t-elle. Il préfère les call-girls, alors pourquoi est-ce que je ne prendrais pas mon plaisir de mon côté ?

Aucune raison, ma jolie. Surtout quand tu me donnes cinq cents dollars à chaque fois.

Nos rapports étaient très professionnels. Elle s'assurait toujours que l'argent était sur la table de nuit : cinq billets de cent dollars bien craquants. Elle n'était pas pour la conversation : tout ce qui l'intéressait, c'était le sexe, et en abondance.

Au bout de quelque temps, elle se mit à me recommander à ses amies et c'est comme ça que j'ai réussi à me constituer une clientèle exclusive. Un jour, je demandai à Ellie si elle voudrait bien m'aider pour ma carrière.

— Je l'ai déjà fait, me répondit-elle calmement. Je t'ai fourni plus de clientes que tu ne peux en satisfaire.

— Je ne parle pas de cette carrière-là, répondis-je.

Promenant sur ma poitrine une main parfaitement soignée, elle dit :

— Tu ne veux pas être comédien, chéri. Les comédiens sont des débiles. On les traite comme de la crotte. Toi, tu es un roi dans ton domaine. Reste un roi.

J'étais furieux de la voir traiter ainsi mon ambition. Ce soir-là, au théâtre, je donnai une scène avec Margie : un triomphe. Notre professeur, un vieil homme à la crinière blanche et à la peau jaunie, me prit à part.

— Il est temps que tu te trouves un agent, dit-il. Tu es prêt.

C'était le premier encouragement qu'on m'eût jamais donné. Il me disait que j'étais assez bon pour réussir comme professionnel. Je pris ma décision. J'allais renoncer à tapiner et m'y mettre sérieusement. Mais d'abord, il me fallait de l'argent. J'avais déjà ouvert un compte en banque et pris un coffre où j'avais quelques milliers de dollars en liquide.

Je décidai de passer encore six mois au service de ces dames ; ensuite, adieu le métier. Peut-être même épouserais-je Margie ?

Je commençai à demander à Ellie si elle connaissait des agents. Elle ignora mes demandes.

Un soir où j'étais en train de faire mon travail, Maxwell von Steuben nous surprit.

— Nom de Dieu ! hurla-t-il en voyant la scène. Nom de Dieu ! quelle putain est-ce que j'ai épousée ?

— Quelle putain tu as épousée ? répliqua-t-elle en s'extirpant de sous moi. Tu es le meilleur client de toutes les putes de cette ville et tu as le culot de me critiquer ?

Pendant qu'ils s'invectivaient, je ramassai mes

affaires, sans oublier d'empocher l'argent posé à sa place habituelle.

Maxwell von Steuben cessa un moment de s'occuper d'Ellie pour tourner sa colère contre moi.

— Et toi, hurla-t-il, le visage cramoisi, qui es-tu ?

Comme si j'allais lui dire.

— Tu ferais mieux de foutre le camp de cette ville. Je ne veux plus jamais te revoir.

J'empoignai mes affaires et je détalai.

Ellie m'appelait généralement chaque lundi pour organiser nos rendez-vous de la semaine. Le lundi suivant, elle ne téléphona pas et ses amies non plus. La vérité m'apparut. Ellie s'était fait surprendre et moi j'étais sur une liste noire.

C'était un signe : j'allais me ranger. Je vendis donc mes beaux costumes, quittai mon luxueux appartement pour en louer un plus petit et, avec mes économies, je réussis à vivre pendant que je faisais la tournée des agents et passai plus de temps avec Margie — elle commençait cependant à m'ennuyer.

Je trouvai enfin un agent, une femme évidemment. Bien sûr, il fallut quelques étreintes avant qu'elle m'envoie à des auditions. Je réussis à décrocher deux ou trois petits rôles dans des émissions de télé. Je n'étais pas mauvais. De fil en aiguille, je me retrouvai un jour à une audition pour un film d'action.

Ce jour-là, j'étais assis dans la salle d'attente d'un bureau de Hollywood avec sept autres garçons, tous attendant nerveusement notre tour. On finit par appeler mon nom. J'entrai d'un pas dégagé dans le bureau, décidé à faire bonne impression.

Il y avait là les gens habituels du casting, un metteur en scène connu et, figurez-vous, Maxwell von Steuben en personne.

Pas de chance...

Nos regards se croisèrent. Il lui fallut deux secondes, mais il me reconnut. Il se leva d'un bond, agitant les bras dans une fureur aveugle.

— Foutez-le-moi dehors ! hurla-t-il. Foutez-le dehors ! C'est fini dans cette ville. Fini ! Tu m'entends, petit salaud ?

Toute la ville l'entendit.

Une fois de plus, ma carrière de vedette de cinéma fut interrompue.

25

Le dîner avec Joey fut un autre merveilleux moment. Lara se sentait si bien avec lui ! Au milieu de la soirée, il tendit le bras pour lui prendre la main et dit :

— Il est en train de se passer quelque chose ici, Lara, et je ne sais pas très bien quoi.

— On se retrouve, prononça-t-elle avec un sourire nerveux, elle qui d'ordinaire savait si bien se maîtriser.

Il sourit à son tour.

— Alors, c'est donc cela.

— Peut-être bien.

Ils échangèrent un long regard complice.

Elle retint son souffle, un peu désemparée. Kyle Carson choisit ce moment précis pour faire son entrée dans le restaurant avec son invitée de la soirée : une Wilson presque habillée d'une minirobe qui lui couvrait tout juste les fesses. Sur sa tête, elle portait la perruque de Lara.

— Oh non ! gémit Lara en se recroquevillant sur son fauteuil.

— Quoi ?

— C'est Kyle... avec ma doublure corps.

Joey jeta un coup d'œil à la table où venaient de s'installer Kyle et Wilson, non loin de la leur.

— Ils nous ont vus ? demanda-t-il.

— Je n'en suis pas sûre, répondit-elle.

— J'ai comme l'impression que vous n'y tenez pas.

— Bonne intuition.

— Alors, on file. On se retrouve dehors.

— Vous pouvez vous en tirer ? demanda-t-elle, pleine d'espoir.

— Oui... si vous partez maintenant, avant qu'ils vous voient.

Elle se glissa hors de son siège et s'éloigna rapidement vers les toilettes en espérant que Kyle n'allait pas la repérer.

Par sécurité, elle s'adossa au mur et inspecta son reflet. C'était Joey qui l'avait vu le premier. « Il se passe quelque chose, je ne sais pas très bien quoi. » Là-dessus, elle lui avait répondu d'un ton désinvolte. Nikki serait fière d'elle : voilà qu'elle trouvait des répliques !

Une nouvelle fois, elle avait le cœur battant. C'était assurément le début d'une histoire. Fouillant dans son sac, elle prit son poudrier.

— Lara !

L'image de Wilson apparut dans le miroir derrière elle.

— Que faites-vous ici ?

— Oh ! bonsoir, marmonna-t-elle, furieuse de s'être fait prendre.

— Je dois dire que la scène était formidable, déclara Wilson en tirant sur ce qui lui tenait lieu de robe. Bon sang ! il est vraiment sexy.

— Qui ça ? s'empressa de demander Lara en espérant qu'elle ne parlait pas de Joey.

— Kyle, bien sûr.

Elle tira de son sac un pot de rouge à lèvres agressif et un pinceau. Puis, se plantant auprès de Lara, elle se mit à se tartiner les lèvres.

— Est-ce que vous sauriez par hasard quelle est sa situation actuelle ? Quelqu'un m'a dit qu'il retournait avec sa femme. Mais moi, je ne le crois pas. Laissez-moi vous dire... j'adore la macarena — et, mon chou, j'ai follement envie de danser !

— Je n'en doute pas, murmura Lara.

— Vous, vous êtes avec qui ?

— Des amis, répondit vaguement Lara. Nous partions.

— Quel dommage ! On aurait pu aller danser ensemble.

— Est-ce que ça ne paralyserait pas un peu votre amateur de macarena ?

— Juste !

Lara se dirigea vers la sortie.

— À bientôt ! cria Wilson.

— Euh... merci d'avoir si bien joué, ajouta Lara.

— Mon chou, répondit Wilson en riant, mes seins n'ont jamais été en si bonne forme !

Lara s'empressa d'aller rejoindre Joey dehors.

— Qu'est-ce qui vous inquiète tant ? lui demanda-t-il.

— Je ne tiens pas à ce que toute l'équipe cancane à propos de nous. On sait que vous êtes fiancé, on me considérerait comme une sorte de... vous savez... de voleuse de fiancé.

— Voleuse de fiancé ?

Elle ne put s'empêcher de rire à son tour.

— Venez, je raccompagne la voleuse chez elle.

— J'ai une meilleure idée, proposa-t-elle sur un coup de tête. Si on marchait un peu sur la plage. J'en meurs d'envie depuis longtemps.

— Comment se fait-il que vous ne l'ayez pas fait ?

— J'ai peur, dit-elle avec un petit rire gêné.

Il la regarda, étonné.

— De quoi ?

Elle haussa les épaules.

— Je ne sais pas, de l'obscurité, de l'inconnu... il y a des moments où je ne me sens pas... en sécurité.

— Lara, à mes côtés, vous n'aurez jamais peur.

Elle acquiesça, ne sachant trop comment réagir.

— D'ailleurs, ce soir je vous ramène directement chez vous. Vous tournez de bonne heure demain.

— Et notre promenade ? demanda-t-elle, déçue.

— Une autre fois.

— Promis ?

— On verra.

— J'ai fini par te faire l'amour hier soir, déclara Kyle d'un ton graveleux.

C'était le début de la matinée et il s'était glissé derrière le fauteuil de Lara, la prenant par surprise.

— Excuse-moi ?

— C'était drôlement bon, dit-il avec un claquement de langue.

Elle lui lança un regard glacial.

— Tu perds la boule, Kyle !

— Quand on ne peut pas avoir la vraie, il faut se contenter de la doublure, lança-t-il avec un rire paillard. J'ai posé la main sur le visage de Wilson et, avec la perruque et le corps, j'aurais pu jurer que c'était toi.

— Tu es répugnant, dit-elle avec mépris.

— Pas du tout, répondit-il, nullement démonté. Je suis franc.

Un bref silence.

— Au fait, il paraît que nous étions au même restaurant hier soir. Qui était donc ton beau cavalier ?

— Kyle, je suis obligée de travailler avec toi mais pas de te parler.

Roxy approcha.

— Que se passe-t-il ? demanda-t-elle en percevant la colère de Lara.

Kyle s'éloigna pour aller parler à Miles.

— Ce type est un porc.

— Ils le sont tous, soupira Roxy.

— Mais Kyle est le pire. Au fait, reprit Lara, comment se fait-il que Wilson ait quitté le plateau hier soir avec la perruque ?

— La garce ! protesta Roxy. Je lui avais dit de la rapporter à la caravane de maquillage. Ce matin, je l'ai retrouvée dans un sac accroché à la porte de ma chambre. Dieu sait ce qu'elle en a fait !

— Oubliez Dieu et essayez plutôt Kyle, murmura Lara.

— Oh ! vraiment ? Qu'est-ce que ça a d'étonnant ? Il s'envoie tout ce qui passe.

Miles vint les rejoindre.

— Prête, mon ange ?

— Oui, Miles.

Elle se dit : *Plus que trois jours et je n'aurai jamais à revoir Kyle Carson.*

Oubliant ses sentiments personnels, elle s'attaqua à la première scène de la journée en espérant qu'il y aurait le moins de prises possible. Kyle évidemment vint tout gâcher, oubliant son texte et ne se souciant que de sa moumoute.

À la pause du déjeuner, elle se fit conduire chez elle par un des chauffeurs. Cassie était au téléphone, entourée de cartons, organisant tout pour leur départ imminent.

— Qu'est-ce que tu fais ici ? demanda Cassie, interrompant sa conversation.

— J'ai besoin de souffler un peu. Il y a trop de testostérone sur ce plateau, dit Lara.

Elle ajouta nonchalamment :

— Euh... où est Joey ?

— Sorti.

— Il a précisé où il allait ?

— Non.

Lara passa dans sa chambre en se demandant pourquoi elle se sentait si déçue. Elle s'était précipitée comme une collégienne amoureuse et voilà maintenant qu'il n'était même pas ici. Quelques minutes plus tard, Cassie frappa à la porte de sa chambre.

— Lara, je peux me permettre une question indiscrète ?

— Non, répondit Lara avec un petit sourire parce qu'elle savait de toute façon ce que Cassie allait dire.

— Ce Joey..., commença Cassie en plissant le front, qu'est-ce que tu sais de lui ?

— Tout ce que j'ai besoin de savoir.

— D'accord, il est beau garçon, reprit Cassie. Il n'est pas le seul.

— Où veux-tu en venir ?

— Tu es sûre que c'est raisonnable de le laisser habiter ici ?

— Ça n'est que pour deux jours. Je ne pense pas que ce soit un tueur maniaque. Ne t'inquiète pas, Cass, je sais ce que je fais.

— Si tu le dis.

Si on lui avait demandé son avis, Lara serait revenue auprès de Richard.

Je ferais mieux de retourner sur le plateau, songea Lara.

— Quand Joey reviendra, dis-lui que je rentrerai plus tard. Oh ! et demande à la cuisinière de préparer des pâtes pour ce soir : nous dînerons sur la véranda.

— C'est comme si c'était fait !

Peu après le départ de Lara pour le studio, Joey avait pris sa voiture pour aller faire un tour. Il avait besoin de sortir de la maison. Cassie l'avait à l'œil et il se rendait compte qu'il ne l'avait pas encore gagnée à sa cause. Elle se méfiait de lui. Rester dans les parages était dangereux.

Il roula sans but, s'arrêtant au drugstore pour acheter un paquet de cigarettes.

Madelaine n'avait pas été contente quand il lui avait annoncé son départ.

— Pourquoi pars-tu cette fois-ci ? avait-elle demandé. On t'a trouvé du travail, offert un logement, qu'est-ce que tu veux de plus ?

— Je suis incapable de te rendre heureuse, Maddy, avait-il prétexté.

C'était la plus vieille réplique du monde, mais il n'avait trouvé aucune autre réponse à lui fournir.

— Tu peux quand même essayer, avait supplié Madelaine, au bord des larmes.

— Non. Je ne ferai que te rendre malheureuse. Je prends l'avion pour L.A... Je vais tenter ma chance.

— Et mon argent ? avait-elle demandé, oubliant un instant ses larmes.

— Je te le rembourserai.

— Quand ça ?

— Garde mon cachet quand il arrivera.

— Ne t'imagine pas que tu pourras encore me faire marcher, Joey, avait-elle déclaré. Si tu pars cette fois-ci... c'est pour de bon.

Mais oui, bien sûr. Je peux revenir quand je veux, tu seras toujours prête à me reprendre.

— Je comprends.

C'était donc fini. Il avait loué une voiture et s'en était allé voir Lara.

26

Chaque matin, Nikki quittait de bonne heure la maison de Malibu pour se rendre au bureau de production de *Vengeance*. La pièce qu'elle occupait était voisine de celle de Mick. Il s'était entouré d'une équipe de chargés de production d'une inquiétante jeunesse. De son côté, elle avait fait venir quelques personnes d'une trentaine d'années qui connaissaient leur métier. Elle espérait qu'à eux tous ils formeraient un groupe cohérent.

Tout était prêt pour commencer le tournage. L'avantage d'avoir Lara comme vedette, c'était qu'on n'avait pas besoin d'autre nom de star. À part Aiden Sean, la distribution comprenait un groupe de talentueux inconnus. Le financement était en place et on allait débuter dans deux semaines. Encore deux jours et Lara arriverait de New York : elle pourrait alors rencontrer Mick. *Oh, mon Dieu !* songea Nikki. *Ou bien ils vont se détester, ou ce sera le coup de foudre.* Elle priait pour que la seconde hypothèse soit la bonne.

Jusqu'à présent elle n'avait pas vu Aiden Sean, mais Mick assurait qu'ils allaient tous les trois très bien s'entendre : ils devaient tous déjeuner ensemble aujourd'hui.

— Je compte sur vous pour que tout se passe bien, rappela-t-elle sévèrement à Mick. Aiden, c'est *votre* responsabilité.

— Compris.

— Au moindre problème, il s'en va. J'espère que vous l'avez prévenu.

— Pas besoin de lui dire. Il le sait.

Quand Aiden arriva, avec une heure de retard, Nikki eut un choc en voyant à quel point il était pâle et décharné. Une peau blanche et presque translucide sur un visage tourmenté, des yeux tristes d'un gris glacé, des cheveux bruns tirés en une queue de cheval ébouriffée et un corps décharné orné de différents tatouages. Il avait beau faire un peu peur, il était quand même séduisant dans un style excentrique et camé.

Il serra la main de Nikki en fixant sur elle son regard éteint. Sitôt les présentations faites, il alluma une cigarette et elle remarqua que ses doigts tachés de nicotine tremblaient.

Mick lui avait assuré qu'Aiden était maintenant complètement désintoxiqué. Mais Nikki n'en fut pas certaine. Si Aiden ne s'était pas camé pendant tant d'années, il aurait pu avoir une grande carrière. En fait, il n'avait réussi à survivre dans le métier que parce qu'il avait un talent fou — même s'il était à moitié abruti par la drogue.

Ils allèrent tous les trois dans un restaurant italien de Ventura. Aiden se glissa sur la banquette et commanda aussitôt un double whisky sec. Nikki remarqua qu'il fumait trois cigarettes avant la salade ; pourtant, la serveuse — une jolie fille et une fan par-dessus le marché — lui avait répété qu'on ne fumait pas dans ce restaurant.

— Putain, hurla Aiden d'une voix éraillée, il faut bien se détendre ! J'ai renoncé à tout, Nikki, continua-t-il d'un ton morne. Plus de coke, plus d'amphés, plus rien. Je prends juste un verre — ne vous inquiétez pas : quand je travaille, je ne bois pas.

— J'ai hâte d'être avec vous deux sur le plateau, murmura Nikki. Mick ne fume pas quand il travaille, vous, vous ne buvez pas. Ça va être quelque chose de vous voir tous les deux vous maîtriser.

Aiden eut un pâle petit sourire.

— Vous avez déjà produit, Nikki ?

— Non, répondit-elle, aussitôt sur la défensive. Mais ça fait six ans que je travaille pour le cinéma.

— À faire quoi ?

— Créer des costumes, répondit-elle, décidée à ne pas se laisser intimider. Et mon mari est Richard Barry. Alors, naturellement, j'ai quelques notions.

Pourquoi lui avait-elle dit cela ? C'était lui qui était censé l'impressionner, pas elle. Elle n'avait pas à lui raconter sa vie.

— Quel âge avez-vous ? demanda-t-il en suçant un cube de glace.

— C'est extrêmement indiscret de poser cette question à une femme.

Il recracha le cube de glace dans son verre.

— Vous avez honte de votre âge ? Vous avez quoi... trente-cinq ans... quarante ?

— Merci beaucoup, interrompit-elle, indignée. Trente-deux.

— Je savais bien que je pourrais vous le faire dire.

— Et vous, quel âge avez-vous ? interrogea-t-elle, agacée par son attitude.

— Trente-quatre passés.

— Des vieux tous les deux, fit Mick en ricanant. N'empêche, la semaine dernière, je me suis envoyé une petite qui n'avait sans doute pas plus de quinze ans à l'arrière de ma limousine.

— Vous en êtes fier ? demanda Nikki, stupéfaite.

— Allons, allons... pas de scène de jalousie, ajouta Aiden.

Mon Dieu, elle qui s'inquiétait à l'idée que Lara rencontre Mick, l'autre était dix fois pire. Elle préférait ne pas penser à la scène du viol. Richard l'avait prévenue d'être absolument sûre des gens qu'elle engageait — surtout les comédiens —, et elle ne l'avait pas écouté. Il allait maintenant passer les sept semaines à venir à lui répéter : « Je te l'avais bien dit. »

Elle décida que ce ne serait pas une bonne chose de se montrer trop amicale avec ces deux marginaux. Garder ses distances. Une attitude un peu froide leur montrerait qui était le patron.

À peine eut-elle fini de déjeuner qu'elle consulta sa montre et dit :

— Je suis désolée de filer comme ça, mais j'ai un rendez-vous.

— Je vous accompagne ? proposa Mick.

— Non. C'est... personnel, expliqua-t-elle en se levant.

— On se voit sur le plateau, dit Aiden en lui lançant un regard qui la mit mal à l'aise.

Elle sortit précipitamment et, sur le trottoir, en attendant sa voiture, elle aspira une grande bouffée d'air frais. Il y avait quelque chose chez Aiden Sean qui ne lui disait rien. Enfin... malgré tout, il avait un certain charisme : ce ne serait sûrement pas ennuyeux de travailler avec lui.

La voiture arriva. Elle s'y engouffra, donnant un trop gros pourboire au voiturier.

Elle avait beaucoup de travail. Il lui fallait du temps pour se concentrer.

— Je n'ai pas appelé Mick et je n'en ai pas l'intention, déclara Summer. Il ne me plaît même pas. Celui qui est super, c'est Aiden.

— Alors, pourquoi fais-tu des trucs avec Mick à l'arrière de sa limousine ? demanda Tina, toujours pratique.

— J'ai rien fait, répliqua Summer avec indignation. Un malheureux baiser baveux et puis il a voulu aller plus loin.

— Et alors ?

— Pas question. Je me disais que sortir avec lui me ferait remarquer par Aiden. Grosse erreur ! reconnut Summer.

Arborant des bikinis minuscules, elles étaient assises sur la plage à fumer un joint en travaillant leur bronzage.

Un quinquagénaire qui faisait du jogging les aperçut et faillit s'arrêter.

— Marié. Trois gosses. Situation convenable, affirma Tina en le toisant de la tête aux pieds. Je pourrais l'avoir quand je voudrai.

— Les hommes ! lança Summer.

Toutes deux roulèrent sur le sable en éclatant de rire.

27

Lara et Joey marchaient sur la grève, main dans la main, émus. Après un agréable dîner, Joey avait proposé :

— Venez, on va faire cette promenade sur la plage dont vous aviez tant envie.

— Quelle merveilleuse idée !

Maintenant, ils déambulaient tous les deux sur le sable humide et elle ne pouvait s'empêcher de penser à ce qui allait se passer. Il prendrait sûrement l'initiative, à moins qu'elle ne lût dans leur amitié quelque chose qui n'existait pas.

C'était ridicule : le simple fait de lui tenir la main la bouleversait.

À mi-chemin de la maison, il s'arrêta et s'assit sur le sable en l'attirant auprès de lui.

— Regardez la lune.

— Magnifique ! soupira-t-elle.

— Comme vous.

— Merci, murmura-t-elle.

— J'ai une idée, Lara. Allons nous baigner.

— Ne soyez pas ridicule, répondit-elle, un peu nerveuse. Il fait sombre, l'eau est froide.

En riant, il se débarrassa de sa chemise.

— Vous croyez que ça gêne les poissons ?

Il enleva ensuite son pantalon.

— Vous êtes fou. Vous n'avez même pas de serviette.

— Une vraie petite femme d'intérieur, dit-il pour la taquiner. Venez ! Il n'y a rien de tel que l'océan la nuit.

— Je n'ai pas de maillot de bain.

— Vos sous-vêtements feront l'affaire.

— Qu'est-ce qui vous fait croire que j'en porte ? demanda-t-elle hardiment.

— Je parierais une brique que oui.

— Pourquoi donc ?

— Parce que toutes les filles bien portent une culotte.

Elle ne put s'empêcher de rire.

— Je... je ne peux pas me permettre d'attraper froid.

— Bon, alors ne le faites pas. Mais moi, j'y vais.

Et, avant qu'elle ait pu l'arrêter, il s'était précipité dans la mer, plongeant la tête la première dans les brisants.

Elle était plantée sur la plage éclairée par le clair de lune, frissonnante. *Va le rejoindre*, lui soufflait une voix intérieure. *Si tu veux qu'il se passe quelque chose, fais-le.*

Elle ôta sa robe et approcha à pas prudents de l'eau froide jusqu'au moment où la mer lui lécha les chevilles.

— Joey ! cria-t-elle dans l'obscurité. Joey !

Elle avait de l'eau presque jusqu'à la taille lorsqu'il bondit sur elle.

— Je vous tiens ! cria-t-il en l'empoignant par-derrière.

— Oh, mon Dieu ! hurla-t-elle, frissonnant de tous ses membres. Vous m'avez fait peur !

— Suivez-moi.

Ils avancèrent jusqu'à ce qu'elle ait de l'eau aux épaules.

— Maintenant, nagez.
— Pas trop loin. Je... je ne vois rien.
— Ne vous en faites pas, lui assura-t-il. Je suis juste à côté de vous.
Elle n'était pas la meilleure nageuse du monde, mais elle lui faisait confiance : c'était l'aventure. Pourquoi ne s'amuserait-elle pas un peu ? Ils nagèrent dans l'eau noire. Ils sentaient les vagues gonfler autour d'eux avant d'aller se briser sur la plage.
— Joey... j'ai envie de rentrer ! cria Lara.
— D'accord. Faites demi-tour et suivez-moi.
Ils revinrent vers le rivage, luttant soudain contre un courant contraire. Lara ne tarda pas à se trouver un peu à la traîne.
— Allez, du nerf ! cria Joey par-dessus le bruit des vagues.
Elle était à bout de souffle et au bord de la panique. Oh, mon Dieu ! Demain, elle aurait les cheveux pleins d'eau salée, les yeux rouges et injectés de sang. Elle serait dans un triste état : Yoko et Roxy devraient travailler dur pour la rendre présentable. Enfin, si jamais elle regagnait la plage.
Elle sentit quelque chose lui frôler la jambe. Elle poussa un cri de surprise.
— Il y a des requins par ici ?
— Des requins ? cria-t-il par-dessus son épaule. Oh oui ! Des tonnes !
Elle se mit à crawler frénétiquement pour essayer de le rattraper.
— Hé..., reprit-il en attendant qu'elle fût revenue à sa hauteur, ne vous affolez pas. Vous avez pied ici.
Elle sentit en effet le fond et se calma.
— On ferait mieux de sortir d'ici avant qu'un requin vienne vous dévorer !
— Très drôle. Comment allons-nous nous sécher ? demanda-t-elle, toute frissonnante.
— Avec la chaleur humaine, répondit-il en la prenant dans ses bras.

Ce fut alors qu'elle se rendit compte qu'en se baignant il avait perdu son caleçon. Elle sentit contre sa jambe son sexe dur.

— Joey..., commença-t-elle. Je...

Il posa ses lèvres sur les siennes et toute pensée rationnelle l'abandonna.

Ce moment arrivait enfin et elle était incapable de se défendre. Pis : elle n'en avait aucune envie.

Ils s'embrassèrent longuement, des baisers comme elle n'en avait jamais connu. Sans se précipiter, il prenait le temps de l'embrasser tandis qu'en silence elle brûlait d'envie qu'il la déshabille et la caresse langoureusement. Il continuait à l'embrasser et, les jambes molles de désir, elle commença à gémir.

Malgré le vent mordant, elle se sentait brûlante et ne désirait que lui.

Il la traitait avec une extrême douceur. Lara n'était pas comme les autres femmes : dès le jour de leur rencontre, il avait compris que cette belle princesse lui donnait l'impression d'être lui-même un prince. *Son* prince.

Maîtrisant son envie de la plaquer sur le sable et de lui faire l'amour avec passion, il attendait... Il devait faire de cette nuit une rencontre extraordinaire.

Très lentement, il lui effleura les seins.

Elle se remit à gémir, impatiente. Puis elle dégrafa nerveusement son soutien-gorge. Avec lenteur, elle dévoila ses seins. Superbes, tout comme le reste de son corps. Il les caressa.

— Joey ! lança-t-elle, haletante, sans se soucier du vent froid ni du sable rugueux qui s'enfonçait dans sa peau.

— Oui ? demanda-t-il. Dites-moi tout ce que vous désirez.

— Toi ! Je te veux, toi !

Ses baisers la faisaient frémir de plaisir. Incapable de se retenir plus longtemps, elle fut secouée par un orgasme qui fit trembler son corps de la tête aux pieds. Il l'attira contre lui et elle se blottit contre sa poitrine.

— Tu as aimé ? demanda-t-il en lui caressant les cheveux.

— Oh, mon Dieu, oui !

— Demain, ce sera encore mieux.

— Je me fiche de demain, murmura-t-elle en humant l'odeur de sel qui lui imprégnait tout le corps. Rentrons nous coucher.

— Non, dit-il d'un ton ferme. Tu as du travail demain. Il faut dormir.

— Mais, Joey...

Il posa un doigt sur ses lèvres...

— Chut. Habillons-nous avant de geler sur place.

Cherchant à tâtons leurs vêtements sur le sable, ils s'habillèrent précipitamment et partirent en courant jusqu'à la maison. Elle s'attendait à ce qu'il vienne jusqu'à sa chambre, mais non : il posa sur ses lèvres un baiser et lui souhaita bonne nuit.

Elle était abasourdie qu'il la quitte ainsi mais elle savait qu'il avait raison : elle tournait de bonne heure demain et, s'il venait dans son lit, aucun d'eux ne fermerait l'œil.

Elle resta allongée, songeant à son visage, à ses cheveux, à son odeur, à son sourire.

Joey Lorenzo. Était-ce lui, son destin ? Avait-elle enfin trouvé l'homme capable de lui faire oublier son passé ?

Joey regagna sa chambre et alluma une cigarette. C'était donc ça dont il avait entendu parler toutes ces années. C'était *ça,* l'amour. Il lui semblait impossible que ça lui soit arrivé. Il ne l'avait jamais voulu, il ne s'y était jamais attendu.

Seigneur ! Que devait-il faire ? Attendre qu'elle parte demain matin, puis s'en aller.

C'était la seule solution.

Le réveil tira Lara de son sommeil à 5 heures du matin. Elle était si fatiguée que c'est à peine si elle parvint à quitter son lit douillet. Elle n'osait pas se regarder dans la glace.

Sur le plateau, Roxy l'accueillit en lui lançant :

— Bonté divine, qu'est-ce qui est arrivé à vos cheveux ?

— Je... je me suis baignée dans la mer...

— Vous m'ennuyez, Lara. Il va falloir faire un shampooing.

Deux éternuements successifs la secouèrent.

— D'accord.

— Ne me dites pas que vous avez attrapé un rhume ?

— Ça m'en a tout l'air.

— Parfait ! grommela Roxy. Maintenant, on va tous être malades.

Yoko ne se montra guère plus charitable : comme Lara s'en doutait, l'eau de mer lui avait irrité les yeux. Yoko s'en aperçut aussitôt et se plaignit amèrement. Puis elle la fit s'allonger sur un canapé pendant un quart d'heure avec des tranches de concombre sur les yeux, après quoi elle lui enduisit le visage d'une boue traitante.

Quand Yoko et Roxy en eurent fini avec elle, elle était aussi somptueuse que d'habitude. Malheureusement, elle arriva sur le plateau avec une heure de retard.

Kyle était en colère. Miles marchait de long en large en grommelant sous cape.

— Heureux que tu aies pu venir ! dit Miles d'un ton sarcastique.

— Oui, Lara, c'est gentil de ta part de nous honorer de ta présence, renchérit Kyle.

— C'est la première fois que je suis en retard, fit-elle remarquer.

Une seule chose lui tardait : rentrer à la maison. Ils avaient besoin de discuter de leur situation. Comment était-ce arrivé si vite ? Mon Dieu, une simple pensée pour Joey et elle se sentait tout excitée.

Avait-elle si désespérément besoin d'un homme ?

Non, elle en avait autant qu'elle le désirait. Simplement, Joey était celui qu'elle cherchait. Elle songea à son corps musclé, à son regard complice, intense...

— Qu'est-ce qui te fait sourire ? demanda Kyle, la ramenant brutalement à la réalité. Nous sommes censés tourner une scène grave.

— Euh... pardon... je me rappelais simplement... quelque chose d'amusant.

— Alors, Lara, demanda-t-il sournoisement en lui donnant un coup de coude, on a fait des cochonneries hier soir ?

Elle devint toute rouge. Ça se lisait donc sur son visage ?

— Je te demande pardon ? dit-elle, le foudroyant du regard.

— Sans doute que non, ricana-t-il. La Princesse des Glaces ne fait pas ça, n'est-ce pas ?

À la pause du déjeuner, elle emprunta le portable de Jane et appela chez elle. Cassie répondit.

— Passe-moi Joey, dit-elle en pianotant impatiemment sur le téléphone.

— Il est parti, annonça Cassie.

— Parti, répéta-t-elle, hébétée.

— Il m'a dit qu'il avait une urgence à New York. Il vous appellera demain.

— Quelle urgence ?

— Je ne sais pas.

— Est-ce qu'il a laissé un numéro ?

— Non.

— Pourquoi ne lui en as-tu pas demandé ?

Elle s'entendit crier et s'arrêta brusquement. Elle ne

devrait pas s'en prendre à Cassie : elle n'y était pour rien.

— Désolée, dit Cassie d'un ton vexé. Je ne me rendais pas compte que c'était si important.

— Ça ne l'est pas.

— Quelque chose qui ne va pas ? demanda Yoko.

— Non, marmonna-t-elle en se demandant comment elle allait passer la nuit sans lui. Rien du tout.

28

Après l'incident devant la Guilde des metteurs en scène, Alison Sewell comparut devant un tribunal. Elle fut condamnée à dix-huit mois de prison pour harcèlement, voies de fait graves et violences sur la personne d'un policier.

Alison considéra tout cela comme d'une criante injustice. Elle ne harcelait pas Lara. Elle était son amie.

Le détective privé engagé par l'avocat de Lara avait produit toutes les lettres qu'Alison lui avait écrites. C'étaient des lettres personnelles, qui n'étaient destinées qu'à Lara. Cet enquêteur en avait lu des extraits en plein tribunal. Alison était furieuse.

Ensuite Lara elle-même s'était levée en prétendant qu'elle, Alison, la poursuivait depuis des mois, débarquant chez elle sans y avoir été invitée, passant sans arrêt des coups de téléphone indésirables, s'efforçant de l'approcher partout où elle travaillait.

Que de mensonges ! Tout ce qu'Alison avait fait, c'était essayer d'être son amie, regardez où ça l'avait menée. En prison. Elle partageait une cellule avec une dingue qui avait empoisonné tous les chats du quartier : une charmante vieille dame aux cheveux blancs et aux manières plaisantes. Jusqu'au soir où, alors qu'Alison sommeillait, la vieille salope avait tenté de l'étrangler.

Sa nouvelle compagne de cellule était une prostituée blond décoloré qui avait poignardé un de ses mecs et qui, maintenant, refusait de parler.

Elle convenait parfaitement à Alison. Elle avait à réfléchir.

Parce qu'à sa sortie... ce jour-là, Lara Ivory paierait.

29

Le téléphone ne sonnait pas. Deux soirs de suite, Lara attendit comme une idiote amoureuse jusqu'au moment où elle se rendit compte qu'évidemment... les lignes devaient être en dérangement.

Elle décrocha le combiné. Une tonalité parfaitement normale. Elle raccrocha, prit un livre et tenta de penser à autre chose.

Impossible. Sans arrêt une petite voix chantonnait dans sa tête : *Joey... Joey... Joey...* Et elle n'arrêtait pas de revivre dans ses rêves la soirée qu'ils avaient passée ensemble. Oh, mon Dieu ! Elle n'avait qu'à penser à lui et elle était anéantie. Jamais elle n'avait éprouvé cette sensation avec Richard. Quant à Lee... il n'avait été qu'un confortable interlude.

Avec Joey, c'était magique. Quel était donc son problème à lui ?

Philippa. Sans doute.

Philippa. Était-il allé la retrouver ?

Elle se sentait idiote. Joey Lorenzo était entré dans sa vie ; cinq minutes plus tard, elle l'avait invité chez elle et l'avait pratiquement supplié de lui faire l'amour sur la plage. Mais maintenant il était parti sans un mot d'explication. Joey Lorenzo. *Où diable es-tu passé ?*

Le tournage était terminé. Cassie avait tout emballé. Ce soir, c'était la fête de fin de tournage et demain matin elle serait dans l'avion pour rentrer chez elle, à L.A.

Sans Joey Lorenzo. Autant s'y habituer : c'est de l'histoire ancienne.

Elle était Lara Ivory... vedette de cinéma. Et, malgré l'adulation et les récompenses, elle était seule. Douloureusement seule. Hantée par son passé et incapable d'oublier. Elle avait cru, elle ne savait pourquoi, que Joey changerait sa vie. Non, il avait vu ce qu'il y avait sous la façade. Il avait vu la sale petite traînée...

Oh, mon Dieu ! Comment pourrait-elle jamais oublier les dures paroles de son père. Et son sang... qui l'avait tout éclaboussée... les bouts de chair brûlée...

Elle reposa son livre et se força à s'habiller pour la soirée.

Le téléphone sonna. Elle décrocha.

— Comment vas-tu ? demanda Nikki.

— Très bien ! répondit-elle avec un entrain forcé.

— J'ai hâte que tu sois ici, dit Nikki. Mick meurt d'envie de te rencontrer.

— Vous vous entendez bien ?

— Ne va pas croire un mot de ce qu'on raconte sur lui. Il est un peu excentrique, mais ça rime souvent avec talent.

Elles bavardèrent encore quelques minutes. Lara fut un moment tentée de lui parler de Joey, puis décida qu'elle n'avait rien à gagner à révéler une amourette de collégienne.

À peine eut-elle raccroché qu'elle se mit à penser à *Vengeance* et aux rudes semaines de travail qui l'attendaient. Quinn avait raison : elle n'aurait jamais dû accepter de faire ce film. Le programme de tournage était épouvantable et, après avoir tout juste terminé deux grands films coup sur coup, elle n'avait besoin de rien d'autre que de bonnes vacances.

Mais elle ne pouvait pas laisser tomber sa meilleure

amie. Ce serait moche. Et puis *Vengeance* lui ferait oublier Joey.

Elle termina de s'habiller : une robe turquoise toute simple et des sandales à lanières. On danserait sur la plage et tous les garçons de l'équipe voudraient être photographiés avec elle. Elle se brossa les cheveux, se para de grandes boucles d'oreilles en anneaux et d'un bracelet en or que Richard lui avait offert peu après leur mariage. Satisfaite, elle descendit l'escalier.

Joey était planté dans le living-room en train de parler à Cassie. Un moment, elle ne sut plus où elle en était. Joey était de retour. *Son Joey.*

Ce n'est pas ton Joey. Reprends-toi et cesse de fantasmer.

Elle resta immobile sur la dernière marche.

— Regarde qui est là, dit Cassie, comme si ce n'était pas évident.

Le moment était venu de retrouver ses racines de vedette. Un peu de froideur. Personne ne jouait la Princesse des Glaces mieux que Lara Ivory.

— Joey. Ça alors, qu'est-ce que vous faites ici ?

— Je vais voir si la voiture est arrivée, dit Cassie en se dirigeant rapidement vers la porte.

— Attends ! ordonna sèchement Lara.

Cassie s'arrêta, ne sachant plus que faire.

— Euh... j'aimerais vous parler en tête à tête, risqua Joey en lui lançant un de ses regards intenses.

— Désolée, répondit-elle, le gratifiant d'un regard glacé. Nous sommes en retard pour la fête de fin de tournage. Une autre fois peut-être.

Il s'approcha et murmura à voix basse :

— Tu m'en veux, n'est-ce pas ? Ça ne t'intéresse pas de savoir pourquoi j'ai dû filer.

Un instant, elle se sentit faiblir. Puis son côté énergique reprit le dessus et elle se dit : *Qu'il aille au diable ! Il ne va pas me mener en bateau.*

— Non, Joey, je ne vous en veux pas. Pourquoi ?

Tout en parlant, elle se dirigea vers la porte, ajoutant d'un ton détaché :
— Il va falloir nous excuser.
— Philippa a essayé de se suicider, murmura-t-il. En avalant des comprimés.
Elle s'arrêta net.
— Oh, mon Dieu !
— Tu comprends, poursuivit-il. Il fallait que je parte.
— Attends dans la voiture, dit-elle à Cassie, qui s'empressa de sortir. Pourquoi ne m'as-tu pas appelée ? demanda-t-elle en se tournant vers lui. Pourquoi es-tu parti sans un mot ?
— Il fallait que j'y voie un peu clair, expliqua-t-il en passant une main dans ses cheveux bruns. Tu n'as aucune idée de ce que c'était... se sentir coupable... attendre à l'hôpital... en sachant que je ne désirais qu'une chose : être avec toi.
— Oh ! soupira-t-elle, désemparée.
— Dès qu'elle a été suffisamment forte, je lui ai dit qu'il y avait quelqu'un d'autre et je suis revenu tout de suite.
Il s'approcha et lui prit la main.
— Je n'avais pas l'intention de te laisser tomber.
Une vague de soulagement déferla sur elle. Peut-être, après tout, y avait-il un avenir pour eux.
— Ça n'a pas dû être facile, murmura-t-elle.
— Oh non !
Il comprit, la regardant droit dans les yeux, que son plan avait marché : elle était toute à lui.
— Si tu es d'accord, cette fois je reste.
Elle ressentit un frisson de l'avoir de nouveau auprès d'elle. Sa colère et sa déception commencèrent à se dissiper.
— Mais oui, Joey. Aucun problème.

— Bonté divine ! hurla Roxy. Regardez-moi un peu avec qui Lara rapplique.

— Qui donc ? demanda Yoko en se démanchant le cou pour mieux voir.

— Joey machin. Doux Jésus, ils se tiennent la main !

— Non !

— Regarde toi-même.

— Je croyais qu'il était fiancé.

— Une soirée avec Lara et ses fiançailles ont pris du plomb dans l'aile.

Roxy et Yoko n'étaient pas les seules à observer l'entrée de Lara : tout le monde avait les yeux fixés sur eux. Kyle, qui avait fait venir pour la soirée sa femme Jean dont il était à moitié séparé, remarqua aussitôt :

— Qu'est-ce que fiche Lara avec ce plouc ?

— Qu'est-ce que tu lui reproches ? répliqua-t-elle, en se demandant si son volage époux avait couché avec la ravissante actrice.

— Bon sang, ce n'est qu'un figurant, marmonna Kyle, abasourdi de voir Lara au bras de cet inconnu. Mon Dieu, ajouta-t-il, oubliant commodément ses nombreuses fredaines, elle ne connaît donc pas la règle numéro un de Hollywood : ne jamais baiser au-dessous de sa condition.

— On dirait qu'on fait sensation, observa Joey.

— Comment ? demanda Lara en lui étreignant la main.

— Je t'assure... Tout le monde nous regarde.

— Vraiment ? Qu'ils regardent, qu'ils regardent tous.

Elle était avec Joey et c'est tout ce qui importait.

— La coiffeuse a les yeux hors de la tête ! précisa-t-il en riant.

— Hmm, fit-elle en esquissant un sourire. J'ai l'impression que tu tenais une grande place dans certains des fantasmes de Roxy.

— Je ne m'intéresse pas aux femmes, déclara-t-il. Rien qu'à toi.

Leurs regards se croisèrent, complices.

— Je... il faut que je circule un peu, dit-elle en reprenant son souffle. Tu sais, me faire photographier avec l'équipe, dire quelques gentillesses.

— On part pour L.A. demain matin ? demanda-t-il.

— Tu viens ?

— Tu crois que je te laisserais partir sans moi ?

30

— Mais que se passe-t-il ? demanda Roxy à Trinee.

— Comment veux-tu que je sache ? répliqua Trinee, agacée de ne pas être au courant.

— Tu étais comme cul et chemise avec ce garçon. Tu devrais pouvoir nous expliquer.

Trinee haussa les épaules.

— Dès qu'il se décollera d'elle, je lui poserai la question.

— C'est ça, dit Roxy. Parce que moi, je connais les hommes, et celui-là sait mener sa barque. Il n'est pas pour Lara.

— Tu dis ça parce que tu es jalouse, lança Yoko.

— Absolument pas, protesta Roxy. Je suis enchantée que Lara se soit trouvé un mec. J'espère que c'est le bon.

— Il est brun, grand et beau. Qu'est-ce que tu trouves à redire ?

— Lara n'a pas notre flair de filles des rues, riposta Roxy.

— Parle pour toi, répondit sèchement Yoko. Moi, je suis la femme d'un homme.

— Mais oui, marmonna Roxy. Un homme à la fois.

Joey s'installa dans un fauteuil. Lara était bien accrochée : pas de problème. L'idée lui vint qu'il n'aurait peut-être pas eu besoin de faire tout ce cirque, mais cette manœuvre s'était révélée très habile.

Après être parti, il était allé s'installer dans un motel voisin où il s'était terré pendant deux jours. Il lui avait fallu toute sa maîtrise de soi pour ne pas l'appeler. Maintenant, en la regardant papillonner dans son rôle de star, il savait qu'elle lui appartenait : de temps en temps, leurs regards se croisaient, de plus en plus intenses. Ce soir, il lui ferait l'amour. Elle était prête.

— Alors, répliqua Trinee, interrompant ses méditations. Je croyais que tu étais fiancé... comme moi. Maintenant, te voilà ici avec Lara. Qu'est-ce qui se passe, mon vieux ?

Il contempla Trinee en plissant les yeux. Elle avait un certain culot de venir le harceler avec des questions personnelles.

— C'est comme ça, Trinee. Tu crois au destin ?

— Au destin ? répéta-t-elle sans comprendre.

— C'est ce qui est arrivé entre Lara et moi.

— Ah oui ?

— C'était inévitable.

— Et ta fiancée ? Elle doit en tirer, une tronche !

— Elle s'en remettra, répondit-il calmement.

Trinee s'éloigna. À l'autre bout de la salle, il aperçut Barbara Westerberg qui le regardait d'un air mauvais. Il évita son regard.

Lara finit par revenir, tenant à la main un gardénia qu'un des techniciens lui avait offert.

— J'ai fait mon devoir. Maintenant, on peut partir.

— Bien. Les indigènes ne sont pas précisément amicaux.

— Qui donc ?

— Barbara Westerberg m'a regardé d'un mauvais œil toute la soirée.

— Elle te voulait. Elles te voulaient toutes.

— Viens. On a mieux à faire.

Lara trouva Cassie et lui annonça leur départ.

— Tu es sûre que tout va bien ? demanda Cassie, l'air un peu soucieux.

— Si ça va ? répéta Lara, radieuse. Je me sens en pleine forme.

— Si tu le dis.

— Oh ! voyons, Cass... ça fait combien de temps que tu ne m'as pas vue aussi heureuse ?

— Si tu penses que Joey est le garçon qu'il te faut... alors je te souhaite tout le bonheur du monde.

— Cass, ajouta-t-elle en riant, je ne l'épouse pas. Je m'amuse simplement. Au fait, tu ferais mieux de prévenir le pilote : Joey nous accompagne demain matin.

Cassie, cette fois, était vraiment déconcertée.

— À L.A. ?

— Exactement, lui dit-elle en se précipitant pour aller embrasser Miles. On se voit à L.A., mon chou.

— Lara, cria-t-il, tu es la meilleure !

— Je peux en dire autant de toi, Miles. On recommencera.

Elle salua au passage Kyle et sa femme. Elle plaignait la malheureuse.

— Jean, ravie de vous revoir. Kyle, je suis sûre qu'on se retrouvera à la post-synchro.

— Fais attention, Lara, dit Kyle en se levant.

— Je te demande pardon ?

Il se pencha pour lui murmurer à l'oreille :

— Tu ne sais absolument pas d'où il vient, mon chou. Fais-lui donc passer un dépistage du sida.

— Merci du conseil, Kyle. Je ne t'ai pas toujours vu aussi prudent.

Joey l'attendait dans la voiture. Elle se glissa sur la banquette arrière auprès de lui. Ils s'enlacèrent pendant toute la durée du trajet.

Une fois arrivés, il l'empêcha d'allumer et l'embrassa brutalement en lui meurtrissant les lèvres.

— Toute la soirée, j'ai eu envie de toi, dit-il en la libérant enfin.

— Moi aussi, chuchota-t-elle.

— Combien de temps est-ce que Cassie reste à la fête ?

— Quelle importance ?

— Si. Je veux que nous soyons seuls ici.

— Elle va y être un moment.

— Ferme à clé la porte de la rue.

— Joey... on ne devrait pas parler un peu ?

— Pas maintenant.

Il se mit à l'embrasser de nouveau, de longs baisers interminables.

Il fit glisser sa robe puis dégrafa brutalement son soutien-gorge. Elle tremblait d'excitation.

— Allonge-toi par terre, ordonna-t-il.

Comme en transe, elle obéit tout en le regardant ôter ce qui lui restait de vêtements.

Jamais elle n'avait éprouvé un désir aussi intense. Ce soir, la passion envahissait son corps.

Il s'allongea sur elle... bientôt, ils étaient en parfaite harmonie.

Elle entendit au loin quelqu'un crier. Elle se rendit vaguement compte que c'était elle.

Après leurs étreintes, aucun d'eux ne bougea. Elle se sentait brûlante, ruisselante de sueur et absolument en extase.

— Joey, murmura-t-elle. Oh ! mon Dieu, Joey.

— C'était bon ? demanda-t-il en se laissant rouler sur le sol.

— Merveilleux, murmura-t-elle, ravie. Absolument merveilleux.

— Dis-moi, insista-t-il.

— Te dire quoi ?

— Dis-moi qu'il n'y aura jamais personne d'autre que moi.

— Joey...

Une semaine. Tout ce qu'il lui fallait, c'était une semaine, et elle lui dirait tout ce qu'il voulait entendre.

31

— Je veux te montrer ce soir un premier montage du film. Retrouve-moi ici à 18 heures et nous irons ensemble à la salle de projection.

— J'ai hâte d'y être, répondit Nikki en espérant qu'elle pourrait quitter le bureau de production assez tôt.

— Tu vas voir l'interprétation de Lara, déclara-t-il avec enthousiasme. Elle est sensationnelle.

— Ça ne m'étonne pas.

Elle regrettait quand même qu'il pense tant à Lara. D'ailleurs, il ne se souvenait pas que c'était *elle* qui avait conçu chacun des vêtements qui recouvraient le corps somptueux de Lara, ce qui avait largement contribué à la réussite du film. Après tout, c'était un film en costumes.

Ils prenaient le petit déjeuner sur la véranda. Normalement, elle aurait dû être partie à cette heure-là, mais, au moment où elle s'en allait, Richard lui avait annoncé qu'il avait un problème important dont il fallait qu'ils discutent : elle avait donc retardé son départ. Elle jeta un coup d'œil impatient à sa montre. Jusqu'à maintenant il n'avait abordé aucun sujet qui méritât qu'elle s'attarde plus longtemps.

— Lara rentre aujourd'hui, dit-elle pour faire la conversation. J'ai pensé que nous pourrions l'avoir à dîner demain et Mick aussi, si tu es d'accord.

— Pourquoi lui ?

— Ça me paraît une bonne idée qu'ils se rencontrent à dîner. Ça leur permettra de faire un peu connaissance avant le début du tournage.

— Lara ne va pas le supporter, dit Richard d'un ton tranchant.

— Mais si.

— Fais-moi confiance, je la connais.

— Richard, dit Nikki, sur la défensive, quand je me suis lancée dans ce projet, tu étais tout à fait pour... Maintenant, j'ai l'impression chaque jour que tu l'es moins.

— Parce que tu fais les mauvais choix, expliqua-t-il. Tu refuses de m'écouter. Tu n'aurais jamais dû donner de rôle à Lara, ni engager Mick Stefan.

— Pourquoi donc ? Il est brillant.

— Il est peut-être brillant, mais il a besoin d'un producteur capable de le contrôler. Tu n'as aucune expérience, Nikki.

— Oh ! merci. J'apprécie ta confiance, dit-elle en jetant un nouveau coup d'œil à sa montre. Richard, il faut que j'y aille. Il y avait autre chose ?

— J'ai promis à Summer de te parler.

— De quoi ? demanda-t-elle, agacée. Si Summer avait quelque chose à dire, elle pouvait le faire elle-même.

— Chaque fois qu'elle essaie de t'aborder, ça se termine par une dispute.

— Pas du tout.

— En tout cas, elle a l'air de le penser.

Nikki soupira.

— Alors, de quoi s'agit-il ?

Il joignit les mains en la regardant droit dans les yeux.

— Elle veut rester vivre avec nous.

— Pardon ? interrompit Nikki qui n'était pas sûre d'avoir bien entendu.

— Elle ne veut pas retourner à Chicago. Elle préférerait s'inscrire au lycée ici. Ça devrait te faire plaisir, ajouta-t-il. Après tout, c'est ta fille.

— Ma fille, en effet, que j'ai à peine vue depuis qu'elle a huit ans. Très franchement, je ne suis pas sûre de pouvoir assumer cette responsabilité maintenant.

— Tu ne te montres pas très compréhensive, lui reprocha-t-il, ce qui l'agaça encore davantage.

— Tu sais, Richard, déclara-t-elle, commençant à s'énerver, je n'aime pas l'idée qu'elle t'ait demandé à toi de me parler.

— Je ne suis que le messager. Tu devrais en discuter avec elle.

— Je le ferai... quand j'aurai le temps. Pour l'instant, je suis en retard.

Ramassant ses clés de voiture sur la table, elle s'en alla, furibonde. Un moment, elle fut tentée de revenir dans la maison et de tirer de son lit sa flemmarde de fille. À en croire la femme de chambre, Summer dormait tous les jours jusqu'à midi, puis se levait, retrouvait des amis et on ne la revoyait plus sauf quand elle venait se changer. Puis Nikki changea d'avis, prise soudain de remords : après tout, comme Richard le lui avait fait remarquer, c'était elle, la mère de Summer. Elle décida en toute justice que c'était avec Sheldon qu'elle devrait discuter du souhait de Summer.

Lorsqu'elle arriva au bureau, Mick était en pleine réunion de production. Il avait commencé sans elle, ce qui ne fit qu'accroître son énervement. Elle vint s'asseoir à côté de lui. Il lui fit un vague salut de la main. Elle savait que c'était du travail de faire un film mais elle s'aperçut que s'occuper de la production était totalement absorbant : il y avait tant de décisions à prendre.

Dès qu'ils firent une pause, elle demanda à son assistant de faire envoyer des fleurs à Lara avec un petit mot de bienvenue et une invitation à dîner pour le lendemain soir.

À l'heure du déjeuner, Mick la prit à part.

— Aiden est dingue de vous, affirma-t-il. Vous l'avez absolument charmé.

— J'en suis ravie, répondit-elle sans s'engager.

— Oui, il vous trouve absolument super.

— Dès l'instant qu'il sait se tenir, je me fous éperdument de ce qu'il pense.

— Combien de fois faudra-t-il que je vous le répète ? demanda Mick. Aiden, c'est un type adorable.

— N'oubliez pas, lui rappela-t-elle. Demain soir chez moi. Je sais que ça va marcher entre Lara et vous.

— Il faudra bien, n'est-ce pas ?

— Essayez de vous rappeler, Mick : c'est une star, traitez-la avec respect.

— J'ai compris. Je mettrai même une cravate... J'en ai une, vous savez.

— Vous n'y êtes pas obligé.

— Mais si, mais si... ce sera une preuve de respect.

Elle rentra avant 19 heures. Richard et Summer étaient assis sur la véranda. Elle passa devant eux avec l'impression d'être une intruse.

— Bonsoir, maman, murmura Summer, douce comme du miel. Tu as passé une bonne journée ?

Pourquoi donc, quand Richard était là, Summer jouait-elle la fille parfaite ?

— Je suis épuisée, répondit-elle en se laissant tomber dans un fauteuil.

— Ha ! ricana Richard. Si tu crois que tu es fatiguée maintenant, attends un peu d'avoir commencé le tournage.

Summer se leva. Elle portait un short minuscule et un haut des plus réduits.

— Il faut que j'aille me changer, annonça-t-elle. Je vais à une fête.

— Encore une ? s'exclama Nikki.

— Oh ! maman... Richard a dit que je devrais m'amuser pendant que je suis jeune.

— Il a dit ça ?

— Ce sont des vacances si formidables. Merci, maman.

Puis elle se précipita pour embrasser Richard avant de disparaître dans la maison.

— Pourquoi te plains-tu toujours d'elle ? interrogea Richard. C'est une fille adorable.

— Tu ne vois que le bon côté, répondit Nikki.

Une heure plus tard, ils étaient installés dans une petite salle de projection pour regarder un premier montage d'*Un été en France.*

Nikki oublia *Vengeance* et se concentra sur les images exquises qui défilaient sur l'écran devant elle. Le cinéaste était un maître, les costumes d'époque qu'elle avait dessinés étaient parfaits et Richard avait raison : l'interprétation de Lara était superbe. Harry Solitaire et Pierre Perez étaient tous les deux charmants.

Quand on ralluma, Richard arborait un large sourire.

— Tu t'es surpassé ! s'exclama-t-elle. J'adore !

— Je n'aurais pas pu le faire sans Lara, dit-il. Elle était la parfaite jeune première.

Mais voyons, songea Nikki. *Et moi, dans tout ça ?*

Sur le chemin du retour ils s'arrêtèrent *Chez Dan Tana* pour prendre un steak et une salade ; Nikki écouta Richard parler inlassablement de son film. Elle essaya de mettre la conversation sur *Vengeance,* mais ça ne l'intéressait pas.

Après le dîner, ils se dirigèrent vers la plage.

— Allons nous coucher, proposa-t-elle quand ils furent entrés dans la maison.

— Tu es si pressée ?

Peut-être que j'ai envie de toi, aurait-elle voulu dire, mais elle n'en fit rien. Elle se contenta de suivre Richard dans la chambre, fermant à clé la porte derrière elle.

— Pourquoi fais-tu ça ? demanda-t-il en commençant à se déshabiller.

— Pour être tranquilles.

— Summer est sortie. Et même si elle était à la maison, elle n'entrerait pas sans frapper.

— Qui sait, avec Summer ?

Elle passa dans la salle de bains pour en ressortir quelques minutes plus tard vêtue d'une chemise de nuit noire très sexy.

Richard était maintenant allongé sous les couvertures à regarder la télévision, fasciné.

— Pourquoi ai-je l'impression, demanda-t-elle en venant le rejoindre dans le lit, que tu t'intéresses plus à *Ligne de nuit* qu'à moi ?

— Ne sois pas ridicule, dit-il en se cramponnant à la télécommande de crainte qu'elle ne la lui arrache des mains.

— Ça fait des semaines que nous n'avons pas fait l'amour, observa-t-elle.

— C'est parce que nous avons été très occupés tous les deux, répondit-il, sans avoir l'air d'en être affecté.

— Quand est-ce que le travail t'a empêché de me faire l'amour ? demanda-t-elle en commençant à le caresser d'une main experte.

Au bout de quelques instants, il vint s'allonger sur elle et, sans un mot, commença à s'escrimer jusqu'au moment où il fut satisfait. Puis il roula sur le côté, ferma les yeux et sombra aussitôt dans un profond sommeil.

Nikki fut scandalisée. Et le romantisme dans tout cela ? Richard avait une qualité : il avait toujours été un amant plein d'égards... Et, comble de l'insulte, il avait laissé la télévision allumée.

Elle se retourna, le laissant ronfler dans son coin, et s'enfouit la tête dans l'oreiller, furieuse et vexée.

Quand *Vengeance* serait terminé, il faudrait qu'ils aient une longue conversation : la situation ne pouvait plus durer !

32

— Je n'ai pas pu entrer la nuit dernière, grommela Cassie.

— Désolée, répondit Lara. J'ai fermé la porte à clé... par habitude.

— J'ai dû casser un carreau. Il faudra le faire remplacer à nos frais. J'ai laissé une note à ce sujet.

— Bien sûr.

— Tout va bien ?

— Oui, Cassie, tout va très bien.

Cassie lui tendit un dossier.

— J'ai établi ton emploi du temps à L.A., on va jouer serré, mais, si tu n'attrapes pas la grippe, on s'en sortira.

Lara jeta un coup d'œil à son programme :

— Ce n'est pas possible, fit-elle. J'ai à peine le temps de respirer.

— Tu as voulu faire *Vengeance*. Quinn t'a prévenue.

— Je suis certaine que nous pouvons annuler certains rendez-vous.

— C'est délicat, répliqua Cassie. Tout est important. Il y a la publicité pour tes deux derniers films, la post-synchro d'*Un été en France*, des rendez-vous télé, tes œuvres de charité. Des rendez-vous chez le médecin et le dentiste. Des séances photos, des couvertures pour les magazines...

— D'accord, d'accord.

Cassie quitta la pièce. Lara jeta un coup d'œil par la fenêtre. Sa limousine était devant la maison et le chauffeur occupé à charger le coffre. Dans dix minutes, ils prendraient la route.

Elle revint dans la chambre. Joey était nu dans la salle de bains.

— On y va, dit-elle, fascinée par son corps musclé.

Les épaules larges, le ventre plat, des jambes longues et athlétiques. Sur son torse, quelques poils noirs... juste ce qu'il fallait. Et de belles fesses bien fermes...

— Je sais, répondit-il en se regardant dans la glace.

— Vous feriez mieux de cesser de vous admirer et de vous activer, monsieur le Jeune Premier.

À sa vue, elle avait senti ses jambes se dérober sous elle. Comment étaient-ils arrivés si vite à ce degré d'intimité ? Il se tenait nu dans sa salle de bains, à côté d'elle, comme un vieux couple. Il sourit.

— Bon, bon... je m'habille.

— Tu as cinq minutes. Sinon, l'avion va attendre.

— C'est un avion privé, non ?

— Ça ne change rien. Ils ont un plan de vol à respecter.

— Bien, madame.

Elle se précipita dans la cuisine : par la fenêtre, elle aperçut Cassie en train de bavarder avec leur chauffeur. Elle avait hâte de tout raconter à Nikki : lui crier qu'elle était amoureuse ; enfin, peut-être pas amoureuse, mais certainement comblée. Se rappelant la nuit dernière, elle frissonna de plaisir.

Joey arriva quelques minutes plus tard, tout vêtu de jeans.

— Nous ferons quelques courses à L.A., annonça-t-elle. Tu aurais l'usage de quelques vestes et pantalons de grandes marques, des chaussettes, des cravates...

— Attends un peu. Si j'avais envie de porter ce genre de fringues, ce qui n'est pas mon cas, je les achèterais moi-même. Je n'ai pas besoin de toi pour m'entretenir.

— Ce n'est pas ce que j'ai voulu dire. Ces vêtements, c'était simplement parce que...

Pourquoi avoir lancé une suggestion aussi stupide ? Elle se conduisait comme s'il n'avait pas d'argent. Bien sûr, il se sentait insulté.

Il la dévisagea. Elle était radieuse : comment pourrait-il se mettre en colère ?

— Est-ce que je t'ai dit récemment que tu es la plus belle femme à mes yeux ?

— Et toi le plus bel homme, déclara-t-elle en retrouvant sa gaieté.

Main dans la main, ils rejoignirent la voiture.

Ils s'installèrent à l'arrière. Cassie s'assit devant avec le chauffeur. Pendant tout le trajet jusqu'à l'aéroport, ils se dévorèrent des yeux.

Nikki ne va pas le croire, se dit Lara. *C'est arrivé si vite.*

Le Gulfstream à réaction attendait à l'aéroport. Le pilote vint accueillir Lara, flatté de son rôle. Un steward les fit monter à bord. L'avion était confortablement équipé : quatre fauteuils disposés autour d'une table ovale et quelques autres sièges et canapés. Au fond de l'appareil, une chambre et une douche.

— On va utiliser la chambre ? murmura Joey.

— Je suis une vedette : je fais tout ce qui me plaît. Toutefois, ajouta-t-elle plus sérieusement, voici ce qu'à mon avis nous devrions faire.

— Quoi donc ?

— Parler... prendre le temps de nous connaître un peu. Je veux tout savoir sur toi... tes origines... ta famille... quelles céréales tu prends au petit déjeuner... tout...

— Quelle drôle d'idée ! Nos vies commencent maintenant, oublie le passé.

— D'accord.

— Alors ne parle pas... et viens dans la chambre.

— Joey ! protesta-t-elle en riant. Serais-tu un obsédé sexuel ?

— Allons. Tu sais bien que tu en as envie.

Oui, elle le désirait. Mais elle devait étudier son script et se préparer à sa rencontre avec Mick Stefan. Le premier tour de manivelle de *Vengeance* était prévu dans moins de deux semaines. Elle était absente de chez elle depuis trois mois et elle aurait bien aimé souffler un peu.

Le steward leur demanda ce qu'ils voulaient boire. Joey commanda une bière et Lara un soda.

— J'ai besoin de sucre. Tu m'as pompé toute mon énergie.

— Ah oui ? lança-t-il, ravi. Mais nous n'avons pas encore commencé.

Elle sourit, songeant à la soirée précédente : un frisson de plaisir la parcourut.

— Alors, demanda Joey, quand ferai-je la connaissance de Mick Stefan ?

— Je crois que la distribution est faite.

— C'est toi, la vedette. Il n'a qu'à virer quelqu'un.

— Je n'ai même pas encore rencontré Mick.

— Je suis sûr que si tu veux que ton petit ami ait un rôle...

Elle pencha la tête et le regarda d'un air interrogateur.

— C'est ce que tu es, Joey ? Mon petit ami ?

— Qu'est-ce que tu penserais d'amant ? Ça fait plus sexy.

— J'aime assez. Mon... amant.

— Oh, mon Dieu ! Attends que la presse apprenne ça.

Il l'attira vers lui et la prit par le cou.

— Viens ici, murmura-t-il en glissant lentement sa

langue sur les lèvres de Lara. J'ai une idée. Dis à Cassie de descendre de l'avion. Qu'elle prenne un vol commercial...

— Je ne peux pas faire ça.

— Si, tu peux.

— Joey...

— OK, c'était juste une idée. J'ai toujours rêvé de me balader tout nu à bord d'un avion. Avec Cassie, c'est fichu.

— Tu es fou.

— Je n'ai jamais prétendu le contraire.

— C'est vrai.

— Voyons un peu. D'après toi, je suis un obsédé sexuel et un fou incurable. Autre chose ?

— Pas pour le moment.

— Bien.

— Aimes-tu les chiens ? demanda-t-elle.

— Je les adore... de loin. Pourquoi ? Tu vas en lâcher sur moi ?

— J'en ai trois.

— Gros ou petits ?

— Les deux.

— Quoi d'autre ?

— Des chevaux. Et deux chats.

— Tu es sûre qu'il y a de la place pour moi ?

— Euh...

Elle ne savait que dire : ils n'avaient jamais discuté de l'endroit où Joey s'installerait. De toute évidence il pensait qu'il logerait chez elle. Il la sentit confuse.

— Ne t'en fais pas. Je compte descendre à l'hôtel pour deux semaines. Puis, si je décide de m'installer à L.A., je louerai un appartement.

— Joey, nous ne sommes pas des étrangers. Viens chez moi quelques jours.

— Non. Je ne voudrais pas m'imposer.

— Absolument pas : tu verras, tout ira pour le mieux.

— Tu sais, Lara, quand tu es à mes côtés, plus rien ne compte.

Il était sincère. Joey avait enfin trouvé la femme de sa vie.

Lara sourit. Tout allait si vite, tout avait l'air de si bien se dérouler : quelle joie de savoir que quelqu'un tient à vous !

33

Nikki décida de se mettre aux fourneaux. C'était plutôt rare, mais, considérant la longue absence de Lara, elle pensait que celle-ci apprécierait un repas chaud à la maison. Elle prépara donc un poulet rôti, des pommes de terre à la crème, des brocolis et des petits pois — les plats préférés de Lara.

Pour une fois, Richard rentra de bonne heure et alla droit dans la cuisine où Nikki s'affairait à découper des tranches d'avocat pour la salade.

— Tu sais quoi ?

— Quoi donc ?

— Lara amène quelqu'un.

Il haussa les sourcils.

— Ah oui ?

— Parfaitement. Tu te souviens, je t'ai parlé de ce type qui avait l'air de l'intéresser — le comédien, Joey Lorenzo. Eh bien, apparemment, elle est plus qu'intéressée.

— Comment le sais-tu ?

— Je n'ai pas eu l'occasion de lui parler, mais Cassie a appelé pour dire qu'elle voulait l'amener ce soir. Naturellement, j'ai accepté.

— Il n'était pas fiancé ?

— Apparemment il ne l'est plus.

— Je ne comprends pas, dit Richard, mécontent. Pourquoi se coller avec un acteur inconnu ?

— Pourquoi pas ? Qui d'autre rencontre-t-elle ?

— Et elle l'amène ici ce soir ? Ce n'est pas croyable.

— Il faut le croire, mon chou. Ton ex s'aventure de nouveau toute seule dans le monde.

Richard ouvrit la porte du réfrigérateur et prit une bouteille de vin blanc.

— Je vais lui parler, annonça-t-il.

— Lui dire quoi ? Elle ne peut fréquenter sans ta permission ?

En colère, il sortit de la cuisine au moment où Summer entrait, souriante et ouvrant de grands yeux.

— Maman ! s'exclama-t-elle, ravissante dans une robe bain de soleil rose pâle. Ça sent fichtrement bon.

— Merci, dit Nikki en se demandant ce que voulait Summer : une voiture ? la maison ? Richard ?

Ce n'est pas très sympa de ma part, songea-t-elle. *Sois plus aimable.*

— Nikki ! cria Richard de l'autre pièce. Décroche : c'est Mick.

Oh, mon Dieu ! Ne me dis pas qu'il se décommande, pensa-t-elle en décrochant.

— J'ai un grand service à vous demander, supplia Mick.

— Allez-y.

— C'est très important pour moi.

— Qu'est-ce que c'est ? demanda-t-elle avec impatience.

— Aiden traverse une mauvaise passe. Il habite un taudis et ne connaît personne.

— Vous me demandez si vous pouvez l'amener ?

— Voilà.

— Huit heures.

Elle raccrocha violemment.

— Wanda ! cria-t-elle. Ajoutez un couvert.

— Je peux rester pour dîner ? demanda Summer qui venait de surprendre la conversation.

Nikki ne put s'empêcher de remarquer :

— Comment se fait-il que tu ne sortes pas ?

— Comment... tu voudrais que je ne goûte pas à ta succulente cuisine ?

Que pouvait-elle dire à sa fille ? *J'attends des invités... tu ne peux pas rester.*

— Mais c'est un dîner d'affaires !

— Richard a dit que Lara venait. J'adore Lara... Ça fait une éternité que je ne l'ai pas vue.

— Il n'y a pas que Lara, s'empressa d'ajouter Nikki. Nous avons aussi mon metteur en scène, Mick Stefan. On va parler boutique. Tu vas t'ennuyer.

— Tu n'as pas envie que je reste à la maison, c'est ça ?

Justement non. C'était le seul dîner auquel elle ne voulait pas voir Summer assister.

— Bien sûr que si...

Se tournant vers la femme de chambre, elle déclara d'un ton brusque :

— Wanda, ajoutez encore un couvert, nous sommes de plus en plus nombreux.

— Merci, maman ! cria Summer.

Nikki nota dans sa tête d'appeler Sheldon le plus tôt possible. Si Summer envisageait sérieusement de rester, peut-être lui donnerait-elle une chance...

Summer se précipita dans sa chambre. Mick Stefan venait à la maison : c'était la meilleure ! Elle ne lui avait jamais dévoilé son identité. Il tomberait raide dès qu'il la verrait. La grande nouvelle, c'était Aiden Sean. Elle était tout excitée.

Le problème : quoi porter ? Quelque chose de si sexy qu'il serait incapable de lui résister... Ce soir, c'était le grand soir !

Assise devant sa coiffeuse, en train d'ajouter les dernières touches à son maquillage, Lara songeait comme il était bon d'être rentrée.

La veille, dès leur arrivée, elle avait demandé à M. et Mme Crenshaw, le vieux couple d'Écossais qui travaillait pour elle, de préparer la chambre d'amis pour Joey. Mme Crenshaw avait scruté Joey à la dérobée, ce qui avait fait sourire Lara. Les Crenshaw — comme tout le monde — avaient à son égard une attitude très protectrice.

Une fois installé, Joey avait exploré la maison : un vrai gamin dans un parc d'attractions. Il avait tripoté la chaîne stéréo, les téléviseurs, joué à la balle avec les chiens, et avait été comblé en découvrant la salle de gymnastique.

Le soir, ils avaient dîné dans le jardin. Lara avait attendu un geste de sa part, mais en vain. Un simple baiser sur la joue avant de s'éclipser dans la chambre d'amis, prétextant la fatigue.

Elle ne comprenait plus rien. Hier, il était son amant ; aujourd'hui, un simple invité.

Elle était restée allongée sur son lit, incapable de s'endormir, à penser à lui. Mais il ne l'avait pas rejointe et elle était trop orgueilleuse pour faire le premier pas.

Réveillés tous deux de bonne heure, ils s'étaient retrouvés dans la cuisine. Après le petit déjeuner, elle l'avait emmené aux écuries.

— Tu montes ?

— Je peux essayer, répondit Joey.

M. Wicker, l'homme qui entretenait les écuries, avait choisi un cheval pour Joey. C'était un cavalier-né.

— Incroyable ! s'était exclamée Lara. Je monte depuis des années et toi, tu mets le pied à l'étrier et te voilà parti.

— Avec de la volonté, je peux tout faire.

Joey avait insisté pour qu'elle annule tous ses rendez-vous. Ainsi, la journée s'était avérée très reposante. Seule Cassie, qui avait dû réorganiser un emploi du temps déjà surchargé, était furieuse.

Lara se préparait pour le dîner chez Richard et Nikki.

Elle se demandait quelle serait la réaction de Richard face à Joey. Son ex-mari se révélait parfois très possessif : ça lui ferait du bien de la voir avec un autre homme.

Joey entra dans la chambre. Superbe, vêtu entièrement de noir, une fine ceinture en lézard autour de la taille.

— Je suis contente que tu rencontres Mick dans ces conditions, déclara-t-elle en ajoutant un soupçon de rouge sur sa pommette. C'est mieux qu'un rendez-vous professionnel. Je te promets de lui demander s'il a un rôle pour toi dans le film.

— Ne le lui demande pas... dis-le-lui.

— Je ne peux absolument pas les forcer.

— Ils ne peuvent pas te forcer non plus, lui rappela-t-il en plongeant sa main dans le décolleté de sa robe.

Elle sursauta.

— On ferait mieux d'y aller, conclut-il en retirant sa main au désespoir de Lara.

Dans le garage, il inspecta ses voitures de luxe.

— Trois voitures ? Madame, j'aime votre style.

— Laquelle prend-on ce soir ? demanda-t-elle.

— La Jag. Je vais conduire.

— Tu as une voiture ?

— À New York ? Pas question. Dès que je serai plus fixé, j'en louerai une ici.

Lara pensa que, s'il ne décrochait pas un rôle dans *Vengeance*, il devrait peut-être rentrer à New York et alors, quand le verrait-elle ?

Arrête, se dit-elle sévèrement. *Ce n'est pas un*

roman d'amour : c'est une passade. Charmante mais brève.

Mais peut-être Joey est-il l'homme que j'attendais. Celui qui va changer mon existence.

Plus de nuits esseulées, plus de cauchemars.

Elle le souhaitait sincèrement.

Et voilà, le petit dîner à quatre de Nikki se transformait en dîner pour sept personnes. Formidable.

Deux acteurs qui allaient sans doute se détester. Deux metteurs en scène... totalement opposés. Une vedette de cinéma. Une adolescente difficile. Et elle. Quel groupe ! Par-dessus le marché, Richard s'était remis à boire. La soirée promettait d'être animée ! Il avait vidé une demi-bouteille de vin et s'attaquait maintenant au martini.

Elle mit de la musique puis goûta un des redoutables Margarita de Juan, un ami appelé à la dernière minute pour tenir le bar. Elle le regrettait déjà. C'était le fils de Wanda, un jeune Antonio Banderas : cheveux noirs et gominés, regard langoureux et tête haute. La dernière fois qu'elle l'avait vu, c'était encore un gamin. Il avait aujourd'hui dix-huit ans et Nikki frémissait à l'idée de ce qui se passerait quand il poserait son regard avide sur Summer.

— Qu'est-ce que votre fils a grandi !

— Juan est un bon garçon, il ne me crée pas d'ennuis. Il veut devenir chanteur.

— Chanteur ?

— Oui, il a d'ailleurs beaucoup de talent. Peut-être voudriez-vous l'écouter ?

— Une autre fois, merci, répondit précipitamment Nikki.

Pour l'instant, elle avait une soirée à assurer.

Je ne peux pas dire que tomber sur Maxwell von Steuben m'ait aidé dans ma carrière. En fait, fidèle à sa parole, cet enfoiré a essayé de me faire mettre sur une liste noire. Mais il avait omis une chose : j'avais la possibilité de changer de nom. En un coup de baguette magique, j'étais un homme nouveau en ville et, dès l'instant que j'évitais d'assister à des auditions où je pouvais croiser Maxwell, je ne risquais rien. Il avait sur sa liste noire une personne qui n'existait plus.

Peu après l'incident avec Maxwell, j'ai largué Margie. C'était nécessaire, je ne la supportais plus. Mes rêves d'avoir une petite maison avec deux ou trois gosses s'évanouirent. Qu'est-ce que j'en avais à fiche ? Trop de femmes là-bas qui avaient besoin de mes attentions. En plus, elles avaient de quoi payer.

Prendre un nouveau nom fut un véritable coup de maître. Ça a changé le cours de ma carrière. En quelques mois, j'ai décroché le premier rôle dans une série télé. Le genre érotique qui passait sur des petites chaînes régionales où je me sentais comme un roi. Tout d'un coup des gens s'inclinaient, me ciraient les pompes et se précipitaient pour satisfaire mes moindres caprices. Rien de tel que d'être la vedette d'une série, même si elle ne vaut pas un clou. Je suis même allé jusqu'à diriger deux ou trois épisodes... le bonheur.

Ma vedette féminine était une blonde nerveuse qui avait pas mal de kilomètres au compteur. Elle prétendait avoir eu son heure de célébrité, mais elle n'avait jamais atteint le sommet. Elle tournait à présent dans des navets comme moi et s'estimait encore heureuse car elle avait gaillardement passé les trente-cinq ans. À Hollywood, pour une femme qui frise la quarantaine — à moins d'être déjà arrivée —, c'est fini.

Elle s'appelait Hadley. Elle avait de longues jambes et un appétit sexuel vorace. Je ne la désirais pas, on ne mélange pas les affaires et le plaisir. Ça la rendait folle et elle se démenait pour m'exciter. Elle pénétrait dans ma caravane nue sous un manteau de fourrure — un cadeau de son petit ami gangster. Elle paradait dans la salle de maquillage en talons aiguilles et lingerie fine. Elle m'envoyait aussi des cadeaux extravagants découverts dans son sex-shop favori.

Malgré tout, je ne tombai pas dans le piège. Mais un jour elle arriva à ses fins. On tournait une scène de nuit dans Culver City. Elle ramassa une des figurantes — une Noire scandaleusement sexy — et, de fil en aiguille, nous nous sommes retrouvés tous les trois dans la caravane de Hadley, shootés à la tequila et à une herbe mexicaine d'excellente qualité.

D'après mes quelques souvenirs, j'ai dû lui faire l'amour et ne pas en redemander car, peu de temps après, j'étais viré !

Bah... je me suis trouvé un nouvel agent et j'ai recommencé à tirer les sonnettes. Une maison de production australienne faisait une série de films d'action à petit budget pour l'Asie. Ils cherchaient un acteur américain. J'avais fait un peu de boxe française et, avec l'aide d'un entraîneur, je m'en suis sorti.

Tout d'un coup, je me suis retrouvé pseudo-vedette en Asie. La belle jambe ! Au lieu de faire ma promo-

tion, j'ai passé la moitié de mon temps entre la drogue et les filles.

À mon retour aux États-Unis, j'avais pris une habitude dont je n'arrivais pas à me débarrasser.

La vérité, c'est que j'étais bel et bien accro.

34

Lara et Joey arrivèrent les premiers. Nikki déchiffra aussitôt l'air radieux de Lara : pas de doute, ils couchaient ensemble. Qui pourrait le lui reprocher ? Joey Lorenzo était un homme superbe.

Elle embrassa Lara, salua cordialement Joey, puis les entraîna dans la véranda où — au grand agacement de Nikki — Richard était déjà bien éméché.

Il bondit en voyant Lara, l'étreignant tendrement.

— Tu m'as manqué, chérie. Vraiment manqué.

— Toi aussi, Richard, répondit-elle en s'extrayant de ses bras.

Elle hésita, ne sachant pas trop comment présenter Joey.

— Voici mon... mon ami... Joey Lorenzo.

Joey s'avança, impatient de connaître l'ex-mari.

— Monsieur Barry, c'est un grand plaisir, monsieur.

Le « monsieur » flotta dans l'air comme une insulte. Nikki étouffa un rire nerveux, l'agacement de Richard était palpable.

— Ne soyons pas si formels, dit-elle en s'empressant de prendre Joey par le bras pour l'entraîner vers le petit bar. Appelez-moi Nikki ; lui, c'est Richard. Que désirez-vous boire ?

— Une bière, ce sera parfait.

Il se rappelait que, si elle était la meilleure amie de Lara, elle était aussi la productrice de *Vengeance*, et que mieux valait donc être aimable avec elle.

— Une bière, commanda Nikki à Juan. Lara... qu'est-ce que nous pouvons t'offrir ?

— Champagne !

— Mick est en route, expliqua Nikki. Il amène Aiden Sean, tu les rencontreras tous les deux à la fois.

Elle surprit Joey serrant la main de Lara. C'était bien de l'amour : elle n'avait jamais vu Lara dans un tel état.

— Alors, lança Richard en les rejoignant au bar, vous êtes acteur. Qu'est-ce que vous avez tourné ?

Lara sourit.

— Allons, allons, Richard, Joey ne se déplace pas avec son C.V.

— Peut-être devrait-il ?

— Hé, pourquoi donc ? demanda Joey en fixant son aîné.

Il n'allait pas se laisser marcher sur les pieds. Par chance, Mick choisit cet instant pour faire son entrée. Fidèle à sa parole, il avait mis une cravate... décorée d'une Marilyn Monroe nue. Il portait aussi un smoking blanc style années soixante mal coupé, avec un pantalon trop large, une chemise élimée et un sourire idiot.

Aiden Sean le suivait : profil bas, pantalon kaki et sinistres lunettes noires.

— Bienvenue chez nous, dit aimablement Nikki. Je suis ravie que vous ayez pu venir.

— Je n'en doute pas ! marmonna Aiden.

Elle fit semblant de ne pas avoir entendu, tout en continuant les présentations.

Joey observait Mick et Aiden. Deux ratés qui avaient bénéficié d'un sacré coup de chance. Merde ! Pourquoi n'était-ce pas lui qui dirigeait des films et qui tenait la vedette ? Il avait sans doute plus de talent que ces deux-là réunis. Et Lara... *sa* Lara se mettait entre leurs mains, ça n'avait aucun sens. Il lui donna un coup de coude.

— C'est lui, le jeune prodige ? chuchota-t-il grossièrement. Quel connard !

— Sois poli, répondit-elle sur le même ton. Ne le juge pas sur son apparence.

Il garda le silence. Il avait appris à voir quelles cartes chacun avait en main et ensuite à parler.

— Lara, appela Mick en avalant son Margarita comme du petit-lait, je suis absolument ravi que vous fassiez mon film.

Nikki surprit les mots « mon film » et n'apprécia pas du tout. Depuis quand est-ce que c'était *son* film ?

— Nikki a mis au point un excellent script, répliqua Lara avec un sourire rayonnant. Comment pouvais-je résister ?

— J'ai beaucoup de nouvelles idées formidables.

— Parfait, répliqua-t-elle. Je suis ouverte aux suggestions... si elles sont bonnes.

Voilà qui remit à sa place Monsieur le Grand Metteur en scène Stefan. Joey était fier de Lara : elle savait comment s'y prendre avec ce genre de type.

Aiden Sean n'avait pas prononcé un mot. Après avoir commandé un whisky, il s'était affalé dans un fauteuil, isolé du monde.

Nikki envisagea de s'approcher pour jouer l'hôtesse polie, puis renonça.

Summer avait calculé son entrée : cinq minutes avant le dîner. Elle arriva pieds nus, avec un short en jean et un bain de soleil qui lui dénudait le ventre. Ses longs cheveux blond pâle fraîchement lavés ornaient son ravissant visage.

— Bonsoir tout le monde, dit-elle, l'innocence personnifiée. Oh, maman... ça sent rudement bon !

— Nom de Dieu ! s'exclama Mick.

— Je vous présente ma fille, Summer, dit Nikki en espérant qu'il n'était pas amateur d'adolescentes.

— Votre fille ?

— Oui, répondit Nikki en remarquant que Juan était figé au garde-à-vous, fasciné par Summer.

Heureusement, elle ne l'avait pas encore remarqué. Avec un peu de chance, les choses en resteraient là.

Sans s'occuper de Mick, Summer aperçut Lara et se précipita.

— Lara ! cria-t-elle.

— Qu'est-ce que tu as grandi, tu es magnifique. Je te présente Joey Lorenzo.

— Bonjour, Joey, dit Summer en le toisant de la tête aux pieds.

— Bonjour, répondit-il en la dévisageant.

Cette petite devrait être enfermée jusqu'à ses dix-huit ans... Summer se dirigea vers Aiden Sean.

— Je suis une de vos fans, dit-elle, décidée à attirer son attention. J'ai vu tous vos films au moins dix fois !

Pas de réaction d'Aiden, qui semblait plus intéressé par son verre de bourbon.

— Vous ne vous souvenez pas de moi ? interrogea Summer en baissant la voix pour que personne d'autre ne puisse entendre.

Ce fut à peine s'il bougea la tête.

— Pas du tout.

— Le *Viper Club*.

— Désolé, ma petite, dit-il en bâillant.

Elle le foudroya du regard. Il l'appelait « ma petite » : elle se vengerait.

À l'autre bout de la terrasse, Joey surveillait la scène.

— Elle a quel âge, cette nymphette ? murmura-t-il à Lara.

— Quinze ans. Terrifiant, non ?

— En tout cas, Mick en est encore baba.

— Ne sois pas répugnant : ce n'est qu'une enfant.
— Détrompe-toi, elle a grandi depuis longtemps.
— Qu'est-ce qui te fait penser ça ?
— Ça se sent.

Comme ils passaient à table, Mick prit Summer à part.
— Pourquoi ne m'as-tu pas dit qui était ta mère ?
— Tu ne me l'as pas demandé.
— Et comment se fait-il que tu ne m'aies pas appelé ?
— Parce que je savais que tu serais furieux en apprenant que ma mère était Nikki Barry.
Il semblait perplexe. Cette petite Lolita le déroutait. Sans lui laisser le temps de rien ajouter, elle s'éloigna et il se trouva assis entre Lara Ivory et Aiden.

À table, Mick dominait la conversation. Il avait décidé que la seule façon d'attirer l'attention de Summer était de dégoiser ses opinions sur tous les sujets, de la politique au crime.
— Il faut rétablir les pendaisons en public. Les pendre et les regarder gigoter. Moi, je paierais pour ça.
— C'est obscène, dit Richard, l'air sombre. Autant se balader en pagne en brandissant des javelots.
— C'est la loi de la jungle : il faut les baiser avant qu'ils ne vous baisent, dit Mick en faisant un clin d'œil à Summer qui détourna aussitôt la tête.
Joey observait la scène. On devrait dire à cette gamine que c'étaient les metteurs en scène qui avaient tout le pouvoir, pas les acteurs. Cette petite allumeuse n'avait cessé de lorgner Aiden. Joey posa sa main sur la jambe de Lara sous la table, remontant lentement le long de sa cuisse.
— Savez-vous combien de gens sont exécutés par erreur ? interrogea Richard.

— Pratiquement aucun, riposta Mick. Vous savez pourquoi ? Parce que des libéraux au cœur tendre comme vous veulent qu'on abolisse la peine de mort.

Aiden se leva soudain. Il n'avait pas ôté ses lunettes noires de toute la soirée et c'est à peine s'il avait ouvert la bouche.

— Où sont les toilettes ?

— Dans le vestibule, répondit Nikki.

— Je vais vous montrer, reprit Summer.

Elle l'escorta jusqu'à la salle de bains d'amis et, quand ils furent arrivés, elle tenta d'entrer avec lui.

— À quoi tu joues ? demanda-t-il en lui barrant le passage.

— À rien, répondit-elle d'un ton innocent. Je ne savais absolument pas que tu jouais dans le film de ma mère.

— Tu ne savais sans doute pas non plus que Mick était son metteur en scène.

Il se souvenait donc d'elle.

— Franchement, non, dit-elle en s'efforçant de se glisser dans la salle de bains avec lui.

— Casse-toi, fillette, dit-il en lui claquant la porte au nez.

À regret, elle regagna la table du dîner. Aiden Sean n'avait pas fini d'entendre parler d'elle.

Lara et Joey partirent peu avant 23 heures.

— Quelle soirée ! s'exclama Lara tandis qu'ils roulaient vers la maison. Je dois dire... ce Mick, c'est quelqu'un. Quant à Aiden Sean...

— Ton ex a un sacré béguin pour toi, observa Joey.

— Pas vraiment.

— Comment se fait-il qu'il t'ait laissée partir ?

— Je te l'ai dit : il était infidèle. J'ai fini par m'en lasser !

— Je parie qu'il le regrette maintenant.

— Nikki et lui sont très heureux.

— Tu ne crois pas qu'il rêve de toi au lit ? De ta peau incroyable ? La douceur de tes bras ? De tes longues jambes nouées autour de son cou...

Il lâcha le volant d'une main et lui saisit le sein gauche.

— Ôte ton soutien-gorge, ordonna-t-il.

— Quoi ? Joey, tu ne peux pas attendre qu'on soit rentrés ?

— Non. Je t'ai désirée toute la soirée. Enlève-le.

Elle avait la gorge sèche : cet homme était insatiable et elle adorait ça. Passant la main sous son corsage, elle dégrafa son soutien-gorge et le fit glisser de ses épaules.

Aussitôt la main de Joey s'insinua sous son chemisier pour venir lui caresser le bout du sein. Elle gémit, le désir déferlait sur elle.

— Joey, nous sommes sur une route nationale. Les gens vont nous voir...

— Quels gens ? Nous roulons. Allons, tu m'appartiens, bébé. Ne l'oublie jamais. Tu es à moi, toute à moi. Pas vrai ?

Fiévreuse, elle acquiesça et se renversa dans son siège : elle avait hâte de rentrer.

À peine Aiden Sean et Mick Stefan avaient-ils quitté le stupide dîner de sa mère que Summer appela un taxi. Aiden ne la traitait pas bien, pourtant il savait maintenant qui elle était. Mon Dieu ! la tête de Mick quand elle était arrivée et que Nikki avait annoncé que c'était sa fille ! Elle avait failli éclater de rire. Mick l'avait prise pour une petite fan nymphette le soir où il l'avait rencontrée au *Viper Club*... De toute façon, il ne l'intéressait pas. Il était laid. C'était Aiden Sean qui lui plaisait et, quand Summer avait envie de quelque chose, elle allait jusqu'au bout.

Avant la soirée, elle avait appelé le bureau de la production en disant que sa mère avait besoin de l'adresse personnelle d'Aiden. Maintenant qu'il était parti, elle avait annoncé à Nikki qu'elle se rendait à une soirée. Un taxi la conduisait chez lui.

Il habitait un minable petit appartement de North Hollywood.

Aiden vint ouvrir, tout nu à l'exception d'une paire de lunettes noires et de chaussettes mexicaines.

— Seigneur ! Tu m'as suivi jusque chez moi !

— Tu n'es pas très gentil avec moi, dit-elle en le poussant pour entrer.

La télévision était allumée et, sur la table, traînait une bouteille à moitié vide de whisky. Elle se rappela tout ce qu'elle avait lu sur lui dans les magazines et frémit d'excitation.

— Tu es vraiment camé ? demanda-t-elle.

— Es-tu vraiment une conne ? répliqua-t-il en enfilant précipitamment un pantalon. Où est-ce que ta mère croit que tu es maintenant ?

— Je lui ai dit que je devais passer à une soirée. Elle s'en fout : elle est trop occupée entre son film et Richard.

— Ce vieux schnock.

— Richard est génial, rétorqua Summer. Je peux obtenir tout ce que je veux de lui et c'est un sacré metteur en scène... meilleur que ton copain Mick.

— Qu'est-ce que tu cherches, fillette ?

— J'ai envie d'avoir un peu d'expérience, dit-elle, candide.

— Tu prends des risques. Heureusement pour toi, je ne suis pas un malade. Il y a des gens qui t'auraient déjà sauté dessus, mais moi, j'ai des principes.

— En tout cas, c'est pour ça que je suis ici. Je veux... je veux que tu me le fasses.

— Ne compte pas sur moi... j'ai assez de problèmes comme ça.

— Si tu ne me fais pas l'amour, je dirai à mon père que tu l'as fait et la police t'arrêtera pour détournement de mineure.

— Tu le ferais, hein ?

— Mon père est un psy connu à Chicago, lança-t-elle. Il a des relations. Il connaît le maire.

Aiden secoua la tête d'un air incrédule.

— Fous-moi le camp d'ici ou bien ta mère en entendra parler.

— Elle ne te croira pas et tu te feras virer de son film.

— Qu'est-ce que j'en ai à foutre ? fit-il en la poussant vers la porte. Rentre chez toi, et ne reviens pas.

— Tu le regretteras, dit-elle, stupéfaite de se voir ainsi rejetée.

— Alors, je le regretterai. Et après ?

35

Installées au restaurant chinois en face des bureaux de la production, Lara et Nikki se régalaient de riz sauvage, de crevettes à la sauce aigre-douce et de rouleaux de printemps.

— Je ne t'ai jamais vue comme ça. Tu rayonnes, dit Nikki.

— N'est-il pas formidable ? déclara Lara d'un ton rêveur. Ce n'est pas seulement son physique... Dieu sait que des beaux garçons, j'en ai rencontré par douzaines. Mais Joey est différent. Il est doux et fort, intelligent et peu exigeant... et *tellement* sexy.

— Oh ! maintenant, je comprends. C'est une affaire de sexe.

— Absolument pas, s'empressa de protester Lara. Franchement, Nikki, il n'y a pas que le sexe.

— Mais oui, mais oui. Et sur ce plan-là, il est comment ?

Sans répondre à son amie, Lara poursuivit :

— On dirait que nous sommes faits l'un pour l'autre. C'est comme si nous étions seuls chacun et que... je ne sais comment... nous nous soyons trouvés.

— Il a de l'argent ?

Lara fronça les sourcils.

— Qu'est-ce que l'argent a à voir là-dedans ?

— Ne sois pas si naïve. N'oublions pas que tu es une femme riche.

— Il ne demande rien.

— Ça n'est pas la peine. Pas encore, en tout cas.

Lara s'efforça de rester calme.

— Pourquoi es-tu si désagréable ? demanda-t-elle enfin. Et toi qui n'arrêtais pas de me harceler pour que je couche avec quelqu'un.

Nikki passa une main dans ses courts cheveux bruns.

— Oh ! je joue seulement l'avocat du diable. Un type qui baise bien, c'est une chose... Si tu tombes amoureuse, il faudra que tu en saches plus sur lui. Ce ne serait déjà pas mal de savoir qui il est.

— Oh ! j'en sais beaucoup.

— Par exemple ?

— Par exemple qu'actuellement c'est l'homme parfait pour moi.

— Je renonce ! fit Nikki en levant les bras au ciel. C'est toujours ce qui se passe après une longue période d'abstinence.

— Je te demande pardon ?

— Quand on recommence à se faire sauter : ça vous tourne la tête.

— Tu ne peux pas être heureuse de me voir comme ça ?

— Je le suis. C'est simplement que ce type a surgi de nulle part. Il a laissé tomber sa fiancée et il s'est collé à toi.

— Il ne s'est pas collé : c'est moi qui l'ai invité à descendre à la maison.

— Bon, bon, si tu sais ce que tu fais...

Elles poursuivirent pendant quelques minutes leur repas en silence, toutes deux plongées dans leurs pensées. Lara parfois était agacée par le franc-parler de Nikki.

— Au fait, dit-elle en rompant le silence, j'ai un service à te demander.

— Je t'écoute.
— Je voudrais que Joey joue dans le film.
Nikki poussa un gémissement et s'arrêta de manger.
— Tu plaisantes ! s'exclama Nikki.
— Nous en avons déjà parlé.
— C'était il y a des semaines. Toute la distribution est faite maintenant.
— C'est toi la productrice, dit-elle sèchement. Trouve-lui quelque chose : c'est un excellent acteur.
— J'en suis persuadée. Mais le problème, c'est que tu as attendu trop longtemps.
— Trop longtemps pour quoi ?
— Pour Mick. Il est très méticuleux sur la distribution. Chaque rôle est attribué.
— Tu sais, dit Lara d'un ton mesuré, pour être certaine que Nikki comprendrait bien, je fais ce film pour te rendre service. Un *grand* service.
Nikki était abasourdie. Cela ne ressemblait pas à Lara.
— Et alors ?
— Alors, répondit Lara, je demande quelque chose en retour.
— Tu me demandes quelque chose d'impossible, dit Nikki, furieuse d'être placée dans une position aussi inconfortable.
— Mais si, tu peux, répliqua Lara. Sois réaliste.
— Je vais en parler à Mick, grommela Nikki.
— Je t'en serais reconnaissante.
Elles terminèrent leur déjeuner sans échanger un seul mot.

Summer se réveilla fort tard. Bâillant et s'étirant, elle évoqua les événements de la soirée précédente. Le dîner, ennuyeux. Puis sa visite nocturne à Aiden Sean, la façon dont il l'avait déçue : parce que sa mère s'appelait Nikki Barry, il n'avait rien voulu faire avec elle : il l'avait presque jetée dehors.

Aiden Sean était une vedette et Summer le savait... elle impressionnerait du monde à Chicago, y compris Rachel, la nouvelle épouse de son père qui se croyait irrésistible. Pas si irrésistible que ça en fait, elle n'avait pas failli se faire sauter par une vedette de cinéma.

Qu'arriverait-il si elle révélait à Rachel la véritable nature de l'homme qu'elle avait épousé ?

Le monstre.

Mon petit papa.

Les yeux de Summer s'emplirent de larmes : elle ne pourrait jamais avouer la vérité, elle avait trop honte.

Il faut oublier, lui criait une voix dans sa tête. Oublier.

En retournant aux bureaux de la production, Mick s'arrêta pour saluer Lara.

— J'ai hâte d'être à demain. La lecture, ça va être quelque chose.

— Cela me tarde aussi, répondit-elle.

Quelques instants plus tard, alors que Lara était allée essayer des costumes, Nikki surprit Mick dans son bureau. Il avait une conversation téléphonique et semblait supplier une femme de lui pardonner une incartade.

— Allons, ma choupinette, roucoulait-il. Un dîner suivi d'une soirée romantique... Tu ne peux pas te passer de moi.

Apparemment il se trompait car Nikki entendit le bourdonnement de la tonalité, la femme avait raccroché. Mick fit comme si elle était encore en ligne, marmonna un « Salut » étouffé, reposa l'appareil et se tourna vers Nikki.

— Quoi de neuf ?

Elle marcha de long en large devant son bureau,

pleine d'appréhension à l'idée d'aborder un sujet aussi délicat.

— Euh... voilà, Mick.

— Ouais ? murmura-t-il en inspectant les jambes de Nikki.

— En fait, on a beaucoup de chance de compter Lara dans notre film, étant donné sa renommée.

— Où voulez-vous en venir ? Elle m'a rencontré, elle ne m'aime pas et veut annuler son contrat ?

— Mais non, elle vous a trouvé charmant. Elle veut un rôle pour son petit ami.

— Et puis quoi encore !

— Je lui ai bien dit que la distribution était bouclée.

— Vous voulez parler de ce petit merdeux qui l'accompagnait hier soir ?

— Ça n'est pas un petit merdeux. C'est son actuel petit ami et elle le veut dans le film.

— Dans quel rôle le voit-elle ? Un de ces foutus violeurs ?

— Non, un policier ? suggéra Nikki. Peut-être pourriez-vous ajouter un rôle.

— Vous l'imaginez déguisé en policier ? C'est Mel Gibson il y a vingt ans...

— Ça n'en fait pas nécessairement un homme mauvais, murmura Nikki.

— En plus, ce n'est pas un bon acteur.

— Oui, mais on aimerait avoir une vedette heureuse, n'est-ce pas ?

Elle espérait s'être fait comprendre.

— C'est drôlement gênant, reprit-il. Je n'ai encore jamais eu à accepter de compromis.

Évidemment, tu fais tes premiers pas dans le métier, pensa-t-elle.

— Vous voulez bien y réfléchir, Mick ? Pour moi ? Après tout, je vous ai rendu service avec Aiden hier soir qui — je me permettrai de le préciser — n'était pas à proprement parler l'âme de cette soirée.

— Puis-je au moins auditionner le petit ami ?

— Bien sûr.

— Dites-lui d'être ici à 7 heures demain matin avant la lecture. Pour vous, je verrai ce qu'il vaut.

— Merci, Mick.

— Une petite soirée en tête à tête et je me sentirai remboursé, répliqua Mick.

— J'en parlerai à Richard : il sera flatté que quelqu'un d'autre ait envie de moi.

— Pas vous. Votre fille.

— Je suppose que vous plaisantez.

— Jamais quand il s'agit de sexe.

— Eh bien, je ferai comme si je n'avais rien entendu, conclut Nikki en s'éloignant.

Me voilà bien lotie, se dit-elle. *Richard me bat froid, Lara est en pleine histoire d'amour et Mick veut ma fille de quinze ans : à moi d'arranger tout ça.*

Elle entra dans son bureau et se remémora le dîner de la veille.

Une fois tout le monde parti, elle avait dû écouter Richard déblatérer à propos de *Vengeance* et de l'erreur que commettait Lara, avant qu'il sombre dans un sommeil d'ivrogne.

Elle n'avait aucun respect pour lui quand il buvait trop. Pourquoi est-ce qu'elle épousait toujours ce genre de type ? D'abord Sheldon, maintenant Richard. Est-ce que ce mariage aussi commençait à crouler ?

Lorsque Lara rentra, elle trouva Joey dans la bibliothèque.

— Salut, beauté.

— Je t'ai obtenu un rendez-vous avec Mick, demain à 7 heures, annonça-t-elle, triomphante. Pas question d'être en retard.

— Sept heures !

— J'ai fait ce que tu m'as demandé, Joey. Je me suis compromise.

Il se leva.

— Comment ça ?

— J'ai presque menacé Nikki de lâcher le film, ce qui n'était pas correct de ma part.

— Bah, nous avons tous les deux découvert que tu n'es pas aussi bien qu'on croit. Tu as l'air toute mignonne comme ça, mais sous les apparences tu n'es qu'une vilaine petite bombe sexuelle !

— C'est ce que tu penses ? demanda-t-elle en frissonnant.

— Viens ici, ma jolie, dit-il en l'embrassant langoureusement. Tu m'as manqué toute la journée.

— C'est vrai ? Qu'est-ce que tu as fait ?

— Je me suis baigné. Mme Crenshaw m'a préparé des œufs et j'ai jeté un coup d'œil à ta collection de CD. Tu as du travail à faire de ce côté-là.

— Comme si j'avais le temps d'aller flâner chez un disquaire.

— Tiens... allons-y ensemble.

— Je ne passe pas inaperçue dans les lieux publics.

— On te déguisera : une perruque noire et de grosses lunettes de soleil. Peut-être qu'on t'habillera en petit garçon.

— Petit garçon ?

— Non, en adolescente. Ça pourrait passer : tu n'as pas beaucoup de poitrine.

— Comment, je n'ai pas beaucoup de poitrine ?

— Oh ! fit-il en riant. Il y en a assez pour moi.

Elle prit un magazine et le frappa. Puis tous deux s'effondrèrent en riant sur le canapé.

Il l'enveloppa dans ses bras en la serrant contre lui. Jamais il n'avait eu de rapports aussi sincères : Lara était célèbre et magnifique, mais aussi foncièrement gentille. Chaleureuse, attentionnée, sexy et drôle. Quelle chance !

Elle se blottit contre lui, heureuse.

— En général, après une journée comme celle-ci, je rentre épuisée, murmura-t-elle. Mais tu fais ressortir en moi quelqu'un dont j'ignorais l'existence.

Il la regarda d'un air surpris.

— Tu veux dire que tu ne savais plus t'amuser ?

— Mes liaisons précédentes étaient très calmes. Richard est bien plus âgé que moi.

— J'ai remarqué.

— Lee était charmant.

— Charmant, ça ne suffit pas, mon bébé, dit-il en lui caressant les seins. Je parie qu'il ne te faisait pas le même effet que moi.

Elle se débattit pour se redresser.

— Tu sais, Joey... c'est fou. Ça fait si peu de temps qu'on est ensemble et pourtant... j'ai parfois l'impression d'avoir passé ma vie à tes côtés.

— C'est ce qu'on appelle des âmes sœurs, déclara-t-il.

Elle se leva.

— Tu as certainement raison.

Il se leva à son tour et se servit une bière.

— Je lisais le script aujourd'hui. C'est impressionnant.

— Je sais.

— Tu as confiance en ce Mick Stefan ? C'est peut-être un metteur en scène à la mode, mais est-ce qu'il est assez bien pour toi ? Tu prends un sacré risque pour ton image.

— Je sais ça aussi.

— Pense à tes fans. Pourquoi crois-tu qu'ils viennent t'admirer ?

— Parce que je suis une bonne actrice ?

— Ils t'aiment parce que tu as cette image... tu es belle, sexy *et* sympathique. Tu fais rêver tout le monde.

— Je suis contente que tu aies ajouté sexy.

— Analysons un peu, dit-il. Pourquoi est-ce que j'ai été tellement attiré vers toi ? Parce que... en vérité... j'ai connu des tas de femmes.

— Avant tes fiançailles, je présume, rétorqua-t-elle d'un ton malicieux.

— Évidemment. Je crois beaucoup à la fidélité... pas toi ?

— Si. Après mon expérience avec Richard, je me suis promis que plus jamais aucun homme ne me tromperait.

— Qu'est-ce que tu ferais, demanda-t-il d'un ton moqueur, si tu rentrais un jour et me trouvais au lit avec une fille ?

— Je m'en irais, dit-elle calmement. Tout simplement.

— Oh non, bébé ! Pas question que tu me laisses.

Un instant, les yeux verts de Lara s'assombrirent.

— Ne compte pas trop là-dessus, Joey. Ne compte jamais là-dessus. Je suis plus forte que tu ne le crois.

Quand Nikki rentra, Richard était de nouveau ivre.

— Ça devient une habitude, lança-t-elle froidement. Je croyais que tes jours de beuverie, c'était du passé.

— Quoi ? demanda-t-il d'un ton agressif. Je n'ai pas le droit de me détendre un peu ?

— Où est Summer ?

— Sortie.

— Écoute, Richard, dit-elle, décidée à mettre les choses au clair. Je croyais que tu m'avais encouragée à faire ce film.

— Je ne t'ai jamais dit d'entraîner Lara dans cette aventure, de lui coller sur le dos un metteur en scène minable et de ruiner sa carrière.

— Lara veut faire mon film.

— Elle ne le fait que pour moi.

— C'est ce que tu penses ?

— Sans moi, tu ne connaîtrais même pas Lara.

— Qu'est-ce que c'est que cette remarque ?

— La vérité.

— Je regrette que tu penses cela, dit-elle calmement, nullement disposée à se lancer dans une nouvelle scène. Peut-on en discuter plus tard ? Pour l'instant, je prépare le dîner.

Plus tard, il était trop ivre et ils allèrent se coucher sans échanger un mot.

Summer et Tina retournèrent au *Pot,* une boîte de nuit à la mode, où elles dansèrent toute la nuit, tantôt l'une avec l'autre, tantôt avec une succession d'hommes différents. Elles finirent par s'asseoir, leurs jeunes corps bronzés luisant de sueur.

— Hier soir, raconta Summer, Mick Stefan et Aiden Sean dînaient chez ma mère. Tu te rends compte ? Mick a failli pisser dans son froc ! Cet abruti d'Aiden a fait semblant de ne pas me connaître.

— Quel nul ! lança Tina.

— Tu sais ce que j'ai fait ?

— Quoi ?

— J'ai pris un taxi jusqu'à sa piaule et je lui ai dit ses quatre vérités.

— Tu as fait ça ?

— Enfin..., dit Summer en pouffant. En fait, j'y suis allée pour coucher avec, mais il n'a rien voulu savoir. Il doit être homo.

— Vraiment ?

— Sinon, je ne vois pas pourquoi il aurait refusé.

— Tu sais, Summer, reprit Tina, si c'est une vedette de cinéma que tu veux, je peux t'en trouver à la pelle.

— Pas question.

— Mais si, insista Tina. Et... par-dessus le marché... ils te paieront pour ça. Plein, plein de fric !

— Fichtre !

— Si tu parles sérieusement, je vais t'arranger ça, poursuivit Tina. Seulement, dans ce cas, il ne s'agit pas de me faire faux bond.

— Vas-y. Je suis prête à tout.

— Tu es sûre ? interrogea Tina. Parce que je ne le fais pas par amusement. C'est pour de vrai et, si je te mets dans le coup, pas question que tu me laisses tomber.

— Promis.

— D'accord. Appelle-moi demain matin.

Une nouvelle aventure. Summer avait hâte d'y être.

36

Injustement emprisonnée pour avoir harcelé et attaqué sa meilleure amie, Alison Sewell passa le plus clair de son temps en prison à préparer et à mijoter sa vengeance. Sa peine de dix-huit mois fut réduite de moitié. Neuf mois sous les verrous. Bouillant de haine pour la femme qui était la cause de cet enfer.

Lara Ivory. Cette garce. Quelle putain ! Ce n'était pas une amie, après tout : c'était une ennemie, comme les autres. Lara Ivory avait trompé tout le monde avec son beau visage, mais Alison avait compris : c'était seulement un masque derrière lequel se dissimulait une femme méprisante.

Alison savait qu'à peine sortie elle devrait agir contre Lara Ivory. Oui, elle allait faire disparaître à jamais ce doux sourire de ce visage d'ange.

Mais en attendant, la prison, pas d'appareil photo derrière lequel se cacher. Chaque jour, sa soif de vengeance augmentait.

37

— Où avez-vous fait vos études ? demanda Mick en se balançant sur son fauteuil.

— Quelle importance ? répondit Joey.

Il savait que ce type le détestait : il était trop beau gosse pour la plupart des hommes, surtout pour quelqu'un comme Mick avec sa tignasse, son visage pointu et ses vêtements de mauvaise qualité. Il devait pourtant y avoir un moyen d'établir le contact. C'était toujours le cas.

— L.A., New York ? insista Mick.

— Je... euh... j'ai étudié à New York. Des cours de théâtre, des ateliers, des choses comme ça. Puis j'ai eu l'occasion de jouer dans *Solid*.

— Il me semblait bien vous avoir déjà vu quelque part, fit Mick. Pourquoi une telle absence après cela ?

— Des problèmes de famille m'ont obligé à rentrer chez moi quelque temps, marmonna Joey. À peine revenu à New York, j'ai décroché un rôle dans *Le Rêveur*.

— C'est là que vous avez rencontré Lara, n'est-ce pas ? Sacrée bonne femme. Une vraie beauté.

— Ça oui, renchérit Joey.

— C'est pas mal, ricana Mick, quand elles sont bien

roulées *et* qu'elles veulent aussi vous trouver un boulot.

Joey tout d'un coup sut exactement comment s'entendre avec ce crétin.

— Je la saute : pourquoi est-ce que je ne serai pas dans son film ? dit-il paisiblement.

Ça, c'était le genre de discours que Mick comprenait.

— Pigé ! Écoutez... je peux toujours virer quelqu'un s'il le faut. Il y a ce vieux policier avec un jeune coéquipier. Je voyais le jeune plutôt noir, mais il n'y a aucune raison pour que ça ne puisse pas être vous.

Il lui lança un script à travers le bureau.

— Bien sûr, je vais devoir me débarrasser de l'acteur noir, ce qui veut dire que l'Association pour la défense des gens de couleur va me traîner dans la boue, mais peu importe. Page 52... vous voulez lire ?

Joey prit le scénario.

— Qui est-ce qui me donne la réplique ?

— Moi. Je jouerai le vieux policier. J'ai été acteur, vous savez.

— Ah oui ?

— Vous n'avez pas grand-chose à dire, mais vous êtes présent pour surveiller votre petite copine.

Il ricana.

— Elle doit être géniale au lit, non ? Les filles qui ont de la classe se déchaînent pour un rien.

— On pourrait le dire, répondit Joey en cherchant la page.

Mick lui fit un clin d'œil.

— Peut-être que lorsqu'on travaillera ensemble... quand on traînera un peu... on pourra en venir aux détails. Qu'est-ce que vous en dites ?

— J'en dis qu'au moment où je ferai le film vous et moi pourrons traîner autant que vous voudrez.

— Bien, lisons ce fichu texte.

— Richard ? lança Lara en coinçant le téléphone sous son menton. Nikki est encore là ?

— Qu'est-ce qui se passe ? demanda Richard. Tu ne veux pas me parler ?

— Tu es toujours si occupé.

— Jamais pour toi, mon ange.

— C'est gentil.

— Attends de voir le film, Lara. Ton interprétation est superbe.

Elle se rappela les paroles de Joey : Richard avait encore un faible pour elle. Elle le savait mais elle n'en était pas flattée pour autant. La seule raison pour laquelle Richard la désirait, c'était parce qu'il ne pouvait pas l'avoir.

— J'ai hâte de le voir.

— J'ai arrangé une projection.

— Nikki est là ?

— Je pensais, dit Richard sans la moindre intention de lâcher le téléphone, que toi et moi on devrait déjeuner ensemble.

— Ce serait une excellente idée, mais pour l'instant mon emploi du temps est terriblement chargé.

— Personne ne comprend ça mieux que moi. Mais réfléchis, Lara... combien de gens s'intéressent *vraiment* à toi ? Tu n'as aucune famille.

Elle avait raconté à Richard la même histoire qu'à tout le monde : toute sa famille était morte dans un accident de voiture. Elle avait été élevée par une lointaine parente — aujourd'hui disparue. C'était plus sûr de ne jamais révéler la vérité.

— Je me fais du souci pour toi, Lara, poursuivit Richard. Le type que tu as amené avec toi l'autre soir... cet acteur... qui est-ce ?

Elle n'était pas d'humeur à répondre à des questions.

— Pourquoi donc ne cesse-t-on pas de me demander qui il est ? Qu'est-ce qu'on attend de moi ? Que je fournisse un audit de tous les hommes avec qui je sors ?

— Ça fait près d'un an qu'on ne t'a vue avec personne. Avant, c'était Lee.

— Tu marques le score ? demanda-t-elle, agacée.

— Lee était un type bien, reprit-il, sans se soucier de son commentaire acide. Mais personne ne sait rien de ce Joey. D'où sort-il ?

— Richard, je suis une adulte. Je n'ai pas besoin de chaperon.

— Ça ne te ressemble pas, mon chou. Il faut vraiment qu'on discute.

— Et Nikki ?

— Ça ne la gênera pas, dit-il en s'éclaircissant la gorge. Demain, au déjeuner. *Bistro Gardens* dans la Valley.

— Bon, d'accord. Mais pas d'interrogatoire, parce que je suis très heureuse. En fait, je suis plus heureuse que jamais.

— Je ne veux que ton bonheur, mon ange.

— Maintenant, puis-je parler à Nikki ?

— Ne quitte pas.

Il alla la chercher. Quelques instants plus tard, elle avait Nikki en ligne.

— À quelle heure pars-tu ? demanda Lara.

— Bientôt. Pourquoi ?

— La lecture est à 10 heures ?

— Tu es prête, n'est-ce pas ?

— Bien sûr.

— Alors quoi ?

— J'ai hâte de savoir le résultat du rendez-vous de Joey avec Mick : tu pourrais peut-être m'appeler quand tu arriveras là-bas.

— Écoute, tu m'as donné un ultimatum. J'en ai fait part à Mick. Il engagera Joey : il doit le faire.

— C'est vrai ?

— Lara, c'est toi la vedette : tu l'as expliqué très clairement.

— Je ne voulais pas dire que je m'en irais si on ne l'engageait pas.

— C'est bon, soupira Nikki, je comprends.

Nikki n'était pas contente : dommage. On ne pouvait pas tout le temps plaire à tout le monde.

Elle pensa à Joey et sourit. Il la traitait comme une femme, non comme une vedette de cinéma. Elle n'avait jamais rencontré quelqu'un comme lui et voilà que tout le monde le critiquait. Que lui importaient ses antécédents, son passé ? Elle devait en convenir, elle éprouvait une certaine curiosité à propos de son ancienne fiancée, Philippa, dont il ne parlait jamais. Mais, au fond, c'était bien normal d'avoir des secrets. Elle avait les siens, qu'elle n'avait pas l'intention de partager non plus.

Elle était presque prête quand elle se surprit à entrer dans la chambre de Joey. Ses deux valises étaient par terre : entassées l'une sur l'autre. Elle se sentait coupable de faire irruption dans sa vie privée, néanmoins c'était plus fort qu'elle. Elle inspecta la penderie : peu de vêtements, pas un costume. Elle était disposée à lui acheter tout ce qu'il souhaitait : une voiture, des vêtements, peu importait. Son avenir était avec lui.

Jamais l'idée ne lui était venue qu'il pourrait être avec elle pour l'argent. Sans fausse modestie, elle savait qu'elle pourrait avoir tous les hommes qu'elle désirait, et pas seulement parce qu'elle était une vedette de cinéma. Non, sa célébrité n'était pas son principal attrait. C'était sa beauté. Elle l'appelait parfois sa beauté maudite.

Lorsqu'elle se rappelait sa jeunesse... les jours lointains et sombres... les temps de cauchemar où régnait le silence... son visage s'assombrit. Non ! il fallait oublier.

Elle ne trouva rien de personnel dans la pièce. Pas de photos, pas de papiers, rien. Elle rougit de honte quand elle ouvrit la valise du dessus pour tomber sur un tas de chaussettes sales, de T-shirts et de sous-vêtements. L'autre valise était fermée à clé.

Elle regarda autour d'elle mais ne trouva aucune clé. Honteuse de fouiner ainsi, elle quitta à la hâte la chambre pour se heurter à Mme Crenshaw dans le couloir.

— Tout va bien, Miss Lara ?

— Oui, je vous remercie.

Elle avait demandé à Joey de l'appeler dès que son entretien avec Mick serait terminé. Il ne l'avait pas encore fait. Elle espérait que tout allait bien.

Elle s'habilla précipitamment et quitta la maison. Elle arriva de bonne heure aux bureaux de production. En entrant, elle aperçut Joey dans la grande salle, assis à une table avec Mick et deux membres de l'équipe. Ils riaient en buvant un café. Elle supposa alors que tout s'était bien passé.

— Salut, bébé.

— Bonjour, Joey, répondit-elle un peu froidement parce qu'il n'avait pas téléphoné.

Il la plaqua contre lui et l'embrassa afin de bien montrer à tout le monde qu'elle lui appartenait.

Mick se leva avec un petit sourire complice.

— Bonjour, Lara. Vous êtes là de bonne heure.

— Oui. Joey, on peut descendre prendre un petit déjeuner ?

— Bien sûr, bébé. (Se tournant vers ses compagnons :) À tout à l'heure.

Pourquoi Lara avait-elle cette déplaisante impression qu'on avait parlé d'elle ?

— Tu devais m'appeler, dit-elle dès qu'ils furent dans l'ascenseur.

— Je n'arrivais pas à me dépêtrer de Mick. Après m'avoir donné le rôle du deuxième policier, il n'arrêtait pas de parler. Qu'est-ce que je pouvais faire ?

— Alors, il t'a engagé ?

— Bien sûr. Et la bonne nouvelle, c'est que je serai là pour te surveiller.

— Je n'ai besoin de personne. Quand je travaille, je suis très concentrée.

— Je m'en doute, mais tu as quand même besoin de quelqu'un pour te protéger.

— Cassie me suit partout.

— Non, non, bébé, insista-t-il. Sur ce film-là, c'est de moi que tu auras besoin.

— En tout cas, je suis ravie que tout se soit arrangé. Tu ferais mieux d'appeler ton agent pour s'occuper du contrat.

Il avait la vague impression que Madelaine Francis n'apprécierait pas beaucoup son coup de téléphone.

— Je n'ai pas envie d'utiliser celui que j'avais à New York, dit-il.

— Alors, adresse-toi au mien. Je vais demander à Cassie de te prendre un rendez-vous.

— Pourquoi tu ne l'appelles pas toi-même ?

— Si tu préfères.

Ils sortirent de l'immeuble et allèrent au petit café. Sitôt assise, Lara prit son portable pour appeler Quinn à son bureau.

— J'ai un nouveau client pour toi, dit-elle brièvement. Joey Lorenzo. Un très bon ami à moi. Il a besoin de toi pour négocier son contrat sur *Vengeance*... Oui, Quinn, reprit-elle, je sais qu'il n'y a pas d'argent sur ce film. Fais de ton mieux.

Elle posa la main sur le micro.

— Joey, tu peux le voir demain matin ?

Il acquiesça.

— D'accord, il sera là vers 10 heures. Merci, Quinn. Voilà, fit-elle.

Joey se pencha en fixant sur elle un regard langoureux.

— Pourquoi es-tu si gentille avec moi ?

— Parce que tu es bon avec moi aussi, répondit-elle doucement. Ça marche dans les deux sens.

— J'essaie.

— Tu y arrives.

La serveuse vint prendre leurs commandes : une omelette et une tisane pour Lara. Un café et une pâtisserie danoise pour Joey.

— As-tu vu Nikki ce matin ? demanda-t-elle.

— Non. Pourquoi ?

— Elle n'est pas très contente : elle trouve que j'ai fait pression sur elle pour qu'elle t'engage. Mais je sais que tu ne me laisseras pas tomber.

— Maintenant, dit-il avec assurance, Mick le sait aussi. J'ai fait une assez bonne lecture.

— J'en suis sûre.

Ils échangèrent un sourire complice.

38

Une fois de plus, Summer se réveilla tard : ça devenait une habitude, et pourquoi pas ? Elle n'avait plus aucune obligation. Mme Stern, la gouvernante de son père, était une vieille harpie. C'était stupéfiant d'être loin de tout ça : de vivre sa vie sans craindre que son père vienne la molester... sans l'image de son visage penché sur elle au milieu de la nuit. Elle frissonna à cette pensée. Ah ! la liberté... Elle avait hâte de quitter définitivement Chicago.

La veille, elle était rentrée à 4 heures du matin et elle avait rencontré Richard dans la cuisine.

— C'est maintenant que tu rentres ?

Oh non ! Pas de sermon. Surtout pas !

— J'étais chez ma copine, avait-elle expliqué. Le feu a pris dans la cuisine, il y avait de la fumée partout. Je suis rentrée après.

Richard avait éclaté de rire.

— Très inventif, ma chérie. Garde ce genre d'histoires pour ta mère.

Elle avait pouffé. Richard ne se montrait jamais sévère. Elle n'arrivait pas à comprendre pourquoi Lara et lui avaient divorcé. Lara était si douce et si belle : comment un homme pouvait-il la quitter ?

Elle retourna dans son lit, puis se rappela qu'elle avait promis d'appeler Tina, qui lui avait parlé de rencontrer des stars et de gagner de l'argent.

Si elle parvenait à en gagner assez, jamais elle ne serait obligée de rentrer à la maison.

À 10 heures, les acteurs étaient rassemblés pour la lecture dans une grande salle de réunion sous les bureaux de la production. Nombre d'entre eux traînaient autour de la machine à café et liaient connaissance. Maintenant qu'il participait au film, Joey décida que ce serait peut-être une bonne idée de faire un peu de charme à Nikki. Il s'approcha d'elle.

— Je vous dois un grand merci. C'est grâce à vous que j'ai obtenu ce rôle.

— C'est Lara qu'il faut remercier, pas moi.

— Oh ! je le ferai.

— N'y manquez pas.

— Vous êtes de bonnes amies, n'est-ce pas ?

— Certainement.

— C'est formidable. L'amitié, c'est important.

Nikki s'arrêta et le considéra un long moment sans rien dire. Qu'est-ce qu'il voulait ? Son approbation ? De toute évidence.

— Beaucoup de gens aiment Lara, y compris Richard et moi. Alors, Joey, il faut que vous sachiez que si jamais vous lui faites du mal...

— Hé, je suis peut-être nouveau dans sa vie, mais j'aime et je respecte Lara.

Nikki s'éloigna.

Elle n'était pas commode, Joey ferait mieux de persévérer : c'était la meilleure amie de Lara, il avait besoin d'elle dans son camp.

Lara s'installa au bout de la grande table de conférence en faisant signe à Joey de venir s'asseoir à côté d'elle. Il obéit. Mick se leva et fit ensuite un discours passionné. Nikki fut impressionnée. Un bon metteur en scène devait être avant tout un bon meneur d'hommes et, malgré toutes ses faiblesses, Mick avait au moins cette qualité.

Aiden Sean arriva en retard, en jean crasseux et T-shirt froissé, avec ses habituelles lunettes noires.

— Ravie de vous voir, lança Nikki quand il passa auprès d'elle.

Il abaissa ses lunettes pour la regarder par-dessus ses verres.

— Ne vous en faites pas pour moi, marmonna-t-il. Vous avez des problèmes plus immédiats.

Elle fronça les sourcils. Pouvait-il savoir qu'entre Richard et elle ça ne marchait pas fort ?

— Que voulez-vous dire ?

— Laissez tomber.

La lecture commença.

Lara était formidable. À mesure qu'elle lisait le rôle de Rebecca, l'institutrice, elle incarnait le personnage. Joey s'en tira fort bien avec ses quelques scènes. À la fin de la lecture, Lara était épuisée.

Mick se précipita et l'embrassa sur la bouche.

— Vous êtes merveilleuse ! s'écria-t-il. Je n'aurais jamais cru que vous pourriez être aussi douée.

Nikki la serra dans ses bras, incapable de lui en vouloir plus longtemps.

— Je suis si heureuse, dit-elle. Tu es tellement plus qu'une simple vedette de cinéma : ce film va enfin t'imposer comme tu le mérites.

— Je ferai de mon mieux, répondit Lara modestement.

— Ton mieux est déjà stupéfiant !

Elles s'étreignirent de nouveau.

— Je suis désolée de t'avoir cassé les pieds, reprit Nikki. Je me rends compte que si tu aimes Joey, ce doit être un type bien. Aujourd'hui il a été parfait.

— Je ne voulais pas te forcer à l'engager. Simplement, il n'arrive pas souvent qu'il se présente quelqu'un de spécial. Si Joey ne travaillait pas, il était obligé de rentrer à New York et tu te serais retrouvée avec une comédienne bien malheureuse.

— C'est arrangé, lui dit Nikki avec entrain. Maintenant... la grande question : te sens-tu à l'aise avec Mick ?

— Ce n'est pas Richard, mais je suis certaine que nous nous entendrons. À propos, tu savais que Richard m'avait appelée ?

— Qu'est-ce qu'il voulait ? Se plaindre de Joey ?

— Il m'a invitée à déjeuner demain. Tu viendras ?

— Je ne peux pas : trop de travail.

— Ça ne t'ennuie pas ?

— Que Richard et toi déjeuniez ensemble ? Oh ! mais si, ça me met dans tous mes états. Ç'aurait quand même été gentil s'il m'avait invitée aussi.

— Après tout, c'est ton mari.

— Oui, j'en ai de la chance...

— Tout va bien ? demanda Lara, qui percevait de mauvaises vibrations.

— Bien sûr. Pourquoi veux-tu que ça n'aille pas ?

— Si tu as envie de parler...

— Oui, oui, je sais... tu es passée par là. Je te remercie quand même.

Lara jeta un coup d'œil autour d'elle, cherchant Joey. Il était à l'autre bout de la salle, en pleine discussion avec une jeune assistante de production aux longs cheveux bouclés remarquablement bien faite. Elle éprouva un petit frisson de jalousie. Ridicule ! Elle n'avait jamais été jalouse.

— Comment ça se passe avec Summer ? demanda-t-elle, se forçant à se tourner de nouveau vers Nikki.

— Je ne la vois presque jamais, mais a priori tout va bien. J'ai décidé de lui laisser plus de liberté. De plus, elle veut s'installer ici.

— Tu crois que c'est une bonne idée ? C'est une ville dure pour une adolescente.

— Je sais, soupira Nikki. Mais, pour l'instant, je n'ai pas le temps de jouer les mères protectrices.

— Il faudrait peut-être la renvoyer à Chicago en attendant la fin de ton film.

— Tu as raison. J'appellerai Sheldon demain.

— Elle ne devrait pas sortir comme ça toute seule.

— Summer t'a-t-elle dit quelque chose que je devrais savoir ?

— Non, c'est seulement que je me souviens que la première fois où je suis venue à L.A., je n'avais que dix-neuf ans et, crois-moi, je sais comment la racaille de cette ville s'en prend aux jeunes filles.

— Oui. Mais je suis sûre qu'indomptable comme tu es tu t'en es tirée brillamment.

Le regard de Lara s'assombrit. *Si seulement Nikki savait.*

De nouveau elle lança un coup d'œil dans la direction de Joey. Il venait la rejoindre, le sourire aux lèvres.

— Vous ne trouvez pas qu'elle est formidable ? demanda-t-il à Nikki. Cette femme est stupéfiante !

— Moi, je l'ai toujours pensé.

Il attira Lara contre lui, sa main caressant ses fesses bien rondes.

— Ma star. Mon bébé. Tu es la meilleure !

Hmm, se dit Nikki. *Il tient à ce que tout le monde sache qu'il a des droits de propriétaire.*

Summer retrouva Tina à la terrasse d'un restaurant de Sunset Plaza Drive. Tina était assise avec une belle femme plus âgée.

— Voici Darlene, dit Tina, faisant les présentations. Darlene organise tout.

— Bonjour, Summer.

Darlene avait des cheveux blond cendré relevés en chignon, des dents blanches et régulières. Elle portait du vrai Chanel et des diamants étincelaient à ses doigts et à ses oreilles.

— Bonjour, répondit Summer, très impressionnée.

— Asseyez-vous, ma chérie. Il paraît que vous souhaiteriez travailler pour moi.

Summer jeta un coup d'œil à Tina, qui hocha la tête, l'air rassurant.

— On en a parlé, lui rappela Tina. Tu sais... l'histoire des vedettes de cinéma.

— Oh ! Euh... oui.

— Il se trouve, reprit Darlene d'un ton suave, qu'il y a une jeune vedette de cinéma, un très beau garçon, qui serait ravi de vous rencontrer.

Voilà qui s'appelait ne pas perdre de temps !

— Ah oui ?

— Ça vous intéresse ?

Elle n'avait absolument rien à perdre mais beaucoup d'argent et sa liberté à gagner.

— Bien sûr.

— Que diriez-vous de cinq cents dollars en liquide ?

Summer n'en croyait pas ses oreilles.

— Euh... formidable, réussit-elle à articuler.

— C'est un détail, reprit Darlene. Vous n'êtes pas vierge, n'est-ce pas ? Vous savez prendre vos précautions ?

Non, grâce à mon petit papa, je ne suis plus vierge depuis l'âge de dix ans.

— Oui, je sais prendre mes précautions.

— Demain soir, reprit Darlene en se levant. J'ai tout organisé. Tina vous donnera les détails. Vous aviez raison, ma chérie, dit-elle en se tournant vers celle-ci, Summer est tout à fait charmante.

Elle se dirigea alors vers une Mercedes avec chauffeur garée devant le restaurant. Elle y prit place et la voiture démarra en douceur.

— Fichtre ! s'exclama Summer. Qui est-ce ?

— Elle est géniale, non ? remarqua Tina, admirative. Je veux être comme elle un jour. Je voudrais que tu voies sa maison !

— Où l'as-tu rencontrée ? demanda Summer.

— Comme ça, fit Tina d'un ton vague. Je posais pour des photos et une des autres filles nous a présentées. Darlene, c'est le top. J'ai gagné des tonnes de fric avec elle. Tu te feras beaucoup d'argent, toi aussi, mais surtout, ne lui dis pas que tu n'as que quinze ans : j'ai dit que tu en avais dix-sept. N'oublie pas ça.

— Je sais.

— Garde tout ça pour toi, la prévint Tina. N'en parle pas à Jed. Ni aux autres. C'est notre secret.

— Je sais garder un secret.

— J'étais sûre que je pouvais te faire confiance.

39

Richard héla le sommelier et commanda une bouteille de chardonnay.

— Je ne bois pas, dit Lara, regrettant déjà d'avoir accepté ce déjeuner.

— Allons, mon ange. En souvenir du bon vieux temps.

— Le bon vieux temps ? Je croyais que le but de ce déjeuner était de parler de Joey.

— Bien sûr, mais cela ne veut pas dire que nous ne pouvons pas prendre un peu de bon temps. Un verre de vin avec ton ex-mari, c'est si terrible que ça ?

— Il faut que je te parle sincèrement, Richard. Je serais bien plus à l'aise si Nikki était ici.

— Comment peux-tu dire ça ? J'étais ton mari, bon sang. Ça n'est pas comme si nous avions un rendez-vous secret.

— Tu as sans doute raison.

Elle avait un emploi du temps bien rempli. Des interviews pour la télé australienne et avec un journaliste du magazine *Première.* Déjeuner avec Richard. Puis à nouveau des interviews pour la presse écrite. Elle aurait pu passer une si bonne journée, seule avec Joey...

Ah ! Joey... Pensait-elle trop à lui ? Non, pour une fois, elle était heureuse.

— Es-tu heureuse ? demanda Richard comme s'il lisait dans ses pensées.

— Très. Joey me laisse libre d'être moi-même.

Il la dévisagea, en se demandant comment il avait pu laisser cette femme s'en aller.

— C'est une déclaration intéressante. Qu'est-ce que ça signifie au juste ?

— Oh ! je ne sais pas.... Avec lui, j'oublie mes inhibitions, je me sens totalement libre.

— Sexuellement ?

— Ça ne te regarde pas.

— Allons ! Puisque nous parlons avec une telle franchise, c'était justement une des raisons pour lesquelles je me suis mis à chercher d'autres femmes.

— Je te demande pardon ?

— Ne prends pas ça mal, dit-il, craignant d'avoir passé les limites. Mais, mon chou, il faut que tu en conviennes : tu n'as jamais été à proprement parler une aventureuse au lit. Il y a des moments où un homme a besoin de plaisirs plus épicés.

— Tu sais, Richard, je n'ai peut-être pas été aussi aventureuse que tu aurais pu le souhaiter, mais as-tu jamais pensé que tu semblais préférer la télé au sexe ?

C'était la seconde fois qu'on lui disait cela. D'abord Nikki. Maintenant Lara !

— Si tu veux qu'on trouve des raisons..., commença-t-il.

— Absolument pas, dit-elle en l'interrompant.

Elle se rendait compte que le plus intelligent serait d'intervenir avant qu'ils ne soient lancés dans une vraie scène.

— Ce déjeuner était une erreur. En fait, je préfère partir maintenant.

— Tu ne peux pas me faire ça.

— Tu m'as fait venir ici sous un faux prétexte pour pouvoir parler de notre passé. Tu sais, Richard, je crois que tu es jaloux parce que j'ai trouvé quelqu'un avec qui je m'entends à merveille.

— Tu es ridicule ! protesta-t-il.

— Joey est jeune et beau. On passe des moments formidables ensemble et ça te reste sur l'estomac. Alors ne commence pas à me raconter que je ne valais rien au lit. Laisse-moi te dire une chose : quand une femme n'est pas bonne au lit, c'est parce que l'homme ne l'inspire pas. Alors... restons amis et que chacun s'occupe de ses affaires. D'accord, Richard ?

Sans lui laisser le temps de répondre, elle se dirigea vers la porte. Dehors, elle essaya de retrouver ses esprits. On lui amena sa voiture et elle partit aussitôt. Comme elle avait une heure à perdre avant ses premiers rendez-vous, elle s'arrêta pour faire quelques courses.

Linden, son attaché de presse, un beau Noir d'une quarantaine d'années, fut ravi de la voir.

— Comment va ma cliente préférée ? demanda-t-il en l'embrassant sur les deux joues.

— Fatiguée.

— En tout cas, ça ne se voit pas.

Linden était un ancien cascadeur qui avait perdu un bras au cours d'un film qui avait mal tourné. Elle l'avait aidé à s'en tirer en mettant de l'argent dans l'agence de relations publiques qu'il avait montée et en devenant sa première cliente. Aujourd'hui, six ans plus tard, il avait extrêmement bien réussi et était très estimé dans le métier. D'après lui, il lui devait tout, mais elle riait en refusant de s'en attribuer le mérite.

Linden l'installa dans un bureau et elle appela chez elle. Mme Crenshaw lui annonça que Joey était sorti. Lara fut déçue, elle avait envie de lui parler.

Elle n'avait qu'à penser à lui pour frissonner d'excitation.

Elle sourit. Joey la faisait toujours sourire et c'était exactement ce qu'elle aimait chez lui.

— Merci de me recevoir, dit Joey.

Comme si j'avais le choix, songea Quinn Lattimore.

Comme Quinn insistait pour avoir plus de renseignements sur lui, Joey resta vague.

— Je repars de zéro, expliqua-t-il.

Je pense bien, se dit Quinn en essayant de comprendre ce qui se passait ces temps-ci avec Lara. D'abord elle avait insisté pour faire ce film minable. Maintenant elle avait obtenu un rôle pour son petit ami et le comble c'était qu'elle comptait sur lui, Quinn Lattimore, pour représenter cet inconnu. Un inconnu cachottier, qui refusait de révéler quoi que ce soit sur son passé, y compris quel agent l'avait représenté à New York. Quinn trouvait tout cela extrêmement suspect.

Il se carra dans son fauteuil et examina Joey. Il fallait le reconnaître : ce jeune homme était extrêmement beau garçon, mais avait-il du talent ?

— Il va vous falloir quelques nouveaux portraits. Je vous conseille d'aller voir Greg Gorman : c'est le meilleur photographe pour les hommes. Il n'est pas bon marché, mais ça vaut l'investissement.

— Qu'est-ce que vous voulez dire par bon marché ?

— Demandez à Lara de l'appeler, conseilla Quinn. Greg l'adore, peut-être qu'il vous fera un prix.

Qui n'adore pas Lara ? se dit Joey.

— Écoutez, monsieur Lattimore, dit-il lentement, il faut que vous sachiez que j'aime beaucoup Lara.

— J'en suis sûr.

— Je compte veiller sur elle, ajouta Joey en le fixant des yeux.

— Elle a besoin qu'on veille sur elle ? interrogea Quinn en haussant les sourcils d'un air cynique.

— Moi, je le crois. Les gens ont parfois tendance à profiter d'une femme seule — surtout une femme connue.

— Moi, déclara pompeusement Quinn, je lui ai conseillé de ne pas faire *Vengeance.* J'ai insisté pour qu'elle prenne des vacances bien méritées, mais, vous connaissez Lara, elle est entêtée, elle n'a rien voulu entendre.

— Elle en fait trop, dit Joey. Si j'avais été avec elle, je ne l'aurais pas laissée faire cela. C'est un rôle trop dur et totalement à contre-emploi.

Quinn décida qu'il serait peut-être prudent de mettre Joey de son côté. Mieux valait être l'ami plutôt que l'ennemi de l'homme qui partageait le lit de sa principale cliente.

— Joey, je vous obtiendrai ce que je pourrai pour *Vengeance.* Mais il faut que je vous prévienne : ils font ce film avec des bouts de ficelle.

— Oui, Lara me l'a dit.

— Bien. Parce que je ne voudrais pas vous décevoir.

Joey acquiesça. Quinn au moins parlait franchement.

— Je vais m'occuper des portraits que vous m'avez demandés.

— Le plus tôt sera le mieux, conclut Quinn.

Joey quitta le bureau de Sunset Boulevard et se dirigea vers l'endroit où était garée la voiture de Lara. Un groupe de musiciens déchargeait leur équipement devant un boîte de rock. Une très jolie fille en robe moulante était assise sur un des baffles en train de se limer les ongles. Elle leva les yeux vers Joey avec un sourire d'invite.

— Salut.

— Bonjour, répondit-il, la remarquant à peine.

— Je ne dirais pas non pour un café.

Autrefois, il aurait sauté sur cette invitation, pourtant aujourd'hui il n'en avait aucunement l'intention. Il avait découvert enfin la femme de sa vie : il n'allait pas gâcher cette occasion.

Assise derrière son bureau, Nikki tentait d'éclaircir la situation. Richard se conduisait comme un imbécile et elle ne savait que faire. Il avait brillamment réussi et son film — *Un été en France* — sortait bientôt. Il n'aurait que de bonnes critiques. Il semblait cependant jaloux de son modeste film.

Ça ne rimait à rien. Hier soir, de nouveau ils avaient à peine échangé un mot. En fait, il était furieux que Lara joue dans *Vengeance*. Eh bien, tant pis : elle ne l'avait pas forcée à dire oui. Lara était libre de ses choix, y compris de choisir Joey, que Richard détestait. Nikki était étonnée de le voir à ce point préoccupé et elle avait envie de lui rappeler que Lara était son ex-femme et que le moment était venu de la laisser s'en aller.

Elle examina une pile de mémos que venait de déposer sur son bureau une assistante de production. Elle décrocha le téléphone et appela Sheldon à Chicago, une corvée qu'elle remettait depuis un moment.

— Comment ça va, Nikki ? demanda Sheldon de ce ton condescendant dont elle se souvenait si bien.

— Très bien, répondit-elle, attendant de voir si c'était lui qui allait le premier parler de Summer.

Il n'en fit rien.

— Les vacances, c'était bien ?

— Très agréables.

Un bref silence.

— Euh... Sheldon, je t'appelle à propos de Summer.

— Que se passe-t-il ?

— Elle veut entrer en classe à L.A.

— Pourquoi donc ?

— Elle se plaît ici.

— J'espère bien que tu ne lui as pas trop laissé la bride sur le cou, lança-t-il d'un ton sévère.

— Tu connais ta fille : ça n'est pas toujours facile de la surveiller. D'ailleurs, elle m'a dit que tu ne lui avais jamais fixé d'heure de couvre-feu.

— Tu n'as quand même pas avalé ça ?

Elle avait horreur de parler à Sheldon : cela lui évoquait tous les mauvais souvenirs de son passé.

— Alors..., reprit-elle d'un ton désinvolte, qu'en penses-tu ? Ça te paraît une bonne idée ?

Un long silence : Sheldon réfléchissait.

— As-tu la possibilité de passer beaucoup de temps avec elle ?

— En fait, en ce moment je produis un film, annonça-t-elle en se demandant comment il allait prendre cette nouvelle.

— Toi, tu produis ? ricana-t-il.

— C'est si bizarre ?

— Mais quelle expérience as-tu ?

— Suffisante, je te remercie.

— Non, déclara-t-il brutalement. Ce n'est pas une bonne idée. Je veux qu'elle rentre dès que possible.

— Je vais le lui dire. Elle va être déçue.

— Ça m'est complètement égal.

Évidemment. Sheldon était aussi sensible qu'un requin mort, avec à peu près autant de personnalité.

— Très bien. Peut-être que, quand le moment viendra pour elle d'aller à la fac, nous pourrons envisager de la faire venir ici. Elle pourrait aller à l'université de Los Angeles ou à celle de Californie du Sud, deux excellents établissements.

— C'est à *moi*, Nikki, de prendre cette décision.

— Pas du tout, c'est à moi aussi. Nous sommes tous les deux ses parents.

— Tu as renoncé à ce droit quand tu lui as permis de vivre avec moi.

Va te faire voir, Sheldon. À qui crois-tu parler ? À la petite fille naïve que tu as épousée ? J'ai changé à présent.

— Si tu te souviens bien, c'est toi qui as insisté pour qu'elle reste à Chicago. Tu ne lui as pas donné le choix.

— Ah... Nikki, Nikki ! tu as toujours été très forte pour trouver des excuses.

La colère commençait à monter en elle.

— Comment va ta femme enfant ?

— Parfait, répondit-il calmement, essaie de m'avoir de cette façon. Seulement, ma chère, ça ne marchera pas. Je te l'ai déjà dit : tu es malade, tu as besoin d'aide.

— Oh, va te faire voir ! lança-t-elle. Tu es toujours un minable !

Puis elle raccrocha, furieuse de s'être laissé emporter ainsi.

Elle n'avait plus maintenant qu'à annoncer à Summer qu'elle ne pouvait pas rester. Bien sûr, si elle était sincère, elle savait que c'était préférable étant donné qu'elle n'avait ni le temps ni l'envie de la surveiller. Summer était mieux avec son père, même s'il était effectivement un authentique emmerdeur.

On frappa à la porte de son bureau et Aiden Sean entra : on aurait dit qu'il venait de se lever, ce qui était sans doute le cas.

— Que se passe-t-il ? interrogea-t-elle.

— Vous avez un air bien tendu.

— Moi, tendue ? Qu'est-ce qui vous fait dire cela ?

— Je sens les émotions.

— Je peux vous aider ? lança-t-elle, bien décidée à ne pas se laisser prendre à ce piège de l'intimité.

— Oui. J'ai besoin de deux ou trois changements dans le script. Je voulais vous en parler avant d'en discuter avec Mick. Il peut être assez tatillon quand il s'agit de changements.

— Autrement dit, vous aimeriez m'avoir dans votre camp ?

— Pourquoi pas ? C'est vous qui commandez.

Elle eut un grand sourire. Elle oublia Sheldon, Richard et tous ses problèmes.

— Avec de la flatterie, vous aurez toute mon attention.

Il acquiesça comme s'il l'avait toujours su.

— Prenons un verre, dit-il. On dirait que vous en avez besoin.

— Ah oui ?

— Oui, patronne.

— Comment se fait-il, demanda-t-elle en le regardant d'un air sceptique, que vous me traitiez toujours comme si j'avais cent deux ans ?

— Peut-être que j'aime bien vous énerver.

— Pourquoi ?

— Parce que c'est facile.

— Merci.

— Alors, Nikki, on le prend, ce verre ?

— Je croyais que vous étiez au régime sec ?

Il sourit.

— J'étais camé, pas alcoolique.

— Ma foi... je prendrais bien un verre de vin.

— On aime picoler, n'est-ce pas ?

Sans relever sa remarque, elle saisit son sac. Il était 18 heures passées : elle devrait rentrer, mais pour quoi faire ? Pour avoir une nouvelle scène avec Richard ? Elle avait besoin de son soutien, pas de ses critiques perpétuelles.

D'ailleurs, si Aiden voulait discuter du script, c'était son devoir de productrice d'être à son écoute.

40

Allongé sur le canapé du bureau, Joey regardait du sport à la télévision quand Lara rentra. Sur la table basse devant lui, une coupe pleine de pop-corn au caramel et un plateau de petits gâteaux sortant du four.

— Je vois que Mme Crenshaw s'occupe de toi, dit-elle, heureuse de voir qu'il semblait s'installer si confortablement.

Ce fut à peine s'il leva les yeux.

— Je l'ai envoûtée.

— Tu les as toutes envoûtées, répondit-elle en lui caressant la joue. Les femmes t'adorent et tu en es ravi.

— Si c'est toi qui le dis...

Elle aurait souhaité un peu plus d'attention : elle n'avait pas l'habitude qu'on la traite cavalièrement.

— Alors ? Raconte-moi comment ça s'est passé avec Quinn.

— Il n'y a pas grand-chose à raconter.

— Il va négocier ton contrat ?

— Tu lui as dit de le faire, non ?

— Oui.

— Eh bien, quand Miss Ivory dit aux gens de faire quelque chose, ils le font. Pas vrai ?

Elle marqua un temps avant de répondre :
— Ça t'ennuie ?
— Je ne sais pas. Je me dis parfois que je ne devrais pas te demander de faire des démarches pour moi. Tu m'as obtenu un rôle dans *Vengeance*, envoyé chez ton agent...
— Joey, tout ce que je peux faire, c'est t'ouvrir la porte. Une fois que tu es à l'intérieur, c'est à toi de faire tes preuves.
— Oui. Tu parles, ils ne me vireront jamais. Pas question de te contrarier.
— Ça n'est pas moi qui t'ai obtenu un rôle dans *Le Rêveur*, observa-t-elle. Tu peux te débrouiller tout seul.
— Oui, je suis un petit malin, marmonna-t-il.
— Quelque chose ne va pas ?
— Je me sens un peu déprimé ce soir, avoua-t-il.
Il finit par lui consacrer toute son attention.
— Pourquoi ?
— Parce qu'aujourd'hui tu m'as laissé tout seul.
— Joey, expliqua-t-elle, certaine qu'il plaisantait, j'ai dû faire de la promotion. J'ai deux films qui sortent bientôt.
— Je sais, je sais... En fait, j'ai un peu le mal du pays.
— Comment ça ?
— Les rues de New York me manquent. Je ne connais personne à L.A.
— Je peux te présenter des gens.
— Oh ! mais oui. Ils vont tous être fascinés de me rencontrer !
Elle décida que la conversation prenait un tour qui ne lui plaisait pas.
— Qu'est-ce que tu veux faire ce soir ? demanda-t-elle pour changer de sujet. On pourrait sortir, rester à la maison... comme tu veux.
— Et toi, qu'as-tu envie de faire ?
— Ça m'est égal, répondit-elle.

— Alors peut-être que je vais regarder la fin du match.

Est-ce qu'il la congédiait ? Elle n'arrivait pas à le croire : elle avait pensé à lui toute la journée et, maintenant qu'elle était rentrée, voilà comment il se conduisait.

— Tu as envie d'être seul ?

— Ça ne te dérange pas ?

— Parfait, à tout à l'heure.

Elle monta rapidement dans sa chambre. Cela faisait à peine dix minutes qu'ils étaient ensemble et voilà qu'il lui faisait la tête. L'avait-elle vexé d'une façon ou d'une autre ? Peut-être qu'il aurait été mieux qu'il descende à l'hôtel. Elle sentit ses yeux s'emplir de larmes.

Elle passa dans sa salle de bains et se regarda dans la glace. Lara Ivory. La belle vedette de cinéma. La femme qui pouvait avoir n'importe qui. Mais oui, bien sûr.

Et la vérité c'est que Lara Ann Miller... vous savez qui elle est... la gosse qui a regardé son père massacrer sa mère et son frère et qui est restée à le regarder se faire sauter la cervelle.

Charmante petite fille.

Sale petite traînée.

Bon Dieu ! Elle n'allait pas commencer à s'apitoyer sur son sort.

Elle revint dans sa chambre et appela Mme Crenshaw.

— Où sont les chiens ?

— M. Joey a dit qu'ils seraient mieux à passer plus de temps dehors dans le chenil.

— Ah, vraiment ? Eh bien, voulez-vous, je vous prie, les faire rentrer tout de suite dans la maison.

— Certainement, Miss Ivory.

Il lui avait dit qu'il adorait les chiens et voilà maintenant qu'il les chassait de la maison. Elle eut un instant la tentation de descendre l'affronter. Mais s'il s'en allait ? S'il lui disait : « Bon, ça ne marche pas, salut » ? Serait-elle assez forte pour supporter une rupture ?

Non. Elle n'était pas disposée à renoncer à leur liaison. Pas encore, en tout cas. Ils devaient mieux se connaître : le temps ferait les choses.

Nikki et Aiden allèrent jusqu'au *Château Marmont*. Aiden avait fermé les yeux : il dormit pendant tout le trajet. *Hmmm,* se dit Nikki, *on ne peut pas dire qu'il fasse des efforts pour être poli.*

— Debout là-dedans, dit-elle sèchement quand ils arrivèrent.

— Je suis crevé. C'est fou ce que c'est épuisant de ne rien faire. J'ai hâte de commencer à travailler.

Ils s'installèrent à une petite table. Aiden commanda son habituel whisky. Elle se contenta d'un verre de vin rouge. Il alluma une cigarette, lui soufflant au visage une bouffée de fumée qui la fit tousser.

— Désolé, marmonna-t-il sans en avoir l'air le moins du monde.

— Alors, vous avez un problème avec le script ?

— C'est nul.

— Je vous demande pardon ?

— Je veux changer mon dialogue... réécrire pas mal de choses et être dédommagé.

— J'imagine que vous plaisantez ?

Il tira sur sa cigarette.

— Absolument pas.

— Impossible, Aiden. On commence à tourner dans quelques jours, on n'a pas le temps de faire des changements. Et puis tout le monde est parfaitement satisfait du script.

— C'est un mélo minable.

Il commençait à l'agacer sérieusement ; *Vengeance* était un excellent scénario.

— Alors, demanda-t-elle froidement, pourquoi avez-vous accepté le rôle ?

— On ne me proposait rien d'autre. Ça n'est pas facile de tourner avec moi... vous ne saviez pas ?

Heureusement, elle avait l'habitude des acteurs : c'étaient tous des gens fragiles et celui-ci plus que la plupart.

— Écoutez. Mick vous a engagé. Il m'a promis que vous étiez en bonne forme et voilà maintenant que vous venez me raconter ça.

— J'en ai ras la casquette, dit Aiden. Ras la casquette d'entendre tout le monde me dire ce que je peux faire ou ne pas faire. Pour l'instant, j'ai envie de sexe. Un petit coup vite fait, ça vous dirait ?

Pourquoi avait-elle accepté de prendre un verre avec lui ? Règle numéro un pour les producteurs : éviter les acteurs.

— Vous êtes dingue.

— C'est pas la première fois qu'on me le dit. Vous voulez baiser ou pas ?

— Non. Je dois rentrer.

— Le petit mari attend patiemment ?

— Qu'est-ce que ça peut vous faire ?

— Vous êtes trop jeune pour être casée avec un vieux schnock comme ça.

— Pourquoi est-ce que vous ne vous concentrez pas sur votre rôle au lieu de me pourrir la vie ?

— Parce que je vous aime bien.

— Ah oui ?

— J'ai un petit faible pour vous, ajouta-t-il en souriant.

— Ça n'est pas réciproque.

— Tout de suite les grands mots.

— Rentrez chez vous, Aiden. C'est en tout cas ce que je vais faire.

— Qu'est-ce que ça fait de vivre avec quelqu'un qui a vingt ans de plus que vous ? demanda-t-il.

— Je n'ai pas de comptes à vous rendre sur mes

goûts, répondit-elle sèchement. Ce n'est pas vous qui m'avez dit l'autre jour que vous vous étiez fait faire des choses par une fille de quinze ans ? Voyons... vous avez trente-quatre ans... Elle devait donc avoir dix-neuf ans de moins que vous.

— Vous avez mal compris. C'est Mick qui s'est envoyé la fille de quinze ans. Pas moi. Je ne donne pas dans les fillettes.

— Alors j'imagine que vous n'allez pas m'aider à faire quelque chose pour le script ? reprit-il.

— Voyez ça avec Mick. C'est lui, le génie créateur.

— J'aimerais quand même vous faire l'amour.

— Aiden, quel romantisme ! Vos petites amies doivent défaillir de plaisir.

— Quelles petites amies ? ricana-t-il. Je n'en ai pas.

— Et la petite de quinze ans ?

— Vous ne m'écoutez donc pas ? C'était Mick. D'ailleurs, c'est une petite emmerdeuse.

— Sans compter qu'elle est mineure, précisa Nikki. Ça ne vous gêne pas ?

— Et vous ? répliqua-t-il.

— Je vous demande pardon ?

— C'est votre fille.

Les mots étaient sortis inconsciemment de sa bouche.

Silence. Nikki devint blême et s'assit brusquement.

— Je vous demande pardon ?

— J'aurais mieux fait de me taire, murmura-t-il. Mick ne s'imaginait absolument pas que c'était votre gamine. Il m'a dit qu'elle lui était tombée dessus comme une groupie... vous savez, comme on en rencontre dans cette ville. Quand il l'a vue chez vous, il a failli tomber raide.

— Oh, mon Dieu ! s'exclama Nikki.

— Ensuite elle rapplique dans mon appartement et commence à me dire que, si je ne la saute pas, elle ira trouver son père et qu'il me fera arrêter parce qu'elle est mineure, etc. C'est mauvais pour mon karma,

Nikki. Alors, soyez gentille, et dites-lui de rester tranquille.

— Est-ce que vous... vous avez couché avec elle ? demanda Nikki, la bouche sèche.

— Moi ? Pas question. C'est une gosse complètement paumée. Vous feriez mieux de faire quelque chose.

Pour une fois, Nikki regrettait de ne pas avoir Sheldon à ses côtés pour partager cet énorme problème.

— Je ne comprends pas. Pourquoi me racontez-vous tout ça ?

— Je n'en avais pas l'intention. Et puis, si je devais avoir quelqu'un de votre famille dans mon lit... ce serait vous.

— Vous êtes répugnant !

— Non... moi, je suis franc, et vous ?

Elle sentait son cœur battre fort. Elle se leva, décidée à reprendre le contrôle de la situation.

— Considérez que c'est une affaire réglée, Aiden. Je vous serais reconnaissante de ne parler de cette affaire à personne. Y compris à Mick. Je m'en occupe.

— Pas de problème.

Elle sortit de l'hôtel en courant et attendit qu'on lui amène sa voiture.

À qui pouvait-elle s'adresser ? À Sheldon ou à Richard ? Ou peut-être valait-il mieux les laisser tous les deux hors de tout ça et régler l'affaire elle-même.

C'était en effet la meilleure solution.

Lara avait un sommeil agité. Elle poussa un cri, s'éveilla brutalement, baignée de sueur.

Elle resta immobile un moment, enveloppée dans les ténèbres, le souffle rauque. Elle sursauta en constatant qu'elle n'était pas seule. Joey était assis dans un fauteuil auprès du lit. Elle se redressa et serra le drap contre sa poitrine.

— Mon Dieu ! s'exclama-t-elle. Tu m'as fait peur.

— Tu devrais fermer ta porte à clé.

— Peut-être que toi tu ne devrais pas rôder partout, répliqua-t-elle en essayant de jeter un coup d'œil à la pendulette sur la table de chevet.

— Il est 2 heures.

Un instant, elle craignit que Richard et Nikki n'aient raison à propos de Joey : qu'est-ce qu'elle savait vraiment de lui ? Absolument rien.

— Qu'est-ce que tu veux, Joey ? demanda-t-elle en s'efforçant de garder un ton détaché.

— Il faut qu'on parle.

— Maintenant ?

— Lara, je suis incapable de m'engager. Tu es trop bien pour moi... J'ai envie de rester ici, mais je ne suis pas sûr de pouvoir te rendre heureuse.

— Mais, Joey, je suis heureuse.

— Je pourrais tout ficher en l'air n'importe quand. Je suis comme ça : égoïste. Ces rapports entre nous, je n'y arrive pas.

— Tu es en train de me dire que tu veux rompre ?

— Je ne sais pas.

— Joey, je comprends tout à fait. Nous sommes tous les deux un peu dépassés par les événements.

— Ce n'est pas que je n'aie pas envie de rester. L'ennui, c'est que je ne peux rien te donner que tu n'aies pas déjà.

— Mais si, chuchota-t-elle.

— Quoi donc ?

— Toi.

— Tu m'as. Tu m'as tout entier.

Elle le serra contre elle, et ce fut à cet instant qu'elle se rendit compte de ses sentiments : elle l'aimait.

— Viens auprès de moi dans le lit.

— Tu es sûre de vouloir que je reste ?

C'était un Joey différent, vulnérable, incertain.

— Oui, bien sûr.

Il se glissa sous les draps et ils se serrèrent l'un

contre l'autre. Quelques instants plus tard, ils s'endormirent paisiblement.

Lara comprit qu'elle avait enfin trouvé ce bonheur inespéré.

J'appelle ça les jours de came. Mais, en vérité, je devrais dire les années de came : le temps passait si vite.

La came s'était emparée de ma vie. La came, c'était ma seule raison de vivre.

Je me suis acheté une baraque à Zuma avec l'argent que j'avais gagné dans mes films d'action et je me suis installé sur la plage. Comme je ne travaillais plus, l'argent n'a pas fait long feu. Je me suis alors maqué avec Christel, un superbe mannequin qui tapinait un peu pour arrondir ses fins de mois.

Je me foutais de tout.

Au bout d'un moment, Christel s'est lassée de m'entretenir : elle m'a posé un ultimatum, soit je mettais un peu d'argent de côté, soit elle partait. J'étais bouffi, complètement inerte, incapable de trouver un engagement. D'ailleurs, je n'en avais pas envie. J'avais perdu toute ambition d'être une vedette de cinéma.

Un de mes dealers m'avait vendu un pistolet.

— Tu as besoin de protection, mon vieux, m'avait-il dit. On vit une époque dangereuse.

J'aimais bien cette arme. C'était mon fidèle compa-

gnon : quand je dormais, je le mettais sous mon oreiller, chargé. Christel était totalement affolée, elle s'imaginait qu'un coup pourrait partir au milieu de la nuit et anéantir un de ses seins ruineux à la silicone. Bref, elle a fini par me plaquer. La garce ! Toutes les mêmes.

Je me suis donc retrouvé, camé jusqu'aux narines, sans argent, et Dieu sait que j'en avais besoin parce que j'étais incapable de passer la journée sans l'assistance d'un peu de pharmacie.

Là-dessus, je me suis souvenu de Hadley. Elle me devait quelque chose car elle m'avait fait virer.

Hadley habitait une propriété en haut d'Angelo Drive, achetée par son petit ami gangster qui habitait New York avec son épouse.

J'y suis allé un soir, rempli de bonnes intentions. Tout ce que je voulais, c'était lui emprunter deux briques jusqu'à ce que je retombe sur mes pieds. Il n'y avait personne à la maison sauf Hadley. Son petit ami ne voulait pas qu'elle ait des domestiques habitant sur place.

Elle est donc venue m'ouvrir la porte elle-même en me dévisageant comme un fantôme.

— Oui, je sais, lui ai-je dit. Ça fait deux ans. Je ne suis pas très en forme, hein ?

— Tu fais pitié. Qu'est-ce que tu veux ?

— Tu m'as manqué aussi.

— Tu es camé, lança-t-elle d'un ton écœuré.

— Ça veut dire que tu refuses de me prêter de l'argent ?

— Va te faire voir.

Une femme me traitant ainsi, je n'en croyais pas mes oreilles.

— Tu veux bien répéter ça ?

— Tu m'as entendue, dit-elle.

Ça suffisait comme ça. J'ai pris mon arme en la braquant droit sur elle.

Elle est devenue très pâle et a battu en retraite dans

la maison, en cherchant un bouton d'appel commodément placé près de la porte.

Pas assez commodément. Vif comme l'éclair, je lui ai tapé sur le bras et je suis entré dans la maison.

Elle s'est mise à se débattre, à me donner des coups de pied et, je ne sais comment, à m'appuyer sur le doigt posé sur la détente. En tout cas, je crois que c'est ce qui s'est passé. Le coup est parti, lui faisant un énorme trou dans la poitrine. Elle est tombée comme une pierre.

Seigneur ! Quoi qu'il puisse m'arriver d'autre, je n'oublierai jamais ce moment-là. J'étais complètement secoué mais malgré tout je me suis rendu compte de mon geste.

J'ai tourné les talons et je suis parti en courant à toute allure. Au beau milieu de l'allée, je me suis rappelé que j'avais touché la poignée de la porte, alors je suis revenu, j'ai remonté ma chemise et essuyé la poignée. Puis je suis retourné à ma voiture et, je ne sais comment, je suis rentré jusqu'à la plage.

Le meurtre de Hadley a fait la seconde page du L.A. Times. Même dans la mort, elle n'avait pas la vedette.

Rien ne me rattachait à elle, mais, à tout hasard, je suis parti pour le Mexique où j'ai passé les deux années suivantes à me désintoxiquer. Ce fut le début d'un nouveau départ.

41

Kimberly devait partir. Elle était devenue geignarde et Richard ne tenait pas à ce qu'elle lui rappelle ses fredaines chaque fois qu'il jetait un coup d'œil dans sa direction. Il n'avait pas couché avec elle plus de quatre ou cinq fois et voilà maintenant qu'elle en voulait davantage.

— Quand est-ce que tu vas parler à Nikki ? ne cessait-elle de dire.

Parler à Nikki ? Elle était folle !

Pourquoi fallait-il que les femmes attachent tant d'importance au sexe ? Mais comment se débarrasser d'elle sans se retrouver avec une plainte pour harcèlement sur le dos ? Kimberly était le genre à ne pas y réfléchir à deux fois avant d'essayer de gâcher la carrière d'un homme.

La vérité, c'était qu'il aurait dû rester marié avec Lara. Elle était belle, peu exigeante et foncièrement gentille. Mais non, il avait fallu qu'il fiche tout en l'air. Quel imbécile ! Il n'oublierait jamais l'expression de Lara quand elle avait surpris la maquilleuse dans sa caravane.

« Je veux divorcer », avait-elle déclaré et, après ça, pas moyen de revenir en arrière.

Avec Nikki, il avait réussi à rester fidèle près de deux ans. Maintenant, Kimberly et ses jolis petits seins lui posaient des problèmes.

— J'aimerais bien revoir ta maison, murmura Kimberly en se hissant près de la fenêtre de son bureau. Je peux ?

— Impossible. Nikki est rentrée.

— Quand vas-tu lui parler ? demanda Kimberly.

— Je vais arranger ça, déclara-t-il sans vergogne.

La danse continuait.

Quand Nikki se gara devant la maison de Malibu, elle remarqua que la Mercedes de Richard n'était pas là ; il était pourtant près de 21 heures. Il en avait sans doute eu assez de l'attendre et était sorti pour manger un morceau. Elle savait qu'elle aurait dû téléphoner mais, franchement, c'était le cadet de ses soucis.

Pendant tout le trajet du retour, elle avait songé aux propos déconcertants d'Aiden. Il lui semblait impossible que Summer ait pu se conduire ainsi. Mais, après tout, elle en était capable.

C'est ma fille, pensa Nikki, *j'étais tout aussi aventureuse à son âge. J'ai épousé Sheldon à seize ans parce qu'il m'avait mise enceinte.*

Telle mère, telle fille.

Oh, mon Dieu ! Que faire ?

La renvoyer à Chicago était sans doute la meilleure solution. Mais avant tout — même si elle redoutait ce moment —, elle devait prendre ses responsabilités : une conversation entre mère et fille, c'est ce qu'elle aurait dû faire depuis longtemps.

Summer avait rendez-vous avec Tina dans le même restaurant de Sunset Plaza où elles s'étaient retrouvées une première fois. Dans la matinée, elles étaient allées courir les magasins et Tina avait prêté de l'argent à

Summer pour l'achat d'une minirobe bain de soleil violette — très sexy — et des sandales à semelles compensées. Ensuite, elle s'était précipitée sur la plage pour travailler son bronzage.

Tout se présentait bien pour la jeune fille, dès l'instant qu'elle évitait de rentrer à Chicago pour retrouver les bras tentaculaires de son père. Juste avant de repartir pour rejoindre Tina, elle rencontra Richard.

— Où vas-tu sur ton trente et un ? demanda-t-il avec un sourire indulgent.

— Encore une soirée, répondit-elle, tirant discrètement sur sa courte jupe qui couvrait à peine le haut de ses cuisses dorées.

— Je croyais que maintenant tu en avais marre des fêtes.

— Oh ! Richard, supplia-t-elle avec ses grands yeux bleus, j'aimerais tellement rester ici pour toujours. Tu as promis d'en parler à maman. Fais-le, je t'en prie.

— J'essaie, répondit-il en lui tendant un billet de cinquante dollars. Tu en auras besoin pour les taxis.

— Merci beaucoup, je t'adore !

Richard était facile à convaincre, surtout depuis que Summer l'avait surpris avec sa maîtresse. Naturellement, elle ne lui en voulait pas d'avoir trompé Nikki — elle s'était souvent demandé ce qu'il trouvait à sa mère, jolie mais stupide. Vraiment stupide pour avoir confié sa fille à un monstre comme Sheldon.

Chaque fois que Summer pensait à sa mère, elle oubliait que c'était elle qui avait déclaré qu'elle n'était heureuse qu'avec son père et qu'elle se tuerait si Nikki ne la laissait pas habiter avec lui. Ces souvenirs étaient lointains et Summer n'aimait pas les évoquer.

Au restaurant, Tina l'attendait, l'air satisfaite.

— Pose tes fesses, dit-elle en tapotant le siège auprès d'elle. J'ai plein de choses à te raconter.

— Quoi donc ?

— Darlene m'a dit que l'abruti de vedette de

cinéma veut nous rencontrer toutes les deux. Qu'est-ce que tu dis de ça ?

— Toutes les deux ? interrogea Summer.

— Tu sais, murmura Tina avec un petit rire complice pour s'amuser. On va se faire du fric, ma poule !

Le serveur arriva. Elle commanda une pizza et un milk-shake. Tina se contenta d'un café glacé.

— Il va nous sortir ? demanda Summer, imaginant une soirée dans une autre boîte branchée.

— Tu es un peu naïve, non ?

— Absolument pas, protesta Summer. J'ai fait des choses que tu n'imaginerais même pas.

— Parfait, déclara Tina en faisant de grands gestes à un type qui passait au volant d'une Ferrari. Il y aura nous deux et lui.

— Je ne comprends pas, ajouta Summer en fronçant les sourcils.

— Allons. Tu ne l'as encore jamais fait avec une fille ? C'est tout ce qu'ils veulent, ces types : lorgner deux filles ensemble.

— Tu veux dire... faire l'amour ? balbutia Summer.

— Et alors ? Tu l'aurais fait gratuitement avec ce voyou d'Aiden Sean.

— Mais lui, je le connaissais.

— Eh bien, bientôt tu connaîtras cet autre type aussi.

— Qui est-ce, d'ailleurs ?

— Je sais pas, mais Darlene prétend que c'est une star. Et, fais-moi confiance, des stars, elle en connaît.

Le serveur apporta leurs consommations.

— Ces types vont être fous de nous ! reprit Tina en riant. En plus, on ne verse pas un sou, ce sont eux qui nous donnent de l'argent, génial, non ?

— Comment ça ? demanda Summer.

— Ils nous paient. Ils savent qu'ils ont affaire à des pros...

Summer réfléchit un moment à la route sur laquelle elle allait s'engager. Faire l'amour avec un inconnu pour de l'argent. Est-ce que ça n'allait pas faire d'elle une prostituée ?

Non. Les prostituées croisaient sur Sunset en faisant des gâteries à l'arrière des bagnoles.

— À quelle heure on le rencontre ? demanda-t-elle, tout à la fois excitée et pleine d'appréhension.

— Pas besoin d'être à son hôtel avant 21 heures. J'ai hâte d'y être, pas toi ?

— Et comment ! s'exclama Summer, qui ne savait pas très bien quels sentiments elle éprouvait.

Pas de Richard pour l'agacer, ni de Summer pour la rendre folle. Aucun des deux n'était rentré.

Nikki ne savait que faire. Devait-elle appeler Sheldon ? Il était minuit passé à Chicago et il n'apprécierait sans doute pas un coup de téléphone aussi tardif. D'ailleurs, elle imaginait la conversation : *Bonsoir, Sheldon. Je suis navrée de t'annoncer que ta petite fille chérie saute sur tous les hommes qui croisent son chemin. Qu'est-ce qu'on va faire ?*

Bien entendu, Sheldon la rendrait responsable. *Pourquoi crois-tu que je ne l'ai jamais laissée vivre avec toi ?* dirait-il. *C'est ta mauvaise influence, Nikki.*

Le mettre au courant ne ferait que compliquer les choses.

Pourquoi fallait-il que sa fille lui complique la vie au tournant le plus important de sa carrière ? Produire un film réclamait déjà beaucoup d'énergie, surtout avec deux zozos comme Mick Stefan et Aiden Sean. Une autre pensée lui vint. Devrait-elle virer Mick pour la relation qu'il avait eue avec à sa fille ?

Non. Le virer maintenant poserait des problèmes trop importants. Après tout, il ne soupçonnait pas que Summer puisse être sa fille.

Oh, mon Dieu ! Que de responsabilités pesaient sur elle ! Peut-être devrait-elle en parler à Richard afin de trouver une solution raisonnable ; mais il n'était pas là.

Elle songea à appeler Lara, puis changea d'avis. Maintenant que Lara vivait avec Joey, elle n'était plus aussi disponible.

Nikki se dirigea vers la chambre de Summer et s'arrêta sur le seuil pour observer le chaos. De toute évidence la femme de chambre avait renoncé : un fatras de vêtements, de CD, de produits de maquillage, de magazines, de boîtes de jus de fruits, d'assiettes sales et quelques tranches de pizza desséchées. Quel bazar !

Elle finit par trouver un bloc-notes et écrivit dessus en gros caractères :

RETROUVE-MOI DANS LA CUISINE À 8 HEURES DEMAIN MATIN. NE QUITTE PAS LA MAISON AVANT QUE NOUS AYONS PARLÉ.

Puis elle posa le bloc au milieu du lit défait de Summer, redescendit dans le living-room et se prépara un verre bien mérité.

Deux heures plus tard, Richard rentrait.

— Salut, commença Nikki, qui en était à sa troisième vodka.

— Salut, répondit-il, indifférent.

— Tout va bien ? fit-elle en le suivant dans la chambre.

— Pourquoi ça n'irait pas ?

— Où étais-tu ?

— Tu veux un rapport écrit ?

— Non, dit-elle en se maîtrisant. Ça ne sera pas nécessaire. Je me demandais simplement si tu avais dîné.

— Oui, merci.

Il avait emmené Kimberly dans un restaurant au bord de la plage. Elle l'avait remercié par une gâterie sur le siège arrière de la voiture. Maintenant il se sentait coupable.

Nikki le suivit. Il avait bu : elle le sentait à son haleine. Elle sentait aussi le parfum d'une autre femme et comprit alors pourquoi il était si distant. Ce minable avait repris ses vieilles habitudes : il la trompait !

Cette fois, c'était la totale ! Elle attendit qu'il fût installé devant son ordinateur, puis elle revint dans la chambre et elle fouilla dans les poches de sa veste — elle s'était pourtant juré de ne jamais agir ainsi.

Gagné ! Un paquet de préservatifs à moitié vide. Un reçu de carte de crédit : deux couverts dans un restaurant de la plage. Un mouchoir avec du rouge à lèvres : pas le sien.

Folle de rage, elle revint à grands pas dans son bureau.

— Fiche le camp de cette maison ! lança-t-elle.

Il la regarda, stupéfait.

— Pardon ?

— C'est déjà assez moche que tu te remettes à boire, reprit-elle en haussant le ton. Mais d'autres femmes ? Ça non.

— Tu as perdu la tête ?

Elle avait le cœur qui battait à tout rompre.

— Oui, j'ai perdu la tête. Je suis folle d'avoir imaginé que tu m'aimais.

— Calme-toi.

— Va te faire voir, Richard ! hurla-t-elle en brandissant sous son nez le paquet de préservatifs.

Elle lança sur le bureau le reçu du restaurant, jeta par terre le mouchoir maculé de rouge à lèvres et se dirigea à grands pas vers la porte.

— Dégage, Richard. C'est terminé. Ne remets jamais les pieds dans cette maison.

42

Norman Barton ouvrit la porte de sa suite, une coupe de champagne dans une main, un joint dans l'autre.

À vingt-cinq ans, de taille moyenne, il avait de grands yeux bruns et des cheveux châtains qui lui pendaient sur le front.

— Bonsoir, mesdames, dit-il avec une politesse exagérée par l'alcool.

Summer le reconnut aussitôt. Il avait joué dans un feuilleton TV puis avait démarré une carrière au cinéma. Il faisait souvent la une des journaux à sensation.

Tina donna un coup de coude à Summer.

— Qu'est-ce que je t'avais dit ? chuchota-t-elle, triomphante.

Dans la suite se trouvait déjà un petit homme maigrelet un peu plus âgé que Norman. Cramponnée à son bras, une brune très grande, à l'air morose, vêtue de cuir noir.

— Posez vos fesses, les petites, dit Norman en désignant le canapé. Dites-moi ce que vous désirez. Un joint, une coupe ? Un petit coup de reniflette ?

— Un joint, répondit hardiment Summer.

Norman lui saisit la main.

— Ah ! voilà le genre de fille que j'aime, dit-il avec un sourire enfantin. Et jolie avec ça. Très jolie...

Summer se sentait déjà plus à l'aise. Tout irait très bien si son rôle s'arrêtait là.

Elle s'assit sur le canapé auprès de Tina. L'autre homme les ignora, tout comme sa compagne.

— Écoute, Norman, dit-il d'une voix sourde et rocailleuse, il faut que je me tire. Tu as mon fric ?

— Tu es bien pressé, grommela Norman. Pourquoi tu ne restes pas à t'amuser un peu avec nous ?

— Il n'en a pas envie, interrompit sa copine d'un air maussade. Donne-lui ce que tu lui dois et foutons le camp d'ici.

— Bon, bon, marmonna Norman en levant les mains. On ne va pas en faire un plat.

Il fit un clin d'œil à Tina et à Summer.

— Attendez toutes les deux bien sagement pendant que je règle ça.

Il entraîna l'homme et sa désagréable compagne, et tous trois disparurent dans la chambre.

— Darlene m'a conseillé de nous faire payer d'avance, déclara Tina en parlant très vite. Le type a un compte chez elle, mais Darlene dit qu'il a beaucoup de retard. Après ce que je viens d'entendre, autant être sûres de toucher le fric.

— Mais..., balbutia Summer, on ne peut pas tout simplement... le demander.

— Pourquoi pas ?

— Qui sont-ils ?

— J'en sais rien, répondit Tina. Sans doute des dealers.

— Des dealers qui le livrent à domicile ?

— Toi, comment fais-tu ?

— Les garçons sur la plage. Au fait, je voulais te poser une question. Quand tu es partie de chez toi... comment t'es-tu débrouillée ?

— J'ai piqué cinq mille dollars dans le coffre-fort de mon beau-père. Je méritais bien ça après tout ce qu'il m'avait fait subir. Ensuite, j'ai loué un appartement et fait quelques photos de mode. Mais dès que j'ai rencontré Darlene, tout a changé.

— Ta mère ne t'a pas fait rechercher ?

— Tu parles ! Cette vieille peau était ravie de ne plus avoir de concurrence. D'ailleurs, j'avais seize ans. C'était légal. Quand vas-tu les avoir ? demanda Tina.

— Dans deux mois, répondit Summer.

— Alors, vas-y. D'ailleurs tu peux rester avec moi. On travaillera en équipe.

— Si seulement je pouvais, soupira Summer.

Elle savait que, si elle disparaissait, son père mettrait tout Chicago à ses trousses.

Norman réapparut, le type et sa petite amie sur ses talons. Ils se dirigèrent vers la porte.

— La prochaine fois, ne nous fais pas attendre, lança la femme en claquant la porte derrière eux.

— Salut. Je regrette que vous ne soyez pas restés pour vous amuser un peu avec nous.

Quand ils furent partis, il reporta son attention sur les filles.

— Bon, mesdemoiselles, déclara-t-il en empoignant la bouteille de champagne. Tout le monde à poil et dans la chambre. Et que ça saute !

— Tout de suite ? demanda Summer innocemment.

— Mais oui ! répéta Tina en bondissant.

— On le connaît à peine, chuchota Summer qui commençait à s'inquiéter.

— Il a plus de vingt et un ans, il est riche et connu, répondit Tina, toujours pratique. On n'a pas besoin d'en savoir plus. Allez, ajouta-t-elle avec impatience. Allons-y !

À contrecœur, Summer la suivit dans la chambre.

43

Summer était déconcertée : Norman la traitait si gentiment. Après les humiliantes expériences avec son père, elle avait toujours considéré le sexe comme une chose répugnante. Mais Norman était différent, il avait envie de rire, de s'amuser et de la mettre à l'aise. Sans compter le champagne qu'il versait comme de l'eau minérale.

Quand le moment vint pour Tina et elle de se livrer à quelques ébats, elle était totalement ivre. En fin de compte, ça n'était pas si terrible.

Norman ne participait pas. Assis dans un fauteuil, il observait, comme s'il regardait un film particulièrement passionnant. Tina l'embrassait partout, ce qui lui donnait encore davantage le fou rire. Elle dut ensuite faire la même chose à Tina, ce qui la dégoûtait un peu.

Quand l'étreinte fut terminée, elle avait hâte de se rhabiller. Norman alors la prit à part, lui tendit un bout de papier avec son numéro de téléphone et dit :

— Appelle-moi. On peut faire affaire directement. Pas de raison de passer par Darlene. OK, mignonne ?

— Ce... ce n'est pas à moi de décider, balbutia-t-elle.

— Tu es une très gentille fille, insista-t-il. Tu as quelque chose de spécial. N'oublie pas de m'appeler.

— Oh ! je n'y manquerai pas, répondit-elle, les yeux brillants.

Là-dessus, il fit appeler deux taxis et les renvoya toutes les deux chez elles.

Assise au fond de la voiture, Summer songeait à cet homme merveilleux et à l'existence de rêve qu'il pourrait lui offrir. Sa richesse et sa célébrité pourraient la tirer des griffes de son père.

Elle se glissa à pas de loup dans la maison de Malibu et aperçut Nikki endormie sur un divan du salon. S'efforçant de ne pas la réveiller, elle gagna sa chambre silencieusement et s'écroula dans son lit tout habillée.

Oui, elle deviendrait peut-être Mme Norman Barton. Ce nom lui conviendrait très bien.

Lara se réveilla la première et vint rouler dans les bras de Joey. Elle l'aimait sincèrement.

Il ouvrit un œil.

— Qu'est-ce qui s'est passé ? murmura-t-il, tout ensommeillé. Il y a eu le feu ?

— Le feu ?

— Oui... un jour, je me suis trouvé pris dans un incendie.

— Quand ça ?

— Oh ! il y a des années, dans un hôtel.

— Dis-moi, Joey, demanda-t-elle en lui caressant la poitrine. Je me disais... je ne connais pratiquement rien de toi.

— Je viens de Floride, répondit-il d'un ton détaché. Mes parents sont morts. Pas d'autre famille. Et toi ?

— Middle West, répondit-elle, n'en révélant pas plus que lui. Parents morts. Pas d'autre famille.

— Seigneur ! s'exclama-t-il. On est vraiment des âmes sœurs.

Elle se blottit tout contre lui.

— Joey ?

— Oui ?

— Faisons l'amour. Faisons l'amour passionnément.

— Maintenant ?

— Non, la semaine prochaine.

— Bon, bon, nymphomane, répondit-il en plaisantant.

Il l'attira sur lui puis l'embrassa langoureusement.

En sa présence, Lara oubliait le reste du monde. Il était sa vie, son amour, elle se serait sacrifiée pour lui.

Nikki s'éveilla aux premières lueurs du jour, pas très en forme. Après avoir jeté Richard dehors, elle avait vidé la moitié d'une bouteille de vodka : ce n'était pas dans ses habitudes, mais il fallait dissiper la tension. De plus, Summer n'était pas rentrée.

Elle se leva du canapé et alla jusqu'à la chambre de sa fille. Elle était enfouie sous les couvertures, dormant à poings fermés. Nikki marcha droit vers le lit et la secoua.

— Qu'est-ce qui se passe ? marmonna Summer. Bonjour, maman, reprit-elle, tout endormie. Pourquoi tu me réveilles ? Il est encore tôt ?

— Oui, il est très tôt, riposta Nikki. Et manifestement tu es rentrée très tard. Où étais-tu ?

— Oh !... à une fête, dit Summer en essayant de rassembler ses idées.

— Chez qui ?

— Un ami à moi.

— Et moi qui croyais que tu étais avec un ennemi, continua Nikki en ricanant.

— Très drôle, maman.

— Je ne cherche pas à être drôle. Je n'en ai aucune envie.

— Qu'est-ce qui se passe ? demanda Summer.

— Eh bien, on m'a dit... quelque chose d'extrêmement dérangeant...

— Quoi donc ?

— Écoute, mon chou. Tu es jeune et sans expérience. Les gens vont essayer de profiter de toi... surtout dans cette ville. Ne mène pas ta vie à un train d'enfer.

Oh, mon Dieu ! Sa mère avait appris la vérité pour Norman Barton : elle était dans le pétrin.

— Summer, je sais ce que tu as fait avec Mick Stefan, et ça n'est pas bien. D'abord, ce n'est pas le genre de chose que tu devrais faire avec qui que ce soit, à moins d'être mariée. On peut attraper des maladies, et pas seulement le sida.

Elle marqua un temps : parler de sexe avec sa fille, c'était épouvantable.

— L.A. est une ville dure, poursuivit-elle, citant Lara. Il y a ici une foule d'hommes qui aiment se servir de jeunes filles. Tu es bien trop naïve pour être livrée à toi-même.

— Maman, j'ai presque seize ans.

— Tu n'as pas entendu ce que je viens de dire ? Je sais ce que tu as fait avec Mick Stefan.

Summer garda un instant le silence.

— Qui te l'a dit ? interrogea-t-elle, en regrettant de ne pas avoir un joint pour faire passer le sermon.

— Peu importe.

— Mick ?

— Non.

— En tout cas, je ne sais pas ce qu'il t'a dit, mais ce n'est pas vrai, murmura-t-elle d'un ton boudeur. Il ne s'est rien passé.

— Je ne demanderais pas mieux, répliqua Nikki. Mais comme je sais que ce n'est pas le cas... voici ce que j'ai décidé. Je t'ai pris un billet d'avion pour rentrer à Chicago.

Cela réveilla Summer d'un coup.

— Non ! hurla-t-elle. Je ne peux pas rentrer là-bas.

— Mais si, tu peux, dit Nikki d'un ton ferme. Et tu vas le faire.

— Pourquoi ? cria Summer. Pourquoi ?

— Parce que tu n'as que quinze ans, que tu dois finir tes études et faire ce que ton père te dit. Peut-être que, la prochaine fois, tu te conduiras comme une personne plus responsable.

— Ça n'est pas juste ! cria Summer.

— Juste ou pas, j'ai pris ma décision.

Quelques heures plus tard, elle conduisit Summer à l'aéroport. Le soir, elle appela Sheldon pour s'assurer que leur fille était arrivée sans encombre.

— Qu'est-ce que tu lui as fait ? demanda Sheldon. Elle est dans un état...

— Je n'ai rien fait, répliqua Nikki en s'efforçant de garder son calme. Tu m'as envoyé une gamine totalement irresponsable.

44

Le tournage de *Vengeance* avait commencé depuis cinq semaines et, malgré sa fatigue, Lara restait très enthousiaste. Jamais elle n'avait participé à un film aussi excitant même si Mick était complètement fou, et véritablement obsédé.

Elle ne vivait que pour le film et pour Joey qui, depuis leur dernière discussion, lui apportait une présence constante et rassurante. Elle l'aimait réellement. Il la libérait de tous ses problèmes et elle se consacrait pleinement à son travail.

Il tournait dans le film et c'était un atout supplémentaire : elle adorait travailler avec lui. Ils répétaient à la maison. Il lui apprit aussi à manier le pistolet — elle eut quelques difficultés car cela évoquait pour elle de très mauvais souvenirs. Mais, avec son aide, elle y parvint, ce qui était une bonne chose. Ainsi, elle serait prête pour la scène où elle devait tirer sur le personnage que jouait Aiden.

Ce matin-là, justement, elle s'éveilla avec une petite crispation à l'estomac : aujourd'hui, on tournait la scène du viol. Peu de dialogues mais beaucoup d'action. Mick lui avait expliqué qu'il comptait filmer la séquence avec trois caméras pour éviter toute erreur.

Malgré tout... elle ne pouvait s'empêcher de redouter ce moment.

Joey sortit de la salle de bains et s'assit au bord du lit.

— Tu devrais peut-être fumer un joint... ça te calmerait.

— Tu sais bien que je ne fume pas d'herbe, lui rappela-t-elle. D'ailleurs, Rebecca n'en fumait pas. Je ne peux donc pas le faire.

Il s'étira, ouvrit les bras, et elle vint se blottir contre lui.

— J'ai une chose à te dire, murmura-t-il en la serrant fort. Quelque chose d'important.

— Quoi donc ? demanda-t-elle, haletante.

— C'est quelque chose que j'aurais dû te dire depuis un moment. Tu vas trouver ça idiot...

— Veux-tu me le dire enfin ?

Il la regarda longuement.

— Bon..., articula-t-il enfin. Eh bien, voilà.

Un long silence.

— Tu sais... je crois bien... que je t'aime.

Elle avait le souffle coupé.

— Tu crois que tu m'aimes ? répéta-t-elle, ravie et soulagée.

— Tu vois..., je t'avais prévenue que ça te paraîtrait stupide.

— Joey, ça n'est pas stupide.

— Ah non ?

— Non. C'est sincère. Je... je t'aime aussi.

Une longue pause.

— En fait, Joey, je crois que je t'aime depuis notre première rencontre.

— Sans blague ?

— Joey ! Je t'en prie ! C'est censé être un instant romantique.

— Ah... tu veux du romantisme ! murmura-t-il en lui caressant la poitrine.

Nikki avait raison : leur relation était en partie fondée sur le sexe, mais il n'y avait pas que cela. Il y avait aussi la chaleur, l'amour et le plaisir d'être ensemble.

Ils firent l'amour tendrement. Quand ce fut terminé, elle s'étira voluptueusement en murmurant :

— Hmmm... ça vaut toute l'herbe du monde.

— Qu'est-ce que tu connais de l'herbe ? demanda-t-il pour la taquiner.

— Oh ! tu crois que je suis un vrai petit prix de vertu ? Laisse-moi te dire une chose : à une époque, j'étais déchaînée.

— Toi ? Tu as fumé un joint, une fois... C'est ça que tu appelles déchaînée ?

— Joey, répondit-elle doucement, tu ne sais pas *tout* de moi.

— Pourquoi ? Tu as des secrets ?

— Peut-être..., chuchota-t-elle, mystérieuse.

— Je t'avouerai les miens si tu me racontes les tiens.

— Quand tu voudras.

Mais tous deux savaient que ni l'un ni l'autre n'était encore prêt à partager ses secrets.

Nikki arriva de bonne heure sur le lieu du tournage. Mick était déjà là, assis à une table près du camion cantine. Elle avait beau le considérer comme un dégénéré, elle ne pouvait s'empêcher d'admirer sa conscience professionnelle.

Tous deux se rendaient bien compte qu'aujourd'hui risquait d'être difficile. La veille, elle avait envoyé des fleurs à Lara avec un petit mot d'encouragement.

Nikki n'avait eu aucune nouvelle de Richard depuis qu'elle l'avait flanqué dehors. Quelque chose était mort entre eux — c'était sans doute la raison pour laquelle il avait repris ses vieilles habitudes. Elle savait au fond de son cœur que c'était à cause de Lara et de l'obsession malsaine de Richard, incapable de supporter que sa femme ait une liaison avec quelqu'un d'autre.

Summer était repartie pour Chicago, et c'était un grand soulagement. Elle l'avait appelée plusieurs fois au cours des dernières semaines et avait eu avec elle quelques conversations un peu crispées.

— Tu viendras peut-être nous voir pour Noël, avait-elle proposé.

— D'accord, avait répondu Summer.

D'un côté, Nikki était soulagée d'être seule. Pas de Richard dans les jambes. Pas de Summer sur les bras. Elle pouvait se concentrer sur *Vengeance*. Sitôt le film fini, elle ferait le point : le divorce n'était pas exclu.

— Bonjour, beauté, dit Mick. Quoi de neuf ?

— Comment sentez-vous cette journée ? demanda-t-elle en s'asseyant auprès de lui.

— Ne vous en faites pas, dit-il avec assurance. Tout ira bien.

— Vous feriez mieux de prévenir les acteurs d'y aller doucement avec elle. Assurez-vous qu'ils ne se laissent pas emporter.

— D'accord, répondit Mick d'un ton railleur. Je vais leur dire de nous faire un gentil petit viol. C'est ce que vous voulez ?

— Vous savez exactement ce que je veux dire, grommela-t-elle avec agacement. C'est Aiden qui m'inquiète.

— Aiden est un acteur formidable. Je ne vous avais pas promis qu'il ne toucherait pas à la came ?

— Si, je dois le reconnaître.

— Allons, ma jolie, rassurez-vous. Nous sommes aux trois quarts du tournage et il n'y a pas eu un seul pépin.

— Ne tentez pas le destin, Mick.

— On est en avance sur le plan de tournage. Alors, détendez-vous.

Mick avait le don de l'agacer, mais elle devait rester en bons termes avec lui jusqu'à la fin de la réalisation.

Règle numéro un du producteur : le film passe avant tout.

Nikki se considérait comme une excellente productrice.

45

Le lendemain de sa sortie de prison, Alison Sewell reçut un mystérieux coup de téléphone. Mystérieux, parce que seuls les directeurs de magazines à sensation avec lesquels elle avait eu affaire autrefois avaient son numéro. Mystérieux aussi parce que son interlocuteur refusa de s'identifier.

— J'ai une proposition intéressante à vous faire, commença-t-il.

Allongée sur son lit, elle se gavait de chocolats en regardant Michelle Pfeiffer à la télévision. Pendant qu'elle était en taule, sa mère était morte : elle avait donc maintenant le luxe de ne devoir rendre de comptes à personne. On l'avait laissée sortir pour l'enterrement : deux heures de liberté surveillée.

— Qui est à l'appareil ? demanda-t-elle.

— Un ami, répondit l'homme. Un ami qui veut vous rendre service.

C'était triste, mais elle n'avait pas d'amis. Seulement Lara Ivory qui s'était révélée être un vrai Judas. D'ailleurs, elle la punirait. Bientôt.

— Quel genre de service ?

— Je sais pourquoi vous étiez en prison, affirma l'homme. Et je pense que c'est une injustice.

— Comment connaissez-vous ma vie ?

— Disons simplement que nous avons un intérêt commun.

— Lequel ? riposta-t-elle.

— Vos appareils sont en état de marche ?

Elle baissa le volume de la télé.

— Vous êtes de la presse ?

— Non. Mais j'ai un reportage pour vous. Quelque chose qui devrait vous plaire.

— Quoi donc ?

— Laissez-moi vous expliquer...

46

Le cœur battant follement, Lara s'engagea dans la rue mal éclairée, vêtue d'une jupe et d'un simple corsage, les cheveux tirés en queue de cheval. Serrant contre elle des paquets de provisions, elle avançait d'un pas vif dans la rue déserte, un sac de cuir en bandoulière.

Elle *était* Rebecca Fullerton, une institutrice qui travaillait dur dans un métier qu'elle aimait et qui soignait sa vieille mère.

La vraie Rebecca était sur le plateau aujourd'hui. Elle observait le jeu de l'actrice. Cela rendait Lara encore plus nerveuse : elle avait douloureusement conscience que le moindre détail devait être exact.

Soudain elle entendit des pas derrière elle.

Mets-toi à la place de Rebecca. Se rendait-elle compte qu'on la suivait ? Non. Avait-elle peur ? Non. La vraie Rebecca avait raconté qu'elle pensait à ce qu'elle allait faire pour dîner.

Elle prit une profonde inspiration et continua à marcher comme si de rien n'était. Comment réagirait-elle dans une situation pareille ? Rebecca avait riposté, elle s'était battue et avait donné des coups de griffe jusqu'au moment où ses forces l'avaient abandonnée.

On avait bien réglé la mise en scène de départ avant de tourner pour s'assurer de la succession de chaque mouvement jusqu'à l'agression. Après cela, Mick avait donné libre cours à l'improvisation des acteurs : aucun dialogue n'était écrit.

Avant le tournage, Lara avait questionné la *vraie* Rebecca.

— Je me battais pour survivre, lui avait-elle expliqué. C'était surréaliste : un peu comme dans un rêve. Je ne l'oublierai jamais.

Lara comprenait.

Ils travaillaient dans une rue poussiéreuse d'un quartier défavorisé.

Nikki avait voulu tourner la scène en studio, mais leur directeur de production leur avait annoncé que le budget augmenterait dans des proportions astronomiques. D'autre part, Mick voulait l'authenticité d'une vraie rue.

Joey était présent et elle savait qu'il rôdait quelque part derrière une des caméras. Elle regrettait maintenant de lui avoir demandé de venir. Soudain, elle sentit la présence des trois acteurs qui lui emboîtaient le pas.

— Dis donc, mignonne... qu'est-ce que tu fais toute seule bien roulée comme ça ? ricana Aiden en plongeant la main dans son sac à provisions.

— Allez-vous-en, dit-elle, répétant les mots prononcés par Rebecca ce soir fatal. Allez-vous-en et laissez-moi tranquille.

— On ne veut pas être gentille avec papa ? insista Aiden en tournant autour d'elle tandis que les deux autres se rapprochaient en riant.

Elle sentait son odeur : il ne s'était pas baigné depuis plusieurs jours car Rebecca avait précisé que les hommes sentaient mauvais. Aiden était un acteur méthodique.

Elle hâta le pas en essayant de s'enfuir. Mais au moment où elle passait devant la ruelle, le personnage joué par Aiden lui passa un bras autour de la gorge et l'entraîna dans la ruelle, lui faisant perdre l'équilibre.

Le sac à provisions tomba, des légumes et des fruits se répandant sur le sol.

Rebecca avait raison : pas le temps de prier. On se concentre sur la survie.

Elle décocha un coup de pied et sentit au même instant un des acteurs glisser une main sous sa jupe.

Aiden la plaqua contre le mur, lui faisant mal au dos. Il lui arracha ses vêtements et elle sentit son odeur épouvantable.

Mick avait promis de filmer de telle façon que son corps échapperait à l'objectif des caméras.

— Mais il faut que tu sois très démonstrative. Le spectateur doit sentir ta souffrance.

Voilà ce qu'il voulait dire : quand Aiden lui arracherait ses vêtements, elle serait complètement nue, à l'exception du cache-sexe couleur chair qu'elle portait sous sa culotte. Elle ne devait en aucun cas laisser la nudité gêner son interprétation.

Une prise, ne cessait-elle de se répéter. *Je joue une fois, et c'est fini.*

Aiden lui arracha son corsage puis son soutien-gorge, faisant jaillir ses seins. À présent, elle était entièrement nue.

Dans une sorte de brume, elle se demanda ce que la caméra éternisait de cette scène. Elle ne se le demanda pas longtemps car elle était trop occupée à se défendre. L'homme qui pesait sur elle n'était plus Aiden Sean : c'était un voyou des rues qui la violait, qui lui faisait mal, qui violait son intimité.

Il feignit de lui donner une gifle à toute volée, puis plongea les mains sous sa jupe. Elle se débattait frénétiquement en poussant des hurlements pendant que les deux autres acteurs lui écartaient les jambes, la plaquaient au sol et tiraient sur sa jupe. Ils s'attaquèrent ensuite à sa culotte et elle sentit le cache-sexe s'en aller en même temps. Mais elle ne pouvait rien faire : si elle criait « Coupez », il faudrait tout recommencer et il n'en était pas question.

Aiden était sur elle, faisant semblant de la violer. La caméra était derrière lui. Il avait le souffle rauque, il puait.

Elle recula, horrifiée. Pourquoi avait-elle demandé à Joey de venir ? Elle ne voulait pas qu'il la voie ainsi : humiliée, abusée. C'était peut-être un film, mais elle était quand même la victime : comme elle l'avait été jadis...

— Petite pute ! hurla Aiden en faisant semblant de la gifler encore une fois. Dis-moi que ça te plaît. Dis-le !

Aiden ne jouait plus la comédie. Il était tout à son rôle. Les autres acteurs étaient sur elle, simulant des gifles et des coups, vociférant des obscénités.

Elle continuait à se débattre et à hurler. Cette fois-ci, c'en était trop. Pourquoi avait-elle accepté de faire ce film ? Elle continuait à pousser des cris, mais les autres s'acharnaient, grouillant sur elle comme des sauterelles. Et quelque part trois caméras enregistraient son humiliation.

Mick finit par s'avancer en criant : « Coupez ! » La meute battit en retraite.

Rebecca et Nikki s'approchèrent pour la réconforter tandis que l'habilleuse lui jetait un peignoir de soie sur les épaules pour couvrir sa nudité.

— Tout va bien ? demanda Aiden.

Elle hocha la tête sans rien dire.

Mick se précipita en agitant les bras comme un moulin à vent.

— Incroyable ! Absolument incroyable !

Tout d'un coup, elle éclata en sanglots, incapable de retenir ses larmes. Elle ne s'arrêta que quand Joey la prit dans ses bras et la porta jusqu'à sa caravane.

L'épreuve était enfin terminée.

47

— C'est fini. Ils l'ont, leur scène. Pas de gros plans... rien. Ta doublure peut faire le reste, expliqua Joey.

— Joey, murmura-t-elle, si Mick veut des gros plans, il faudra bien que je les fasse.

— Non, riposta-t-il, menaçant. Je te ramène à la maison.

— Je ne peux pas m'en aller. Il faut que je termine.

— Pourquoi est-ce que je t'ai laissée faire ça ? explosa-t-il. Mais quelle connerie ! Ça va bousiller toute ta carrière.

Nikki frappa à la porte de la caravane et entra, hésitante.

— Formidable ! s'exclama-t-elle.

— Oui, répéta Joey en se tournant vers elle, formidable pour votre film. Qu'est-ce que vous croyez que ça va rapporter à Lara ?

— Une nomination aux Oscars, par exemple, répondit sèchement Nikki.

— Mais oui, bien sûr.

— Joey, interrompit Lara, s'efforçant de rétablir le calme, ne sois pas si négatif.

— Négatif ? Moi, j'essaie de te protéger. Tu ne vois donc pas ce que ces gens sont en train de te faire ?

— Qu'est-ce que nous lui faisons ? lança Nikki, prête à la bagarre.

— Vous êtes en train de la baiser, voilà ! hurla-t-il.

— Et vous, qu'est-ce que vous croyez que vous faites ? répliqua Nikki, furieuse.

— Vous exploitez Lara au nom de l'amitié.

— Comment osez-vous !

— Assez ! hurla Lara, secouée de frissons. Sortez d'ici... tous les deux. Je ne peux plus vous supporter.

— C'est à moi que tu parles ? demanda Joey. C'est à moi que tu dis de sortir ?

— C'est moi qui ai choisi de jouer ce rôle, dit-elle faiblement. Alors, n'en fais pas tout un plat.

— Va te faire voir !

Et il sortit en claquant la porte.

— Qu'est-ce qu'il a ? questionna Nikki.

— Il est dans tous ses états. Je n'aurais pas dû l'obliger à venir sur le tournage : je n'ai pensé qu'à moi.

Nikki n'en revenait pas. Il venait d'invectiver Lara sans raison, de l'insulter, et voilà qu'elle le défendait !

— Pourquoi fais-tu passer ses sentiments avant les tiens ? demanda-t-elle, exaspérée.

— Je réagirais de la même façon si je devais le regarder, lui, se faire rosser.

— Bon sang, mais ce type est avec toi. Il devrait être à tes pieds.

— Ne le critique pas. C'est un homme merveilleux.

— Eh bien, je n'ai pas dû voir le bon côté de sa personnalité !

— Tu sais quoi ? Ma vie privée ne te regarde pas.

— Je suis ton amie, insista Nikki. Qu'est-ce qui te dit que Joey ne cherche pas à ramasser des bribes de célébrité ?

— J'imagine que c'est Richard qui t'a soufflé ce petit discours. C'est tout à fait son style.

— Non, lança Nikki. Richard et moi, c'est fini. Je ne voulais pas te le dire avant, pour ne pas t'énerver.

— Et maintenant, c'est très bien, parce que de toute façon je suis énervée ?

— Je ne voulais pas dire ça...

— Ce n'est pas le moment d'en discuter, interrompit Lara d'un ton las. Si ça ne t'ennuie pas, j'ai besoin de solitude.

— Très bien, conclut Nikki.

Elle quitta la caravane, déçue de la réaction de Lara. Elle n'avait pas prononcé un mot pour consoler Nikki de sa séparation avec Richard.

Dès qu'elle se retrouva seule, Lara fut secouée de frissons. Elle était bouleversée, profondément déçue par le comportement des gens qu'elle aimait. Elle se sentait seule et effrayée. Exactement comme quand elle avait six ans et que la tragédie avait eu lieu.

Elle détestait ce souvenir, mais parfois elle ne pouvait l'éviter.

Elle s'enfouit la tête entre ses mains, impuissante. Les souvenirs déferlèrent.

— *Lara Ann, tu vas habiter avec ta tante Lucy.*

La femme agent qui parlait ainsi avait des joues rouges et quelques verrues poilues parsemaient son visage. Lara Ann concentra son attention sur les verrues. Si elle les fixait assez fort, peut-être toutes les mauvaises choses allaient-elles disparaître.

Cela faisait plus d'une semaine qu'on la gardait dans un centre pour enfants tandis que les autorités s'efforçaient de trouver une parente qui s'occuperait d'elle. On avait fini par découvrir tante Lucy, la cousine germaine de son père, qui vivait en Arizona.

Ce ne fut pas tante Lucy qui vint chercher Lara Ann : elle envoya Mac, son grand gaillard de fils. Il conduisait une camionnette, mâchait sans arrêt du chewing-gum et était d'une grande laideur. Il ramassa la petite Lara Ann, la jeta à l'arrière de la camionnette comme une poupée de chiffon et elle y resta jusqu'en Arizona.

Tante Lucy, une veuve revêche au long visage déplaisant, possédait un petit motel qu'elle tenait avec l'aide de son fils. Elle n'avait absolument pas un caractère affectueux et n'éprouvait aucun plaisir à se trouver avec Lara Ann sur les bras. Elle accueillit l'enfant avec un bref signe de tête, lui montra le petit réduit où elle devait dormir et l'expédia à l'école du village dès le lendemain matin. La fillette était complètement traumatisée. Personne n'évoquait devant elle la tragédie. Personne ne lui parlait de la disparition de sa famille. Tante Lucy assurément n'y faisait jamais allusion. Pas plus que Mac. Un jour pourtant sa meilleure amie lui dit : « Tu n'es pas dingue ? Mac dit que ton papa a tué ta maman. Alors tu dois être un peu zinzin aussi. »

Lara Ann avait été effrayée et désemparée : elle n'arrivait pas à comprendre ce qui s'était passé, sauf que sa vie était brisée.

Elle ne tarda pas à se rendre compte que tante Lucy ne voulait pas d'elle et, malgré son très jeune âge, elle sentait aussi que sa place n'était pas au motel. Elle s'enferma dans le silence — son seul refuge — et ne parlait que quand on lui adressait la parole. À l'école, elle essayait désespérément de ne pas se faire remarquer. Malheureusement, à mesure qu'elle grandissait, cela devenait impossible car elle était incroyablement jolie. À treize ans, les garçons la poursuivaient déjà.

Après l'école et durant toutes les vacances d'été, elle donnait un coup de main au motel : elle faisait le ménage, frottait les planchers, pliait le linge. Le meilleur ami de Mac travaillait là comme homme à tout faire. Il l'avait repérée et, bien qu'elle n'eût que treize ans, elle savait qu'il la guettait.

Un jour, il la coinça dans la buanderie, la plaqua contre le mur et essaya de l'embrasser et de la peloter.

Il aurait bien voulu en faire plus mais, quand elle se mit à crier, il prit peur et s'enfuit en courant.

Tante Lucy surgit.

— Pourquoi l'encourages-tu ? cria-t-elle. Qu'est-ce que tu es donc ? Une traînée comme ta mère ?

— Ma maman n'était pas une traînée, murmura Lara Ann.

Mais tante Lucy ne l'écoutait pas. Le visage sévère, elle la sermonna en lui expliquant la chance qu'elle avait d'avoir été recueillie chez eux alors qu'ils pouvait à peine se le permettre et que c'était pour eux une charge terrible.

Une charge ? Elle travaillait à plein temps sans gages. Elle se jura qu'un de ces jours elle échapperait à tante Lucy et ne lui adresserait plus jamais la parole.

Lara Ann avait parfois l'impression de ressembler à Cendrillon. Elle n'avait pas d'amis, personne pour l'aimer, personne qui s'intéresse à elle. Sa seule consolation, c'était la lecture, et elle hantait la bibliothèque de l'école, mettant la main sur tous les livres qu'elle trouvait. Lire l'emmenait dans un autre monde, dans une autre vie : cela lui montrait que les choses pouvaient aller mieux.

Elle avait quinze ans quand un client se suicida d'un coup de pistolet dans une des chambres. Ce fut elle qui découvrit le corps en allant faire le ménage et elle eut une crise de nerfs. Tante Lucy la gifla en lui disant de la boucler pendant qu'elle appelait la police. Deux heures plus tard, la police arriva, prit des photos, emporta le corps. Quand tout fut terminé, tante Lucy lui dit d'aller nettoyer la chambre.

— Non ! s'écria Lara Ann, horrifiée. Je ne peux pas entrer là-dedans.

— La jolie petite demoiselle ne veut pas se mettre du sang sur les mains ? ricana tante Lucy. Tu vas faire ce que je te dis.

Ce fut ce jour-là que Lara Ann comprit qu'elle n'en

pouvait plus. Malheureusement elle n'avait pas le choix : elle n'avait nulle part où aller.

Et puis, un vendredi après-midi, un nommé Morgan Creedo descendit au motel. Morgan était un abruti de chanteur de musique country : vingt-neuf ans, maigre comme un clou, avec de longs cheveux blonds et un teint basané.

Pour Lara Ann, c'était la séduction personnifiée. Elle traînait devant sa chambre en l'écoutant chanter et jouer de la guitare.

— C'est une vedette de cinéma ? chuchota-t-elle à Mac.

— Fichtre non, répliqua Mac. Qu'est-ce que tu t'imagines ? Tu es folle.

Peut-être que je suis folle, se dit-elle. Peut-être que je suis folle d'être restée toutes ces années avec ces gens-là. Parce que, quand elle se souvenait de sa ravissante mère et de son frère qui aimait tant s'amuser, de toutes les caresses et toute l'affection que lui prodiguait son père avant cette nuit fatale où tout lui avait explosé à la figure, elle savait que la vie pouvait être meilleure.

Morgan Creedo devait jouer en concert dans les environs et elle mourait d'envie d'y aller.

— C'est pas lui la vedette, dit Mac. Il y a une dizaine d'autres numéros et il passe en premier : ça veut dire qu'il est minable.

— Je vais lui demander si je peux y aller, dit Lara Ann.

— Demande toujours. Lucy te laissera pas faire.

Mais elle n'avait aucunement l'intention de demander la permission à tante Lucy.

Plus tard ce jour-là, quand elle apporta des serviettes propres dans la chambre de Morgan Creedo, elle le trouva allongé sur le lit en train de regarder un western à la télévision.

— Excusez-moi, monsieur, murmura-t-elle.

— Ouais..., grommela-t-il en levant à peine les yeux, qu'est-ce que tu veux ?

— Je me demandais si vous n'auriez pas un billet pour votre concert ?

— Tu veux venir voir mon concert, ma petite ? fit-il en riant. Eh bien, eh bien ! On t'a dit que je suis bon, c'est ça ?

— J'espère que ça n'est pas mal élevé, mais je me suis arrêtée devant votre porte pour vous écouter chanter. J'ai trouvé ça chouette.

— Ouais, je suis assez bon, ma petite. L'ennui, c'est que je suis la seule personne à m'apprécier.

Il se leva et s'étira.

— Je vais t'avoir un billet. Tu t'appelles comment ?

— Lara Ann.

— Lara Ann, hein ? Quel âge as-tu ?

— Quinze ans.

— Alors, tu es assez grande, dit-il en riant.

— Il faut avoir un certain âge pour venir à votre concert ? demanda-t-elle innocemment.

— Ce n'est pas de ça que je parlais, ma petite, fit-il en riant de nouveau. Bon, je te laisserai un billet dans la chambre. Le concert, c'est demain soir. Viens me voir en coulisse après. Je t'offrirai une citronnade.

Le lendemain, elle trouva le billet qu'il lui avait laissé sur la coiffeuse de sa chambre. Elle le fourra dans sa poche, frémissante d'excitation.

Ce soir-là, après avoir fait la vaisselle du dîner, elle quitta la cuisine en faisant semblant d'aller se coucher comme d'habitude, elle se glissa par la porte de derrière et prit le bus pour aller à la salle de concert où se produisait Morgan Creedo. La salle était grande, Morgan lui avait néanmoins trouvé une place au premier rang. La plupart des spectateurs étaient venus pour voir la vedette, une chanteuse de western. Morgan chanta deux chansons. Le public n'avait pas l'air trop intéressé, mais Lara Ann applaudit à tout rompre.

Dès qu'il eut terminé, elle rassembla son courage et s'approcha d'un garde planté sur le côté de la scène.

— Excusez-moi, dit-elle, pouvez-vous me dire comment je fais pour aller voir M. Creedo ?

— Qui ça ?

— Celui qui vient de chanter.

— Ah oui ? Tu as un laissez-passer ?

— Non, c'est lui qui m'a donné mon billet et il m'a dit d'aller le voir en coulisse après.

— Bon, fit-il avec un rire gras. Je pense qu'il n'y a pas de mal à laisser une autre groupie passer. Vas-y, ma jolie.

Il ne bougea pas, la forçant à se glisser contre lui. Il en profita pour lui pincer les fesses.

En coulisse, des dizaines de gens s'agitaient. Elle arrêta une fille aux boucles violettes, une brosse à cheveux à la main.

— Excusez-moi, dit-elle poliment. Je cherche M. Creedo.

— Oh, tu veux dire Morgan ? Il est déjà parti.

— Je devais le retrouver. Vous savez où il est ?

— Tu es un peu jeune pour Morgan, non ? Il doit être au bar à côté, ma jolie, mais à ta place je n'insisterais pas.

— Je vous demande pardon ?

— Tu ferais mieux de rentrer chez toi. Tu es trop jeune pour un serpent comme lui.

Choquée d'entendre la fille traiter Morgan de serpent, elle trouva le bar, poussa la porte et se retrouva au milieu d'une foule d'hommes en train de boire de la bière et de jouer aux cartes. Elle finit par repérer Morgan au comptoir qui sirotait un verre de tequila. Elle s'approcha et lui tapa sur l'épaule.

— Qu'est-ce que tu veux ? lança-t-il en se retournant pour la fixer de ses yeux injectés de sang.

— Je suis du motel, vous vous rappelez ? Vous m'avez laissé un billet. Vous m'avez dit de venir vous voir ce soir. Je m'appelle Lara Ann.

— Ah, bon Dieu !

— Vous étiez merveilleux, dit-elle, les yeux brillants.

— J'étais nul, répondit-il amèrement. Je suis toujours nul. D'ailleurs, tu as vu ? Personne ne m'a écouté.

— Je vous ai trouvé merveilleux, répétait Lara Ann.

— Tu es mignonne, tu sais, fit-il en l'examinant. Quel âge tu as dit que tu avais ?

— Quinze ans. Bientôt seize.

— Assez grande et assez âgée, hein ?

— Je vous demande pardon ?

— Rien, ma chérie... Approche un peu.

Elle s'approcha de lui.

— Tu trouves que je suis merveilleux, hein ?

— Oh oui ! murmura-t-elle, en adoration.

Ils se marièrent trois semaines plus tard, le jour de son seizième anniversaire. Tante Lucy n'assista pas à la cérémonie. Ce ne fut qu'après que Lara Ann se rendit compte que Morgan n'avait d'autre domicile que la petite remorque attachée à la vieille Cadillac délabrée avec laquelle il sillonnait le pays.

— Ça n'est pas luxueux, mon chou, mais tu t'y feras, lui déclara-t-il.

Ça lui était égal : elle avait enfin quelqu'un qui savait qu'elle existait et dont elle pouvait s'occuper. Elle avait appris à faire la cuisine en regardant tante Lucy. Elle repassait impeccablement. Elle savait coudre, tenir une maison et faire le ménage. Il n'y avait qu'un domaine où elle ne connaissait rien, c'était le sexe. Mais ça ne gênait pas Morgan.

— Je vais t'apprendre tout ce que tu as besoin de savoir, ma petite, dit-il. Voilà ce que tu dois faire : mets-toi à genoux et suce jusqu'à ce que je te dise d'arrêter.

— C'est tout ? fit-elle en pensant à tout ce qu'elle avait lu sur les baisers, les caresses et les plaisirs de l'amour.

— Mais oui, mon chou, alors vas-y.

Ils ne firent jamais l'amour. Morgan lui disait que les gens faisaient ça seulement quand ils voulaient avoir des gosses. Elle n'était pas sûre de le croire, mais qu'est-ce qu'elle pouvait faire ? Morgan Creedo était un minable. Il n'était pas une vedette, il passait toutes ses frustrations sur sa jeune et innocente épouse. Lara Ann n'avait personne d'autre que lui et il aimait ça. En grandissant, elle devint encore plus belle. Quand il la battait — et ça lui arrivait souvent —, il prenait grand soin de ne jamais toucher son magnifique visage. Il se disait qu'un jour — quand sa carrière à lui serait finie — il lui trouverait du travail dans des films pornos. Avec son physique, elle pourrait gagner assez d'argent pour leur assurer à tous les deux une vie de luxe.

— Tu n'as jamais pensé à être actrice ? demanda-t-il un jour.

Elle secoua la tête.

— Mon chou, tu as pourtant tout ce qu'il faut pour ce métier.

La semaine suivante, il l'emmena au cinéma pour qu'elle puisse étudier à l'écran les actrices connues. Elle tomba amoureuse de toutes ces images et des comédiens qu'elle observait. C'était si magique : elle comprenait que la vie pouvait être beaucoup plus belle que la sienne.

Quand elle eut dix-neuf ans, Morgan se lassa. Elle était peut-être belle, mais elle l'ennuyait. Elle ne répondait jamais. Elle le laissait faire tout ce qu'il voulait. Ce qu'il cherchait chez une femme, c'était un peu d'ardeur, pas une obéissance servile. Peut-être qu'en faisant d'elle une vedette du porno elle deviendrait plus excitante.

Lara Ann en avait marre aussi — pour des raisons différentes. Elle avait cru que Morgan s'intéressait vraiment à elle cependant, au fil des jours, elle comprit qu'elle n'était rien de plus que sa servante.

Un jour, il lui annonça qu'ils partaient pour Hollywood.

— J'ai le téléphone d'un producteur qui m'a promis de te donner ta chance.

— La chance de faire quoi ? demanda-t-elle.

— De devenir une vedette de cinéma, pauvre pomme. C'est ce que tu veux, non ?

— Si tu le dis.

Ils montèrent dans sa vieille Cadillac et partirent.

À mi-chemin de Los Angeles, il arrêta la voiture au bord d'un petit chemin et ouvrit sa braguette.

— Non, protesta-t-elle.

— Non ? répéta-t-il comme s'il n'en croyait pas ses oreilles. Allons, petite garce, ne discute pas.

— Je ne veux pas.

Il l'empoigna par les cheveux et la força à le satisfaire. Quand il la lâcha, elle s'installa au fond de la voiture et se pelotonna sur la banquette arrière, les larmes aux yeux. Dans sa tête, elle avait décidé qu'en arrivant à L.A. elle s'enfuirait et ne reverrait plus jamais Morgan.

Dieu lui facilita les choses.

À quinze kilomètres de Barstow, Morgan s'endormit au volant. Quelques secondes plus tard, leur voiture dérapa sous un gros camion garé sur la route.

Lara Ann se réveilla dans un hôpital deux jours après.

— Où est Morgan ? demanda-t-elle. Où est mon mari ?

Morgan était mort. Il avait été décapité dans l'accident.

Une fois de plus, elle se retrouvait seule.

— Ça va, Lara, ma chérie ?

L'habilleuse anglaise était plantée devant elle, l'air soucieux. Elle releva la tête, laissant là ses souvenirs si vivaces.

— Très bien, murmura-t-elle.
— Ça fait une éternité que je frappais à la porte.
— J'ai dû m'endormir.
— Mick dit que vous avez fini pour la journée. Je peux vous aider à vous habiller ?
— Ça ira. Pouvez-vous, s'il vous plaît, vous assurer que mon chauffeur est là.
— Il est bien là, ma chère.
— Merci.
Elle avait hâte de rentrer pour retrouver l'abri des bras de Joey. Elle ne pouvait compter que sur lui.

48

Joey arpentait une vieille académie de billard de Sunset. La plupart des types s'intéressaient aux parties en cours, les autres inspectaient les filles avides assises au bar dans l'espoir de se faire draguer.

Joey était énervé : pour la première fois de sa vie, il se rendait compte qu'il tenait à quelqu'un et ce sentiment de dépendance le démontait complètement. Comment était-ce arrivé ?

Il examina le choix de filles qui s'offrait au bar. Il y en avait de jolies, mais aucune n'arrivait à la cheville de Lara. Il fonça sur la plus mignonne, une petite brune qui sirotait un Margarita. Elle était jeune — trop jeune.

— Salut, dit-il en s'approchant.

— Salut, je m'appelle Tina. Mais je suis avec mon jules et il n'aime pas quand je parle à d'autres mecs.

Elle lui inscrivit quand même son numéro de téléphone sur une pochette d'allumettes et il s'éloigna en sifflotant. Il ne l'appellerait sans doute jamais.

Il reprit la voiture et alla jusqu'à une boîte de striptease à quelques blocs de là. Les filles étaient sans éclat et se trémoussaient avec un manque évident de conviction.

Il se demanda ce que Lara était en train de faire.

Elle avait dû rentrer et constater son absence. Il savait que ça l'inquiéterait.

Pourquoi la traitait-il ainsi ? Elle était si généreuse avec lui : elle ne méritait pas ça.

Elle était comme une assurance : avoir la certitude qu'elle continuerait à s'intéresser à lui.

Il se leva et partit.

Un moment, il resta assis dans la voiture de Lara avant de tirer de sa poche la pochette d'allumettes sur laquelle Tina avait inscrit son numéro de téléphone. Écœuré, il la jeta dans le ruisseau.

Pourquoi gâcher quelque chose d'aussi parfait ?

Assise à l'arrière de sa limousine qui la ramenait à la maison, Lara essayait de se calmer. Non seulement elle avait dû subir l'épreuve de la scène du viol mais, quand les souvenirs commençaient à remonter, elle éprouvait un sentiment profond de tristesse et de désespoir. Avec les années, elle avait réussi à chasser les cauchemars en pensant très fort à autre chose : aujourd'hui, ça n'avait pas marché.

Les chiens lui firent la fête quand elle arriva. Elle les caressa une minute en se disant qu'avec les animaux on n'avait jamais de soucis à se faire : ils vous aimaient toujours, malgré tout.

Mme Crenshaw l'accueillit à la porte.

— Tout va bien, Miss Lara ?

— Oui, merci, madame Crenshaw.

— Vous dînerez ici ce soir ?

— Oui. J'aimerais bien un petit repas servi dans la chambre sur des plateaux. M. Joey est là-haut ?

— Non, il n'est pas encore rentré.

— Ah ! fit-elle, déçue. Il a téléphoné ?

— Pas que je sache.

Tout d'un coup, elle se sentit vidée. Pourquoi Joey n'était-il pas là pour lui dire qu'il regrettait sa conduite et qu'il l'aimait ? Elle n'avait aucune envie de passer la soirée seule. Un peu désemparée, elle se fit couler un bain, mit de la musique et se glissa dans la baignoire pour laisser l'eau chaude apaiser son corps endolori.

Quelle journée !

Quand Nikki rentra, elle trouva sur le répondeur trois messages furieux de Richard. Il était en colère parce qu'il avait eu des échos sur la violence de la scène du viol. Il demandait comment elle et son metteur en scène amateur avaient pu faire subir à Lara une telle épreuve.

On aurait dit qu'il ne comprenait pas : ils n'étaient plus ensemble, elle envisageait le divorce et pourtant il se comportait comme s'il ne s'agissait que d'une séparation temporaire.

Elle n'était pas d'humeur à le rappeler. En fait, tant que le film n'était pas fini, elle n'avait aucune envie de le revoir. Pourtant, la maison était vide sans lui, mais c'était toujours mieux que de supporter un homme infidèle.

Elle avait hâte de voir les rushes : son travail maintenant était de protéger Lara dans la salle de montage et elle avait bien l'intention de surveiller de près les gestes de Mick.

Le téléphone sonna. Elle décrocha.

— Bon Dieu ! mais qu'est-ce qui te prend ? cria Richard. Est-ce que tu cherches à foutre en l'air la carrière de Lara ?

— Qu'est-ce que tu racontes ? répliqua-t-elle. Ce rôle va lui valoir une nomination aux Oscars.

— Tu dis n'importe quoi, Nikki. Tu crois qu'il n'y avait pas un espion quelque part sur le tournage pour prendre des photos en douce ? Des photos qui seront à la une des magazines à sensation la semaine prochaine. Tu crois que ça va valoriser *mon* film ? Je tourne une belle histoire romanesque et toi, tu montres Lara Ivory dans une scène de viol.

— J'essaie de faire un film, Richard. Je te serais reconnaissante de bien vouloir me laisser tranquille.

— Que tu es naïve ! lança-t-il, écœuré. J'ai cru un moment que tu savais ce que tu faisais, mais, en fait, tu n'es qu'un amateur.

— Rien ne m'oblige à écouter tout ça.

— Alors ne le fais pas.

Et il raccrocha, ce qui exaspéra encore davantage Nikki.

Ça recommence, se dit-elle. *Exactement comme avec Sheldon. D'ailleurs, pourquoi est-ce que j'ai épousé deux types plus âgés que moi ? Sheldon disait toujours que j'étais à la recherche d'une image de père.*

Elle s'apprêtait à appeler Lara quand on sonna à la porte. Est-ce que ce pourrait être Richard prêt à l'invectiver encore ?

— Qui est là ? demanda-t-elle.

— Aiden.

Elle ouvrit la porte et Aiden Sean entra, l'air décharné et fatigué, très séduisant dans le genre vedette de rock un peu grunge.

— Vous savez, dit-il d'un ton maussade en frottant son menton mal rasé, moi aussi j'ai tourné cette foutue scène aujourd'hui.

Elle n'était pas d'humeur à entendre les jérémiades d'Aiden.

— Ah oui ?

— Tout le monde est à chouchouter Lara comme si elle était la femme du président. C'est moi qui donne de la réalité à cette scène. De la puissance. Ça ne mérite pas des compliments ?

Ah, les acteurs ! Elle avait oublié de le féliciter et il boudait.

— Vous étiez formidable, Aiden, murmura-t-elle d'un ton apaisant. Vous êtes le parfait violeur.

— Merci, fit-il avec un petit rire.

— C'est quoi cette odeur ? demanda-t-elle en fronçant le nez.

— Moi, dit-il sans se démonter. Je n'ai pas eu le temps de passer chez moi. Je me suis dit que j'allais utiliser votre douche.

— Vous avez fait tout le chemin jusqu'à Malibu pour utiliser ma douche ?

— Non, j'ai fait tout ce chemin pour vous voir.

Un moment de silence tandis qu'elle essayait de comprendre s'il la draguait.

— C'était pour que je vous dise combien j'ai trouvé votre interprétation formidable ? demanda-t-elle d'un ton léger.

— J'avais *envie* de vous voir... c'est pas défendu ?

Elle devait bien se l'avouer : oui, il l'attirait, même si elle s'était efforcée jusque-là d'enfouir ses sentiments.

— Euh..., Aiden, dit-elle, un peu démontée, je ne sais pas comment vous dire ça, mais... je suis mariée.

— Séparée, ajouta-t-il en la regardant toujours droit dans les yeux. Tout le plateau en parle.

— Je pense qu'on n'a pas de vie privée quand on fait un film, murmura-t-elle.

— C'est vrai, dit-il en bâillant. J'ai travaillé dur aujourd'hui. Je peux utiliser votre douche ou pas ?

Il avait un comportement bizarre et elle ne savait pas comment réagir, mais elle n'était pas d'humeur à le jeter dehors. Elle avait envie d'excitation et d'aventure, deux choses qu'il semblait prêt à lui offrir.

— Une douche et vous rentrez chez vous ? interrogea-t-elle.

— Ce serait gentil de nous préparer un verre pendant que je suis dans la salle de bains, dit-il avec un petit sourire.

— Ce serait gentil que vous le fassiez quand vous sortirez de la douche.

— Montrez-moi la salle de bains, Nikki. Même moi, je ne supporte pas ma puanteur.

Elle comprit que la suite serait inévitable.

Richard Barry arpentait nerveusement sa suite. Comment *lui* se retrouvait-il toujours dans un hôtel pendant que ses épouses restaient bien au chaud dans la maison que *lui* avait payée ? Il n'aurait jamais dû épouser Nikki : elle était trop têtue. Prétentieuse maintenant qu'elle se considérait comme une productrice. Il aurait dû rester marié avec Lara. Divorcer avait été la plus grosse erreur de sa vie. Maintenant elle perdait son temps avec Joey Lorenzo, un minable. Et lui, Richard Barry, était seul dans une chambre d'hôtel.

Il se rappela qu'il avait un coup de fil à donner. Il chercha dans sa poche un bout de papier avec un numéro de téléphone, décrocha le combiné et composa le numéro.

Une femme répondit.

— Madame Francis ? Ici Richard Barry, dit-il d'un ton suave. Je suis désolé de vous déranger chez vous. Mon assistante a dû vous annoncer que j'allais appeler.

— Ça ne me dérange pas du tout, monsieur Barry, répondit Madelaine Francis en se demandant la raison de son appel. En fait, c'est un honneur que vous m'appeliez. En quoi puis-je vous aider ?

Il s'éclaircit la voix.

— J'ai cru comprendre que vous étiez l'agent de Joey Lorenzo pour *Le Rêveur*.

— C'est exact.

Un bref silence.

— Évidemment, je ne suis plus responsable de ce qu'il a fait ensuite car il a quitté mon agence.

Richard sentit la tension dans sa voix. Il savait exactement ce qu'il devait dire ensuite.

— Ah, les acteurs !... fit-il d'un ton plein de compassion. Mais voyons, madame Francis... que pouvez-vous me dire exactement sur Joey Lorenzo ?

— Envisageriez-vous de l'utiliser dans un de vos

films ? demanda Madelaine. Parce que je peux vous recommander d'autres comédiens. En fait, j'ai des cassettes de plusieurs jeunes acteurs de grand talent que j'aimerais vous faire visionner.

— Joey travaille en ce moment à L.A., observa Richard.

— Je ne le savais pas, répondit Madelaine, tout en se rendant compte qu'elle ne devait pas avoir l'air trop intéressée même si elle avait hâte de savoir où ce petit merdeux s'était enfui cette fois-ci. Dans quoi travaille-t-il ? demanda-t-elle nonchalamment.

— Un film à petit budget. Rien d'important.

— Je vois.

— Je vous propose une chose, madame Francis, reprit Richard. Je paierai votre voyage pour que vous veniez sur la côte. Apportez les cassettes de vos acteurs et nous discuterons de tout ça. J'ai plusieurs projets en train. Je suis certain de pouvoir utiliser quelques-uns de vos clients.

— Je... je serais ravie, dit-elle, se demandant toujours pourquoi Richard Barry semblait tant s'intéresser à Joey Lorenzo.

— Le plus tôt sera le mieux, poursuivit Richard. Une de mes assistantes va arranger tout ça. Mes employés qui organisent les castings sont excellents, mais j'aime de temps en temps rencontrer des agents, surtout ceux de New York qui connaissent tous les nouveaux jeunes talents.

— Ça fait plaisir à entendre, monsieur Barry. Peu de metteurs en scène sont de votre avis.

— J'ai hâte de vous rencontrer, madame Francis.

— Moi de même, monsieur Barry.

Il raccrocha. Il était temps qu'il s'occupe de M. Lorenzo.

Mexico m'accueillit à bras ouverts : moi, cet abruti d'Américain drogué et assassin. Je dormis dans l'avion avec l'aide d'une demi-bouteille de vodka et de deux ou trois joints. Tout était surréaliste. Un voyage catastrophe au ralenti. Je continuais à voir le visage de Hadley, son air surpris quand le coup était parti. Quelqu'un m'avait-il vu à la maison ? Y avait-il des témoins ? Allais-je me faire arrêter ?

La première chose que je fis fut de changer une nouvelle fois de nom. Puis je pris un travail dans une station-service d'une petite ville de banlieue. Je louai une chambre et j'entrepris de me désintoxiquer. J'étais en état de manque mais pour une fois j'étais tout seul. Pas de femme pour me tenir la main et payer mes factures. Je voulais que ça se passe ainsi.

Au bout de deux mois, je commençai à me sentir réellement vivant. Je me punissais de ce que j'avais fait. Pas de drogue. Pas d'alcool. Pas de sexe. Un boulot minable. Quand je ne travaillais pas, je dormais. Ça m'éclaircit les idées. Maintenant, j'y voyais plus clair : j'avais vingt-huit ans et j'étais un raté.

Je rencontrai une femme. Une touriste américaine

en quête d'aventure. Nous sommes allés à Acapulco ensemble. C'est moi qui ai payé mes frais. Son mari lui manquait. Notre relation n'a duré que deux semaines.

Après, je me suis retrouvé à nouveau seul. C'est alors que j'ai entrepris l'inventaire de ma vie, de ma triste vie. Et je me suis juré que tout allait changer. Tout.

Quand je suis revenu à L.A., j'avais bien l'intention d'être quelqu'un de radicalement différent.

49

— Salut, marmonna Joey en entrant dans la chambre.

Lara était assise sur le lit.

— Mon Dieu, que tu es belle ! s'exclama-t-il en se laissant tomber auprès d'elle.

Elle ignora sa présence.

— Tu es en colère après moi, mon chou ? demanda-t-il.

— Tu ne peux pas attendre la fin de l'émission ?

Elle lui faisait la tête. Ma foi, il y avait de quoi.

— Je suis désolé, dit-il sincèrement. Je me suis mis en rogne. C'était plus fort que moi.

— Tu savais combien la scène du viol était difficile pour moi. Comment as-tu pu fuir de cette manière ?

— Parce que je ne pouvais pas supporter de te voir dans cette situation. Je t'avais bien dit que je ne devrais pas venir : c'est toi qui as insisté.

— Alors, maintenant, c'est ma faute ?

— Dans une certaine mesure.

— Tu es vraiment culotté.

— Oui, mais je ne veux pas qu'on te fasse du mal. C'est si terrible que ça ?

Il se glissa vers elle.

— Allons, bébé, on ne va pas se disputer. J'ai pensé à toi toute la soirée.

— C'est vrai ?

— Absolument.

— Je suis contente que tu sois rentré, murmura-t-elle.

— Moi aussi. Tu sais, continua-t-il en lui caressant les cheveux, en pensant à toi il m'est venu une idée formidable.

— Ah oui ? dit-elle en se blottissant contre lui. Tu vas me la dire ?

— Je ne sais pas. Je n'ai pas encore décidé.

— Eh bien, pendant que tu réfléchis, si je demandais à Mme Crenshaw de nous monter à dîner ?

— Ça me paraît une bonne idée.

Aiden sortit de la douche et entra dans la cuisine avec seulement un petit drap de bain noué autour de sa taille étroite.

Nikki eut un petit sifflement ironique.

— Très sexy !

Elle essayait de la jouer décontractée parce qu'elle ne savait pas très bien où elle en était.

— Où est mon verre ? demanda-t-il, parfaitement à l'aise.

— Aiden, dit-elle, je comprends la plaisanterie, mais pourriez-vous, s'il vous plaît, mettre vos vêtements et rentrer chez vous.

— Impossible.

— Pourquoi ?

— Ils puent. J'ai pensé que vous pourriez les mettre dans la machine à laver.

— Vous avez un certain culot.

— Ça n'est pas la première fois qu'on me le dit.

Elle le regarda : il était si maigre qu'elle distinguait le contour de ses côtes et, sur l'épaule gauche, il avait un serpent tatoué qui lui descendait jusque sur le haut du bras. Il y avait dans ce serpent quelque chose qui l'attirait : elle ne put résister à tendre la main pour le toucher.

C'était une erreur. Ou peut-être pas. Il lui saisit le poignet, l'attira vers lui et plaqua ses lèvres sur celles de la jeune femme.

Elle lui rendit son baiser. Après tout, si Richard pouvait se le permettre...

— La première fois que j'ai vu tes lèvres, j'avais hâte de les sentir sur les miennes, lança Aiden.

Il glissait ses mains sur tout son corps. De longs doigts fureteurs.

— Doucement, haleta-t-elle.

— J'en ai envie depuis le premier déjeuner.

Il se remit à l'embrasser avec passion. Elle se surprit à réagir avec une ardeur qu'elle n'avait pas éprouvée depuis longtemps. Il sentait la fumée de cigarette, l'alcool, les plaisirs interdits, et elle avait terriblement envie de lui.

Après quelques minutes fiévreuses, il lui arracha son soutien-gorge et la poussa contre le comptoir de la cuisine tout en la prenant par les hanches. Elle avait sa jupe autour de la taille, son chandail autour du cou.

D'une main, il dénoua la serviette dans laquelle il était drapé. De l'autre, il lui pétrissait les seins. Il se glissa contre elle puis, après avoir attendu un instant, la pénétra. Elle gémit de plaisir.

Ce fut une folle et longue chevauchée. Après cela, le sommeil... un profond sommeil réparateur.

— Je n'ai jamais été aussi heureuse, murmura Lara avec un grand sourire. Ils étaient assis au lit, leurs plateaux devant eux, et venaient de terminer un délicieux dîner.

— C'est vrai, acquiesça Joey. La cuisine de Mme Crenshaw, il n'y a rien de tel.

— Arrête ! Tu sais très bien de quoi je parle. Nous

deux... ici ensemble... sans personne pour nous ennuyer.

— Tu as raison. Moi non plus, je n'ai jamais été plus heureux.

Elle poussa un soupir de satisfaction. Il sourit.

— Tu es prête à entendre ma grande idée ? demanda-t-il.

— J'attends.

— Eh bien, voilà...

Il marqua un temps avant de faire le plongeon.

— J'ai eu cette idée un peu folle : à la fin du film... on devrait s'en aller et... pourquoi pas, se marier ?

— Se marier ?

— Oui, c'est ce que font les gens qui s'aiment, tu sais. Toi et moi, dans un endroit tranquille où personne ne pourra nous trouver. Qu'est-ce que tu en dis ?

Elle n'hésita qu'une seconde puis comprit à quel point il avait raison.

— Je dis... tout ce que tu veux, Joey. Tout ce qui te rend heureux.

— Non, répondit-il, tout ce qui te rend heureuse, toi. Je t'aime, Lara, je vais te rendre plus heureuse que tu ne l'as jamais imaginé.

Ils s'embrassèrent... un long baiser. Lara sut qu'elle prenait la bonne décision. Ils étaient faits l'un pour l'autre : ils le seraient toujours.

50

La voix mystérieuse n'avait pas menti. Alison Sewell savait qu'elle avait enfin dans la vie quelqu'un qui lui accordait son amitié.

La voix lui avait dit exactement où aller pour photographier Lara Ivory en exclusivité. Une minable chambre d'hôtel donnant sur la ruelle où on tournait *Vengeance* le lendemain. Une chambre d'hôtel retenue au nom de Mme Smith et déjà payée. Tout ce qu'Alison avait à faire, c'était d'aller là-bas avec ses appareils, ses téléobjectifs, et d'attendre.

— Si j'ai ces photos, avait demandé Alison, et que je les vende à la presse, qu'est-ce que ça vous rapporte ?

— Satisfaction, avait répondu la voix mystérieuse.

Tout s'était passé comme prévu. Alison avait suivi exactement les instructions et elle avait une vue imprenable sur la scène du viol. Mon Dieu ! C'était à peine si elle pouvait photographier assez vite. Clic clac... on jetait Lara sur le sol. Zoom pour un gros plan quand Aiden Sean lui arrachait son soutien-gorge. Le moteur en automatique — cinq clichés par seconde — tandis qu'on lui écartait les jambes et qu'on lui arrachait son slip.

Alison avait le souffle rauque. C'étaient les photos dont une photographe de son envergure rêvait ! Quand elle eut fini, Alison était trempée de sueur. Elle rangea précipitamment son matériel et rentra chez elle en hâte, impatiente de voir quels trésors son appareil lui avait apportés.

Quand elle visionna les résultats, elle était aux anges. Lara Ivory révélée dans sa nudité aux yeux de tous.

Que la vengeance était douce !

Et ça n'était que le commencement.

51

Quand Lara arriva sur le tournage le lendemain, Mick se répandit en compliments.

— Excellent, Lara ! s'exclama-t-il avec enthousiasme. C'était formidable.

— Je suis si contente que ce soit fini. Cette scène a été très éprouvante, mais je crois qu'on la tient.

— Et comment !

— Est-ce que j'ai quelqu'un à abattre aujourd'hui ? demanda-t-elle calmement, convaincue qu'elle saurait se servir du pistolet.

— On a fait venir un expert en armes pour la scène d'aujourd'hui, expliqua Mick. Il va vous montrer comment se servir d'un pistolet.

— Joey l'a déjà fait.

— Rien ne vaut l'avis d'un expert.

— Si vous insistez.

Elle ne cessait de penser à Joey et à la proposition qu'il lui avait faite. Elle avait dû lui promettre de n'en parler à personne : ça n'était pas facile, elle avait envie de la crier sur les toits.

Mick préparait déjà la première séquence quand Nikki arriva — plus tard que d'habitude.

— Qu'est-ce qui vous est arrivé ? demanda-t-il gaiement. En général, vous êtes l'oiseau matinal.

— Je... euh... j'ai mal dormi, répondit-elle. Euh... Mick, on vous a parlé de quelqu'un qui aurait pris des photos hier ?

— Pas de presse : c'est notre principe, vous vous souvenez ?

— J'ai entendu dire que quelqu'un aurait pu prendre des clichés de Lara.

— Pas question.

— Vous êtes sûr ?

— Sur mon tournage ? demanda Mick. Je l'aurais repéré et abattu sur place.

— Vous avez sans doute raison. Lara est arrivée ?

— Elle est au maquillage.

Elle se dirigea vers la caravane, s'attendant à trouver Lara de mauvaise humeur. Mais, à sa grande surprise, elle souriait et bavardait avec la maquilleuse.

— Salut, dit Nikki, ne sachant pas très bien sur quel pied danser.

— Bonjour, répondit Lara, charmante.

— Tu as l'air en pleine forme.

— Je me sens gonflée à bloc. Maintenant que la scène du viol est passée, je peux me détendre. Ça n'a pas été un tournage facile, Nikki, mais je suis certaine que ça en valait la peine.

— Et comment !

Un silence.

— Euh... Joey est dans les parages ?

— Il viendra vers midi. Pourquoi ?

— Je l'ai un peu charrié hier : je me suis dit que j'allais m'excuser.

— C'est vrai, acquiesça Lara, tu as dépassé les bornes.

— Je sais, je sais, reconnut Nikki, je suis désolée. Ça n'a pas été facile, entre Richard qui fait une fixation sur toi, et mes problèmes avec Summer...

— De nouveaux problèmes ?

— Oh !..., soupira Nikki en jetant un coup d'œil à la maquilleuse, je te raconterai plus tard.
— Si on déjeunait ? proposa Lara.
— Rien que nous deux ?
— Oui.
— On dirait qu'on n'a plus jamais l'occasion de bavarder. Tu es ma meilleure amie, chuchota Nikki en se penchant pour lui planter un gros baiser sur la joue. On ne se lâchera jamais, n'est-ce pas ?
— Bien sûr que non, Nikki, répondit Lara.
Et elle regretta de ne pas pouvoir lui confier son secret.

L'expert en armes était un ex-flic costaud qui fondit en présence de Lara : il avait du mal à lui expliquer ce qu'elle devait faire car, devant elle, il restait sans voix. Mick trouvait la scène très drôle.
Elle tenait le pistolet maladroitement et n'éprouvait rien : pas de mauvais souvenirs aujourd'hui. Plus d'images de chairs déchiquetées ni de sang...
Quand Joey arriva, ils s'étreignirent, sans se soucier du fait que tout le monde les regardait.
— J'ai réservé les billets d'avion, lui chuchota-t-il à l'oreille. Sous de faux noms. On part le lendemain du dernier jour de tournage.
— On ne devrait pas attendre un jour ou deux ?
— Pour quoi faire ? Pas la peine de traîner, bébé.
— Où va-t-on ?
— Tahiti. On m'a parlé d'un endroit où personne ne viendra nous déranger.
Un instant, elle éprouva un frisson d'angoisse.
— Tu es sûre qu'on ne se précipite pas trop ?
— C'est l'impression que tu as ?
— Non.
Ils se mirent à rire tous les deux.
— Attends un peu qu'on soit seuls sur une île tropicale, murmura-t-il. Je te ferai l'amour comme jamais.

— Ah oui ?

— Et comment ! Au fait, si on allait tout de suite dans ta caravane...

— Euh... Joey, j'ai promis de déjeuner avec Nikki aujourd'hui. Ça ne t'ennuie pas ?

— Tu ne veux pas faire l'amour avec moi, c'est ça ? lança-t-il pour la taquiner.

— C'est simplement que Nikki a besoin de me parler.

— Dès l'instant que tu ne lui racontes rien.

— Penses-tu !

Même s'il ne le montrait pas, il n'était pas content. Nikki avait trop d'emprise sur Lara. Maintenant, il la voulait toute à lui, sans influence extérieure.

Allons, encore quelques jours de tournage et puis il n'y aurait personne pour venir les embêter.

— Je n'arrive pas à croire que tu aies flanqué Richard à la porte, déclara Lara. Vous aviez l'air si heureux tous les deux.

— Je n'arrive pas à y croire non plus, répondit Nikki. Mais j'ai toujours eu pour principe que, s'il me trompait, je lui en ferais autant.

— Et moi qui croyais que tous les trois nous serions toujours de si bons amis.

— Je vais être honnête avec toi. Peut-être que j'aurais pu passer sur son infidélité. Ce que je n'ai vraiment pas pu supporter, c'est son obsession à ton égard.

— Tu te trompes, affirma Lara, refusant obstinément d'admettre cette hypothèse.

— Oh si ! insista Nikki. Je suis persuadée que, si je ne t'avais pas demandé de jouer dans *Vengeance,* il ne serait pas devenu aussi odieux avec moi.

— Peut-être qu'il est jaloux.

— De quoi ? ricana Nikki.

— Eh bien, je ne sais pas... Richard fait de grands films hollywoodiens. *Vengeance* est un film à petit budget... quelque chose qu'il n'aura plus jamais l'occasion de réaliser.

— Richard ? Il adore la célébrité et le clinquant. Les gros budgets, c'est sa vie. Non, la seule chose dont lui est jaloux, c'est de ta relation avec Joey.

— Eh bien, il ferait mieux d'apprendre à l'accepter s'il veut que nous restions amis.

— Je ne comprends pas, soupira Nikki. Pourquoi est-ce que les hommes se laissent toujours mener par la braguette ?

— Tu savais pourtant qu'avec Richard il y avait des risques de ce côté-là.

— C'est vrai, reconnut Nikki. Mais je me disais qu'avec moi, ce ne serait pas pareil. Enfin, la bonne nouvelle, c'est que j'ai passé une nuit formidable avec Aiden.

— Enfin ! s'exclama Lara. Quelqu'un qui n'est pas assez vieux pour être ton père !

— Oui. Autant que je sois avec un camé repenti.

— Dès l'instant qu'il est repenti.

— C'est lui qui me le dit. Qui sait ? De toute façon, je n'ai pas l'intention de rester avec lui assez longtemps pour le vérifier.

— Dis-moi. Qu'est-ce qui se passe avec Summer ?

— C'est compliqué, expliqua Nikki, ne sachant pas trop ce qu'elle devait révéler à son amie. Eh bien..., dit-elle en hésitant, puis elle plongea. Aiden m'a dit qu'il l'avait vue un soir faire du gringue à Mick. Évidemment, c'était avant que Mick sache qui elle était.

— Qu'est-ce que tu appelles faire du gringue ?

— Comment veux-tu que je te dise ? Ça n'était pas un petit flirt. Mick, paraît-il, a dit à Aiden qu'elle lui avait fait des gâteries à l'arrière de sa limousine.

Nikki soupira comme si elle-même avait du mal à le croire.

— Charmant, non ? Une fille de quinze ans et un metteur en scène dingue. Mon metteur en scène, reprit Nikki.

— Tu en es sûre ?

— Aiden ne mentirait pas. Mick a dû avoir le choc de sa vie quand il est arrivé chez moi pour dîner et qu'il a découvert qu'elle était ma fille.

— Tu lui as parlé ? demanda Lara.

— Je l'ai renvoyée à Chicago. C'est Sheldon qui en a la garde : ce n'est pas à moi de m'en occuper.

— Mais si ! protesta Lara, se rappelant sa misérable adolescence. Si toi tu ne peux pas lui parler, mets au moins Sheldon au courant.

— Il en aurait une attaque.

— Ne laisse pas passer ça, Nikki. Elle n'a que quinze ans.

— Je sais, je sais, il faut que je fasse quelque chose. D'ailleurs... ça n'est pas tout.

— Comment ça ?

— Il ne s'est rien passé, mais elle a fait des avances à Aiden aussi. Et moi qui croyais que j'allais la faire revenir ici pour Noël et lui consacrer un peu plus de temps.

— Comment peux-tu faire ça si tu es avec Aiden ? demanda Lara. Et si c'était le début d'une histoire d'amour ?

— Avec Aiden, ça n'ira nulle part.

— Qu'est-ce que tu en sais ?

— Nous sommes trop différents.

— Ça pourrait être un défi.

— Des défis, j'en ai eu ma dose, soupira Nikki. Mais assez parlé de moi. Comment va ta grande histoire d'amour à toi ?

— Joey est merveilleux. Il me donne un sentiment de sécurité. En fait... je n'ai jamais connu ça.

— Justement, reprit Nikki après un long silence, puisque avec Joey c'est manifestement très sérieux... est-ce qu'il ne serait pas temps que tu en saches un peu plus sur lui ?

— Pourquoi ? Son passé n'a rien à voir avec nous.

— Je sais bien. Mais quand même, le passé de quelqu'un, c'est important, non ?

— Non, affirma Lara d'un ton résolu. Le passé, c'est le passé. Je sais tout ce que j'ai besoin de savoir sur Joey.

À la consternation de Summer, Chicago subissait une vague de froid. Chaque fois qu'elle s'aventurait dehors, elle était la proie de vents violents et d'une pluie glacée. Elle regrettait fortement le soleil de L.A.

Cela faisait près d'un mois qu'elle était rentrée et une semaine qu'elle avait repris les cours. Elle s'ennuyait : tout allait si lentement à Chicago. *J'ai presque couché avec une vedette de cinéma*, avait-elle envie de crier aux garçons qui lui couraient après. *Allez vous faire voir, pauvres attardés !*

Le seul côté positif, c'était que depuis son retour son père ne l'avait pas touchée. Rachel l'occupait tellement qu'il n'avait plus de temps pour ses visites nocturnes, ou bien peut-être était-il plus prudent maintenant qu'elle était en âge de se plaindre. Non pas qu'elle l'eût jamais fait. À qui parler ? À sa mère jamais là et qui manifestement s'en fichait ? À sa belle-mère Rachel ? Pas question.

Son seizième anniversaire approchait et Rachel avait proposé de donner une fête pour elle. Elle n'était pas sûre d'en avoir envie. Qui inviterait-elle ? Les ploucs de son lycée ? Aucun d'eux ne serait Aiden Sean ou Norman Barton, alors, à quoi bon ? Elle gardait un souvenir ébloui de sa nuit avec Norman et Tina. Norman avait été si gentil, si drôle. Et, par-dessus le marché, on l'avait payée !

Mon Dieu ! comme elle aimerait raconter cela à son père. Lui annoncer que ce qu'il obtenait d'elle sans sa permission, elle le faisait maintenant payer. Il serait fou d'apprendre que sa douce petite fille empochait de l'argent pour faire l'amour. Bien fait pour lui.

Elle rêvait parfois que Norman l'installait dans un appartement à L.A., qu'il lui rendait visite une fois par semaine et qu'il payait toutes les notes. Ce serait formidable ! Le fait que sa mère l'eût envoyée à Chicago sans lui laisser une chance de le contacter, ce n'était pas juste. Elle avait parlé plusieurs fois à Tina au téléphone.

— Reviens vite, lui avait dit Tina. Il y a du fric à gagner.

— J'essaie.

— Essaie encore, avait insisté Tina.

Rachel frappa et passa la tête par l'entrebâillement de la porte. Elle était jolie, mais plutôt dans le style Hollywood. Elle n'avait pas l'éclat et le style de Tina ni de Darlene. En fait, elle ressemblait à une Nikki très jeune.

— Qu'est-ce que tu fais ? demanda-t-elle.

— Pas grand-chose, répondit Summer.

— Tu veux aller faire du shopping ? Claquer un peu de l'argent durement gagné par ton père ?

— Pour ça, je suis toujours prête, déclara Summer en tentant d'y mettre un peu d'enthousiasme.

— Alors, allons-y. Tu me retrouves à la voiture dans cinq minutes.

Summer se regarda dans la glace. Son bronzage pâlissait. Est-ce qu'elle plairait encore à Norman, toute pâle et misérable ?

Elle pensa à Tina, à Jed, au groupe d'amis avec qui elle traînait sur la plage. Comme elle s'était amusée en Californie ! Pourquoi fallait-il qu'elle se trouve coincée à Chicago ?

Et la grande question : qu'allait-elle faire si jamais son père revenait la harceler ?

52

Pendant quelques jours, Nikki réussit à éviter le contact avec Aiden jusqu'à ce que, un après-midi, il la coince sur le plateau. Elle ne savait que dire, tout s'était passé si vite l'autre soir et, quand elle s'était réveillée le lendemain matin, il avait disparu.

— Enfin ! lança-t-il.

— Oh ! bonjour.

Il se pencha pour lui murmurer à l'oreille :

— Dites-moi, l'autre soir, vous étiez déchaînée !

— Je ne le regrette pas, Aiden, s'empressa-t-elle de dire en reculant d'un pas. Mais, je vous en prie... considérez ça comme une aventure sans lendemain.

— Sans lendemain ?

— Trop difficile pour moi en ce moment.

— Je ne vous demande pas de m'épouser, Nikki.

— Oh ! merci bien. Qu'est-ce que vous demandez ?

— Je pensais que vous passeriez chez moi tout à l'heure... préparer le dîner d'un homme affamé.

Il ne manquait pas d'aplomb.

— Vous croyiez ça, hein ? grommela-t-elle.

— Ça ne vous intéresse pas de voir comment vivent les autres ? Tout le monde n'a pas une maison au bord de la plage de Malibu.

— Et qu'est-ce que je vous préparerais ?
— Des pâtes, un steak, ce qui vous fait plaisir.
— C'est une offre tentante. Mais je dis non.
— Je n'imaginais pas que vous accepteriez.
— Qu'est-ce que ça veut dire ? demanda-t-elle, un peu en colère.
— Rien...
— Si, reprit-elle, je veux savoir ce que vous voulez dire.
— Il n'y a que le fric et les gens qui en ont qui vous branchent.
— Ça alors, c'est vraiment la dernière chose qui m'intéresse.
— Vous avez épousé deux types riches, non ? Le psy de Chicago doit crouler sous le pognon et Richard n'est pas exactement dans le besoin.
— L'argent n'a rien à voir dans tout ça.
— Alors, venez passer la soirée avec un acteur fauché. Je ne vous inviterai pas une autre fois.
— Bien, j'y serai.
En prononçant ces mots, elle se rendit compte qu'il l'avait prise au piège.

Lara décida de faire une surprise à Joey quand ils seraient rentrés de leur voyage de noces. Elle savait à quel point il aimait l'océan et, quand ils seraient mariés, cela semblait une idée formidable d'avoir une cachette romantique où se précipiter chaque fois qu'ils auraient besoin d'être seuls. Voilà un an, elle avait loué sur la plage pour l'été une vieille maison juchée au bord d'une falaise. La maison lui avait tellement plu qu'elle avait essayé de l'acheter mais à l'époque elle n'était pas à vendre. Puis récemment elle avait appris qu'elle était sur le marché et elle avait demandé à son homme d'affaires de proposer une offre. Celle-ci avait été acceptée, la maison était maintenant à elle, mais elle n'en parlerait pas à Joey avant leur retour. Ce serait son cadeau de mariage.

Les deux seules personnes à être au courant étaient son homme d'affaires et Cassie. Tous deux avaient juré le secret. Personne, Dieu merci, ne se doutait le moins du monde que Joey et elle envisageaient de se marier. Elle imaginait déjà la tempête si la nouvelle se répandait.

En fin de journée, Nikki et Aiden s'arrêtèrent au supermarché pour acheter deux steaks et de la salade. Côte à côte, ils patientaient devant la caisse. Au moment de payer, elle attendit qu'Aiden fasse un geste. Il ne bougea pas.

— Je ne sais pas pourquoi je fais ça, grommela-t-elle en tirant de son sac sa carte de crédit.

— Mais si ! Parce que vous en avez envie.

— Pas du tout, répondit-elle en lui emboîtant le pas. Je vous l'ai dit : ce qu'il y a eu entre nous, ça n'était qu'une passade.

— Content d'avoir fait une pareille impression, dit-il en lui ouvrant la portière de sa camionnette.

— Je vais vous préparer un steak, puis il faudra que je rentre. Richard me harcèle : je crois qu'il est temps que je parle à mon avocat.

— Vous allez divorcer ?

— J'en ai bien l'intention.

Son appartement était un taudis.

— Comment pouvez-vous vivre dans un endroit pareil ? interrogea-t-elle.

— Vous voulez m'inviter dans votre villa ?

— Je vous demande pardon ?

Pendant que la viande grillait, elle découpa des tomates, des feuilles de laitue et des concombres.

— Où est votre huile d'olive ?

— Vous croyez que je fais la cuisine ?

— Comment voulez-vous que je fasse une vinaigrette ? Vous feriez mieux de courir en acheter une bouteille.

— Seigneur ! Ce qu'on devient casanier, gémit-il, mais il y alla quand même.

À peine était-il parti qu'elle inspecta plus soigneusement les lieux. Aiden, de toute évidence, ne s'intéressait pas aux biens matériels. Son lit était un futon posé sur le sol, sa penderie était presque vide et les seuls objets personnels se limitaient à des piles de manuscrits. Quel genre d'homme était-il, d'ailleurs ? Intéressant, certes. Différent. Et un amant sensationnel.

Elle ne put s'empêcher, par pure curiosité, d'ouvrir le premier tiroir de sa commode. Une tonne de chaussettes dépareillées. Et un pistolet.

Elle referma précipitamment le tiroir. Elle était en terrain dangereux. Que faisait donc Aiden avec un pistolet ?

Je ne vais pas me laisser embringuer, se dit-elle sévèrement.

Quand il revint, les steaks étaient presque cuits.

— Ôtez quelques-uns de ces scripts sur la table. On va dîner, dit-elle en cherchant dans un placard du sel et du poivre. Ensuite, je vous serais reconnaissante de me raccompagner jusqu'à ma voiture.

— Vous faites vraiment des histoires pour quelqu'un qui s'est envoyé en l'air sans réfléchir, observa-t-il.

— Je suis désolée de blesser votre orgueil, répliqua-t-elle. Mais ça ne compte vraiment pas pour moi.

— Ah non ?

— Sur ce plan-là, je peux me conduire exactement comme un homme.

— Ah ! je vois, dit-il, un peu vexé. Ce que vous vouliez, c'était vous venger. Le fait qu'il y ait entre nous cette électricité, ça comptait pour des prunes... Je me trompe ?

— Mais de quoi parlez-vous ?

— Je parle de sexe. De sexe brûlant. De désir !

Elle n'eut pas le temps de l'arrêter : il la fit pivoter sur place et l'empoigna, tandis que les steaks carbonisaient.

C'était rigolo de faire du shopping avec Rachel, mais pas autant que de patrouiller sur Melrose avec Tina. Rachel claquait l'argent de cher petit papa à un rythme soutenu, brandissant sa carte de crédit sous le nez de Summer chaque fois qu'elle en avait besoin.

Celle-ci se demandait ce que ferait Rachel si elle lui racontait la vérité. Elle tomberait de haut et éclaterait en sanglots. Elle n'avait pas beaucoup de ressort.

Une fois rentrée, elle appela Tina. Toujours la même conversation.

— Quand reviens-tu ? demanda Tina.

— Peut-être pour Noël. J'aurai seize ans à ce moment-là. Si tout marche bien, je pourrai rester.

— Darlene dit que Norman n'arrête pas de te complimenter. Il demande sans cesse où tu es.

— Whooouu !

Norman Barton, une vedette de cinéma, demandant où elle était passée. C'était super !

Quelques jours plus tard, Rachel déboula dans sa chambre en larmes.

— C'est ma mère, dit Rachel en reniflant. Elle est malade. Il faut que je prenne l'avion pour la Floride.

— Tu veux que je t'accompagne ? proposa Summer.

— Non, je me débrouillerai.

Que Rachel se débrouille ou pas, Summer s'en foutait royalement : elle redoutait de se retrouver seule dans la maison avec son père. Cela faisait plus d'un an qu'il ne l'avait pas touchée, mais s'il recommençait ?

Rachel partit le lendemain matin. Summer la regarda s'en aller par la fenêtre de sa chambre, en espérant de tout son cœur qu'elle allait rentrer bientôt. Une heure plus tard, elle partit pour ses cours, mais, au moment où elle allait sortir, son père émergea de son bureau, lui barrant le chemin.

— Toi et moi on va dîner ensemble ce soir, dit-il. Rien que nous deux. Comme au bon vieux temps, ma jolie.

— Euh... j'ai déjà un rendez-vous, papa, balbutia-t-elle, les mots « comme au bon vieux temps » la glaçant d'appréhension.

Sheldon n'avait pas l'air content.

— Qui est l'heureux jeune homme ? interrogea-t-il.

— Un garçon du lycée, répondit-elle sans vergogne.

— J'aimerais bien le rencontrer. Ne manque pas de le faire entrer quand il passera te chercher.

À peine arrivée au lycée, elle aborda Stuart, un crétin qui dépérissait d'amour pour elle.

— Tu veux qu'on se fasse une toile ce soir ? demanda-t-elle en le coinçant auprès des vestiaires.

Stuart avala trois fois sa salive tant il était impressionné par cette invitation.

— Oui..., bredouilla-t-il.

— Bien, passe me prendre à 19 heures et ne me fais pas attendre.

Stuart était pile à l'heure, piaffant comme un cheval de course. Summer l'emmena jusqu'au bureau de son père.

Sheldon le toisa d'un œil glacé.

— Veillez à ramener ma fille à la maison pour 22 heures. Et ne faites pas de bêtises.

Des bêtises ! Est-ce que son père se croyait encore en 1960 ?

— Bien, monsieur ! répondit Stuart, au garde-à-vous.

Lèche-cul, songea Summer.

Stuart l'emmena voir un film d'action avec Jean-Claude Van Damme. Au milieu du film il essaya de lui prendre la main.

Elle le repoussa.

— Laisse-moi, Stuart, dit-elle, anéantissant tous les espoirs qu'il aurait pu nourrir.

Après le film, ils s'arrêtèrent pour prendre un hamburger et un milk-shake, puis il la raccompagna au volant de sa Jeep d'occasion. Elle se débarrassa de lui sur un brusque « bonsoir » et s'engouffra dans la maison.

Son père l'attendait dans l'entrée : mauvais signe.

— As-tu passé une bonne soirée, ma chérie ? demanda-t-il en tirant sur un gros cigare qui empestait.

— Je suis vraiment vannée, dit-elle en feignant de bâiller.

— Je veux te parler, annonça-t-il. Viens dans mon bureau.

Elle n'avait pas envie de lui parler, ni d'être seule dans la maison avec lui. Elle aurait voulu ne jamais le revoir. Malheureusement, elle n'avait pas le choix : elle le suivit donc d'un pas traînant dans son bureau.

— Nous n'avons guère eu l'occasion de bavarder depuis ton retour, déclara-t-il en se versant un verre de cognac. Assieds-toi, ma chérie, et détends-toi.

Elle se jucha inconfortablement au bord d'une de ces chaises de cuir tandis qu'il s'installait derrière son bureau en sifflant de grandes lampées de cognac.

— Tu sais, Summer, depuis ton retour de Californie, tu n'es plus la même.

— Mais si, répondit-elle.

— Il y a quelque chose de différent chez toi. Je te sens nerveuse.

— Pas du tout.

— Ma chérie, quand il s'agit du comportement humain, je suis un professionnel et j'ai l'impression que ça n'a pas été bon pour toi de passer quelque temps avec ta mère. Elle n'a guère eu une influence positive. Tu comprends, reprit-il après un long silence, je me fais du souci pour toi. J'aurais dû insister pour que tu viennes aux Bahamas avec Rachel et moi au lieu de filer à L.A.

Il se versa une nouvelle rasade d'alcool et la regarda d'un œil pénétrant.

— Dis-moi, Summer, tu es sortie avec des garçons à L.A. ?

— Je... euh... un peu, balbutia-t-elle en se demandant où cela la menait. J'ai presque seize ans. J'ai le droit.

— Je sais quel âge tu as, déclara-t-il d'un ton pontifiant. Tu es ma fille.

— J'ai le droit de sortir, non ? Toutes les autres filles le font.

— Je me moque de ce que font les autres filles. Dis-moi, mon chou, reprit-il, ces garçons avec qui tu sors, est-ce qu'ils essaient de prendre des libertés avec toi ?

— Non, répondit-elle, lui disant ce qu'il avait envie d'entendre. Je ne les laisse jamais me toucher.

— Et t'embrasser ?

— Non... je ne les laisse pas m'embrasser non plus.

Il hocha la tête, satisfait de sa réponse.

— Tu es une fille bien, Summer. Je l'ai toujours su.

Elle s'agitait sur son siège, exécrant chaque instant de cette stupide inquisition.

— Je peux aller me coucher maintenant, papa ? demanda-t-elle en se mordant les ongles. Je suis vraiment crevée.

Il acquiesça de nouveau et, sans lui laisser le temps de l'arrêter, elle se leva d'un bond et grimpa l'escalier quatre à quatre sans regarder derrière elle.

Il y avait bien une serrure à la porte de sa chambre, mais pas de clé. Elle eut beau chercher frénétiquement, elle ne la trouva pas.

Elle avait peur. Le soir, il allait sûrement monter dans sa chambre : elle avait reconnu cet horrible regard. Pourtant... s'il osait le faire, elle était bien décidée à le repousser ; elle n'avait plus à supporter tout ça. D'ailleurs, elle était assez grande pour se défendre.

Elle passa précipitamment son pyjama, se coucha

puis regarda la télévision jusqu'au moment où elle sombra dans un sommeil agité.

Elle n'avait aucune idée de l'heure quand elle entendit le déclic de sa porte qui s'ouvrait. Le temps qu'elle se réveille complètement et il était assis au bord de son lit, empestant le cigare et le cognac.

— Comment c'était, mon petit chat, demanda-t-il d'une voix pâteuse, quand les garçons t'embrassaient ? Si tu montrais à papa exactement comment ils s'y prenaient ?

— Papa, dit-elle, redevenant la petite fille terrifiée qu'elle était jadis, je t'en prie, ne fais plus ça. Je t'en prie, papa, tu sais que ça n'est pas bien.

— Allons, ma douceur, murmura-t-il, raconte-moi ce que te font les garçons. Est-ce qu'ils glissent leur langue dans ta bouche ? Est-ce qu'ils te touchent les seins ? Entre les jambes ?

De ses grandes mains maladroites, il commençait à déboutonner la veste de pyjama de sa fille.

— Tu peux le dire à papa.

— Non ! hurla-t-elle en s'éloignant. Je t'ai prévenu... tu ne peux plus me faire ça !

— Qu'est-ce que c'est ? balbutia-t-il en lui tripotant les seins. Tu n'es plus le petit ange de papa ?

— Non ! Non ! Non ! hurla-t-elle en le repoussant de toutes ses forces.

— Mais papa t'aime, dit-il, son haleine empuantie de cognac. Tu es mon bébé. Mon petit bébé à moi.

Comme il recommençait à la peloter, elle se leva brusquement, se précipita dans la salle de bains, lui claqua la porte au nez puis la ferma à clé.

Là-dessus, elle se laissa glisser sur le carrelage et éclata en sanglots.

C'en était assez. Elle devait s'enfuir...

53

Alison Sewell avait plus d'argent qu'elle n'en avait jamais rêvé. Ses photos de Lara Ivory lui rapportaient une fortune. Elle s'était adressée à un agent qui avait vendu les clichés les plus sensationnels à un magazine pour hommes.

Maintenant qu'elle avait retrouvé Lara Ivory, elle en voulait davantage. Plantée loin devant sa maison, car il n'était pas question de se faire de nouveau jeter en prison, elle avait vite remarqué qu'il y avait un homme nouveau qui habitait là.

— Faut-il qu'elle couche avec tout le monde ?

Alison ne tarda pas à découvrir qui il était. Joey Lorenzo : un petit comédien de bas étage. Beau garçon. Et après ? Alison le détestait aussi. Elle gardait ses distances pour ne pas se faire repérer mais elle prit toute une série de photos des deux amants.

En attendant la sortie de *Stars à la une,* elle découvrit qu'en grimpant dans un arbre voisin elle plongeait dans la chambre de Lara. Cela l'excita à tel point qu'elle faillit tomber de l'arbre : elle ne se sauva qu'en se rattrapant à une branche.

Elle appela son agent.

— Si je peux avoir des photos de Lara Ivory en train de se faire sauter par son petit ami ?

Il lui promit un joli chèque et une Cadillac. Incroyable ! Oncle Cyril n'avait jamais vu de Cadillac.

Le soir, elle faillit presque avoir sa photo. Lara et Joey étaient dans la chambre, à bavarder. Puis Lara passa dans la salle de bains, et Joey ôta son T-shirt.

Clic-clac. Ça se présentait bien.

Joey commença à faire jouer ses muscles. *Clic-clac, clic-clac.* Il se dirigea vers la fenêtre. Encore mieux.

Il tira les rideaux.

Imbécile ! Comment pouvait-il faire une chose pareille ?

Mais elle les aurait, aucun doute là-dessus. Il ne lui fallait qu'un peu de patience.

Et s'il y avait une chose qu'Alison savait bien faire, c'était attendre.

54

Dès le vendredi matin, les photos de Lara prises pendant la scène de viol faisaient la première page de *Stars à la une* — un magazine à sensation particulièrement vulgaire.

Lara Ivory, la jupe relevée jusqu'à la taille.

Lara Ivory, les seins nus.

Lara Ivory glissant dans le caniveau, presque nue.

Nikki fut la première à les voir car, quand elle s'éveilla dans le lit aux draps froissés d'Aiden et qu'elle consulta son répondeur chez elle, il y avait plusieurs messages de Richard, furieux et vociférant.

Elle réveilla aussitôt Aiden et lui demanda de courir lui acheter un exemplaire du magazine. Il enfila son jean et se précipita.

Quand il revint et lui tendit le torchon en question, elle le feuilleta, horrifiée. Pour une fois, les renseignements de Richard étaient exacts. Quelqu'un avait pris des photos extrêmement explicites de Lara.

Aiden regarda les photos par-dessus l'épaule de Nikki.

— Lara va être dans tous ses états, gémit Nikki, consternée. Je ferais mieux d'appeler Mick pour en savoir plus.

— Ça n'avancera à rien. Les photos sont sorties maintenant. Il faut considérer ça comme une bonne publicité pour le film.

— Pas du tout. Moi, je me sens responsable. J'aurais dû faire surveiller le plateau par des gardes.

— Je ne crois jamais rien de ce que je lis, tu devrais en faire autant.

— Ça n'est pas une question de croire. Les photos sont là, à la portée de tout le monde, dit-elle en décrochant le téléphone. Il faut que je le lui apprenne moi-même.

Mme Crenshaw répondit : elle lui annonça que Lara était déjà partie pour se rendre à son travail.

— Il faut que j'y aille.

— Je vais te conduire, proposa Aiden.

— Peux-tu battre des records de vitesse ? Il faut que je sois la première à la trouver.

— C'est parti, dit-il. Je vais te donner le second plus grand frisson de ta vie !

— Entrez donc, installez-vous, dit Richard Barry en faisant entrer Madelaine Francis dans son bungalow du Beverly Hills Hotel.

— Tout à fait charmant ! s'exclama Madelaine en inspectant chaque détail.

— Ils ont récemment refait la décoration. J'aime habiter à l'hôtel. Ça vous décharge des responsabilités quotidiennes.

— Je croyais que vous étiez marié, observa Madelaine.

— Séparé, répondit Richard en se dirigeant vers le téléphone. Qu'est-ce que je peux vous commander ?

— Un cappuccino décaféiné, ce serait parfait.

— Deux cappuccinos déca, commanda Richard dans l'appareil.

Madelaine s'assit. Il y avait chez Richard Barry quelque chose qui lui semblait vaguement familier :

elle avait l'impression de l'avoir déjà rencontré. Mais elle était incapable de se rappeler où et quand, ce qui l'agaçait, car elle se vantait d'avoir une excellente mémoire. Évidemment, c'était un metteur en scène célèbre. Elle avait donc peut-être l'impression de le reconnaître parce que pendant des années elle avait vu sa photo et lu des articles sur ses films.

Fidèle à sa promesse, il avait pris toutes les dispositions pour la faire venir à L.A. Elle était arrivée de New York la veille et était installée pour trois jours au Beverly Regent Hotel. Elle se doutait bien que ce voyage avait un rapport avec Joey, elle était très curieuse de savoir lequel. Tapotant son porte-documents, elle déclara :

— J'ai apporté des cassettes de plusieurs jeunes acteurs dont je suis sûre que vous apprécierez le talent. Et si vous désirez voir l'un d'eux personnellement, je peux m'arranger pour le faire venir. Voulez-vous que nous regardions les cassettes maintenant ?

— Non, dit Richard, qui ne tenait pas à perdre de temps. Posez-les sur la table. Je les regarderai plus tard avec mes collaborateurs.

— Vous pouvez les garder. J'ai fait faire des copies.

— Vous êtes très organisée.

— Il le faut, dans mon métier.

— Allons droit au but, parlez-moi de Joey Lorenzo.

— Qu'est-ce que vous désirez savoir ? demanda-t-elle prudemment.

— Tout.

Elle se demanda un instant s'il n'était pas homo et si ce n'était pas pour ça qu'il voulait des renseignements sur Joey.

Un moment il avait été marié à Lara Ivory, et maintenant à Nikki Barry, la costumière : il ne pouvait donc pas être homo. C'est vrai qu'à Hollywood on avait toujours des surprises.

— Tout, c'est un mot bien vague.

— Madame Francis, commença-t-il, je vais être sincère avec vous...

— Je vous en prie, appelez-moi Madelaine.

— Très bien, Madelaine, permettez-moi d'être franc. Je compte bien visionner les cassettes de vos acteurs et je suis sûr qu'un jour nous ferons affaire ensemble. Mais, pour le moment, j'ai un problème avec Joey Lorenzo et j'ai besoin de renseignements.

— Ah oui ? fit-elle, se demandant si Joey lui avait volé de l'argent aussi. De quoi s'agit-il ?

— Malheureusement, il s'est attaché à ma femme.

— Oh, dit Madelaine, très surprise.

— Personne n'a l'air de rien savoir sur lui, poursuivit Richard. Et, en vérité... je suis très préoccupé.

Vous avez bien raison de l'être, songea Madelaine. *Joey Lorenzo est un sale petit voleur.*

— C'est sur un tournage qu'il a rencontré Mme Barry ? interrogea-t-elle poliment.

— Il ne fréquente pas Nikki, répondit Richard avec impatience. Mais mon ex-femme, Lara Ivory.

Un moment, Madelaine resta sans voix.

Joey avec Lara Ivory ? Impossible !

Puis, en y réfléchissant, tout s'éclaira. Joey était terriblement beau garçon, sans compter qu'il était sensationnel au lit. Toutes les femmes lui couraient après. Pourquoi Lara Ivory n'aurait-elle pas envie de lui ?

— Je... je ne sais pas quoi dire. Joey est quelqu'un de très instable. Vous avez raison d'être inquiet.

— Madelaine, reprit Richard en se penchant vers elle, puis-je vous poser une question extrêmement personnelle ?

— Je pense que oui.

— Est-ce que vous et Joey avez eu des rapports intimes ?

— Écoutez, monsieur Barry, je sais que Joey est un peu plus jeune que moi mais... parfois, des hommes de mon âge ne veulent que des filles de vingt-deux ans...

Oui, reconnut-elle après un long silence, Joey et moi avons vécu ensemble quelque temps.

Voilà, se dit Richard, triomphant. *C'est bien un arnaqueur. Il vit avec un agent plus âgé pour faire avancer sa carrière. Madelaine Francis doit avoir au moins vingt ans de plus que lui et ce n'est pas tout à fait Jane Fonda.*

Le garçon d'étage frappa à la porte pour apporter deux cappuccinos. Richard signa l'addition.

— Avez-vous besoin d'autre chose, monsieur Barry ? s'enquit le serveur, qui guettait en réalité l'occasion de lui dire : « Puis-je vous lire mon scénario ? Je suis acteur aussi. »

— Non, répondit sèchement Richard.

À regret, le serveur quitta la chambre. À peine était-il parti que Richard se retourna vers Madelaine.

— Combien de temps exactement Joey et vous avez-vous été ensemble ? demanda-t-il d'un ton crispé.

Elle hésita quelques secondes. Après tout, elle n'avait rien à perdre et tout à gagner si elle pouvait s'acquérir l'amitié de Richard Barry.

— Joey avait vingt-quatre ans quand nous nous sommes rencontrés, commença-t-elle. C'était un jeune acteur qui essayait de percer à New York et ça ne marchait pas très fort. Croyez-moi, j'ai fait beaucoup pour lui. Je lui ai décroché un rôle important dans *Solide*, un film qui lui a valu des critiques fabuleuses. Après ce début fracassant, une carrière s'ouvrait devant lui. Là-dessus, il a disparu.

— Comment ça : disparu ?

— Il a quitté New York. Personne ne savait où il était passé. Six ans plus tard, il a réapparu et m'a raconté qu'il avait eu des problèmes familiaux. Je l'ai repris comme une idiote et, peu après, je lui ai fait passer une audition pour le rôle du *Rêveur*. C'est là manifestement qu'il a rencontré votre ex-femme. Je ne l'ai pas revu depuis.

Richard pianota sur le bras de son fauteuil.

— Où était-il pendant ces six ans ?
— Je n'en ai aucune idée.
— Et sa fiancée ?
— Fiancée ? Je ne sais rien d'une éventuelle fiancée.
— Sur *Le Rêveur*, il a dit à tout le monde qu'il était fiancé.
— Avec qui ?
— Avec une nommée Philippa ?
— Connaissant Joey, il a dû faire ça pour se donner plus de poids.
— Il serait capable d'une chose pareille ?
— Joey serait capable de tout, affirma-t-elle avec un rire amer.
— Vous n'avez pas essayé de le retrouver quand il est parti ?
— Ce n'est pas mon style, monsieur Barry. Je n'ai rien d'un détective.
— Vous viviez avec lui quand il a tourné *Le Rêveur* ?

Elle acquiesça, la colère montant en elle. Il l'avait plaquée deux fois. Ce n'était pas juste. Elle réussit à maîtriser sa colère. Elle n'allait pas laisser Richard Barry comprendre à quel point elle avait été idiote.

— Peut-être, monsieur Barry, pouvez-vous me rendre un service, dit-elle en cherchant désespérément une cigarette dans son sac.
— Lequel ?
— Donnez-moi l'adresse de Joey. C'est une question d'affaires dont j'ai besoin de discuter avec lui.

Richard se pencha pour lui allumer sa cigarette : il remarqua qu'elle avait les mains qui tremblaient.

— Il vit avec mon ex-femme, expliqua Richard. Il tourne aussi dans le même film qu'elle, *Vengeance*, une merde à petit budget. Je vais vous donner le numéro de téléphone de Lara. D'ailleurs, ajouta-t-il, comme si l'idée venait de lui traverser l'esprit, ça serait peut-être une bonne chose que vous lui parliez personnellement de Joey et de vous.

— Je peux le faire, acquiesça Madelaine.

J'adorerais le faire.

— Lara ne sait rien de lui, poursuivit Richard. Si elle était informée, peut-être verrait-elle les choses plus clairement.

— Si vous arrangiez une rencontre entre nous ? suggéra Madelaine. Je suis à votre disposition.

— Justement, dit-il, je vais sur le plateau ce matin. Auriez-vous le temps de m'accompagner ?

— Certainement.

— Parfait.

Madelaine Francis comprenait très bien ce que Richard Barry attendait d'elle. Et elle décida qu'elle se ferait un plaisir de lui rendre ce service. Ce serait sa façon à elle de se venger de Joey.

55

Linden, l'attaché de presse de Lara, fut le premier à la contacter : il lui tendit le magazine dans sa caravane. Elle contempla la double page de photos et se sentit prise de nausées. Qui avait laissé un photographe saisir les moments les plus intimes de ces scènes ? Pourquoi ne la protégeait-on pas ?

— Je ne peux pas y croire ! cria-t-elle, consternée. Comment est-ce que ça a pu arriver ?

— Quelqu'un sur le plateau avec un appareil photo caché, répondit Linden. Mick ou Nikki auraient dû mettre tout le monde sur le qui-vive. Si ç'avait été le cas, ça n'aurait pas pu se produire.

— C'est vraiment injuste, murmura-t-elle, sa voix se brisant. Je me sens... violée.

— Lara, ça n'est jamais qu'une scène d'un film. Ce n'est certainement pas vous.

— Bien sûr que c'est moi, répliqua-t-elle avec violence. Il faudrait une loupe pour lire les petits caractères précisant qu'il s'agit de photos d'un film.

— Qu'est-ce qui me dit qu'on n'a pas communiqué ces photos à la presse pour faire de la publicité à *Vengeance* ? Vous croyez que Nikki ferait ça ?

— Je ne sais plus quoi penser, répondit-elle.

— Il n'y a rien que vous puissiez faire maintenant, ajouta Linden en lui reprenant le magazine. La meilleure solution, c'est de l'ignorer.

— Merci bien. Imaginez donc un peu si c'étaient des photos de vous ?

— Je ne crois pas que personne paierait pour me voir à poil, répliqua-t-il, impassible.

— Linden, ça n'est pas drôle.

— Je sais, je sais. Franchement, Lara, je comprends à quel point c'est dur pour vous.

Mais non, avait-elle envie de répondre. *Vous n'avez aucune idée de ce que c'est que d'être humiliée comme ça.*

— Bon, fit-elle en le congédiant. Allez voir ce que vous pouvez faire.

Il acquiesça.

— Je vous rappellerai plus tard.

Quand il fut parti, elle s'assit en se demandant comment elle allait expliquer cela à Joey. Il avait une séance de photos toute la journée : alors, avec un peu de chance, personne ne lui en parlerait. Elle lui raconterait ce soir quand elle serait calmée. Peu après le départ de Linden, Nikki fit son entrée.

— Bon sang, demanda Lara, allant droit au but, qu'est-ce qui s'est passé ? Comment ces photos sont-elles sorties ?

— Oh, mon Dieu, gémit Nikki, tu les as vues !

— Si je les ai vues ? J'ai déjà eu Quinn au téléphone qui a fait son numéro de « Je vous l'avais bien dit ». Dieu merci, Joey n'est pas encore au courant : il va devenir dingue quand il les verra. Richard arrive.

Nikki avait du mal à maîtriser son agacement.

— Pourquoi ?

— Parce qu'il a appelé et que je lui ai demandé de venir, répliqua Lara. Contrairement à certains, lui s'intéresse à ce qui se passe dans ma vie.

— Je suis absolument désolée, insista Nikki. Je ne sais pas comment quelqu'un a pu prendre ces clichés.

— Quand j'ai accepté de faire *Vengeance*, je m'attendais à être protégée, continua Lara d'un ton glacial. Les studios le font toujours. Pourquoi n'en es-tu pas capable ?

— Crois-moi, protesta Nikki, ce n'est pas ma faute.

— C'est toi la productrice de *Vengeance* : ça te rend donc responsable. Quinn est furieux. Il dit que ça pourrait avoir un effet très négatif sur ma carrière.

— Je suis sûre que sa réaction est exagérée.

— Je comprends ton ambition, Nikki, poursuivit Lara. Mais je ne m'attendais pas à être le dindon de la farce.

— Tu es injuste.

— Je suis trop en colère pour être juste, riposta Lara. Enfin, ça te plairait de te retrouver dans la presse à sensation exposée nue aux yeux de tous ? Je n'ai jamais fait de photos de nu de ma vie et voilà maintenant que je me retrouve dans cette situation à cause de ton foutu film.

Richard arriva peu après, juste au moment où Nikki quittait la caravane. Ils échangèrent un bref bonjour. Il se précipita sur Lara, la prit dans ses bras.

— Tu n'as pas voulu m'écouter, n'est-ce pas ?

Elle se dégagea en haussant les épaules.

— Qu'est-ce que tu veux que je te dise ? Tu avais raison.

— Si ç'avait été mon tournage, je peux t'assurer que ça ne se serait jamais produit. Voilà ce qui t'attend quand tu travailles avec des amateurs.

— Tu as raison, répondit-elle en s'asseyant. Merci d'être venu, Richard.

— Mon chou, je ne pense qu'à tes intérêts.

— Je sais.

— D'ailleurs, je n'arrête pas de penser à toi.

Il marqua une pause pour estimer son humeur.

— Tu sais certainement que la principale raison pour laquelle Nikki et moi sommes séparés, c'est parce qu'il y a encore un rapport très spécial entre toi et moi. Un lien qui ne se brisera jamais.

— Ne commence pas, Richard...

— Attends, écoute-moi, Lara. Te tromper, ç'a été la plus grande erreur de ma vie. Je veux que tu saches que, si jamais tu peux me pardonner et penser que nous pouvons revivre ensemble, je suis toujours là pour toi.

— C'est très flatteur. Mais, Richard, je suis avec quelqu'un maintenant. C'est très sérieux.

— Jusqu'à quel point ?

— Eh bien..., reprit-elle, hésitant un moment. Joey et moi envisageons de nous marier, mais, je t'en prie, garde ça pour toi. Personne ne le sait.

Il contempla ses grands yeux verts en se demandant comment une femme aussi belle et aussi gentille pouvait être aussi naïve.

— Tu parles sérieusement ?

— Tout à fait, acquiesça-t-elle.

— Écoute-moi bien, Lara. Je t'ai annoncé ce qui se passerait sur ce film. Maintenant, je te mets en garde contre ce qui va se passer si tu épouses Joey.

Pourquoi fallait-il toujours qu'il essaie de régir sa vie ?

— Richard, supplia-t-elle en essayant de garder son calme, je t'en prie, ne me dis pas ce que je dois faire, parce que ça ne te regarde pas.

Il se mit à marcher de long en large.

— Est-ce que Joey t'a jamais parlé de Madelaine Francis ?

Elle secoua la tête.

— Il vivait avec elle... en fait, il était avec elle quand il t'a rencontrée.

Il guetta sa réaction : elle avait l'air surpris.

— Tu devrais parler à Madelaine, s'empressa-t-il d'ajouter.

— Pourquoi donc ? demanda-t-elle.

Il poursuivit : il savait exactement comment s'y prendre avec elle.

— Tu as peur de ce que tu pourrais découvrir ?
Il se leva. Elle attendit qu'il parte.
— C'est ridicule, lança-t-elle avec impatience.
— Fais ça pour moi, mon chou. Vois cette femme, ne serait-ce que quelques minutes.
— Il n'y a aucune raison...
— En souvenir du bon vieux temps, Lara.
— Bien, articula-t-elle, acceptant à contrecœur.
Il avait piqué sa curiosité.
— En tout cas, je peux te l'assurer : ça ne changera rien.
Il eut un petit sourire. *Tu veux parier ?*
— Elle est dans ma voiture, annonça-t-il. Je vais aller la chercher.

56

Greg Gorman était un maître photographe : sur sa table basse s'entassaient des albums remplis de portraits de stars. Joey était impressionné. Greg l'aimait bien, l'encourageait. Joey adorait être le centre de l'attention générale. Ce qu'il y avait de bien, c'était qu'il n'avait même pas dû payer pour la séance de photos car Lara avait obtenu que le studio responsable du *Rêveur* s'en charge.

Greg s'arrêta pour changer de rouleau et la maquilleuse, le coiffeur et le styliste se précipitèrent tous sur Joey.

Il s'étira en souriant. Sa carrière commençait. Il avait dans sa vie une femme fantastique qu'il projetait d'épouser. Après les ennuis, les choses s'arrangeaient enfin.

Richard fit entrer Madelaine dans la caravane de Lara.

— Bonjour, prononça-t-elle d'un ton un peu froid, un peu tendu.

— Bonjour, chérie, répéta Richard avec chaleur. Voici Madelaine Francis.

Lara eut un bref petit signe de tête.

Madelaine la dévisageait : elle était encore plus belle qu'à l'écran.

Richard se dirigea vers la porte.

— Puis-je vous laisser seules toutes les deux ? suggéra-t-il.

— Très bien, répondit Lara, se demandant pourquoi elle avait accepté cette entrevue.

À peine fut-il parti qu'elle s'agita sur son fauteuil, mal à l'aise.

— Tout ça me gêne beaucoup, commença-t-elle.

— Moi aussi, convint Madelaine.

— C'est une idée de Richard, ajouta-t-elle. Et, très franchement, si vous avez quelque chose à dire à propos de Joey, je pense qu'il devrait être ici.

— Ça ne me gênerait pas.

— Richard n'aime pas Joey, déclara Lara avec un soupir las. Il s'acharne à déterrer des ragots.

— Peut-être cherche-t-il à vous protéger.

— De quoi ? répliqua-t-elle sèchement, horrifiée du toupet de cette femme.

— Une idée, comme ça, murmura Madelaine.

— En tout cas, qu'est-ce que vous venez faire là-dedans ? demanda Lara d'un ton brusque. Vous connaissiez la fiancée de Joey ?

— Pourquoi est-ce que tout le monde s'obstine à parler d'une fiancée ? Quand je lui ai décroché le rôle dans *Le Rêveur*, c'était avec *moi* qu'il vivait.

— Vous ?

Cette femme aurait pu être sa mère.

— Quand Joey et moi nous sommes rencontrés, il était fiancé à une jeune fille du nom de Philippa. C'est vous, Philippa ?

— Non, dit Madelaine en ajoutant sèchement : Et, comme vous l'avez sans doute remarqué, je ne suis pas une jeune fille.

— Je ne voulais pas dire...

— Écoutez, Miss Ivory, reprit brutalement Madelaine, Joey Lorenzo et moi étions amants jusqu'au jour où il vous a rencontrée. Après cela, il semble que je ne lui ai plus été utile.

Lara prit une profonde inspiration. *Pourquoi est-ce que ça m'arrive à moi ?* songea-t-elle. *Pourquoi ?*

Parce que tu es une sale petite traînée et que tu ne mérites pas le bonheur.

Les paroles de son père revenaient l'obséder. Si dures. Si inoubliables.

— C'est Richard qui vous a demandé de faire cela ?

— Absolument pas, riposta Madelaine. Ça fait vingt-cinq ans que je suis agent, j'ai une réputation sans tache. Vous pouvez vous renseigner.

Elle chercha une cigarette dans son sac.

— Ça ne vous dérange pas que je fume ?

— Je vous en prie.

— Malheureusement, voilà quelques années, je me suis stupidement entichée de Joey. Nous avons été ensemble près d'un an, puis il a disparu pendant six ans. Je ne sais absolument pas où il est allé. À son retour, il s'est réinstallé chez moi.

Elle tira sur sa cigarette.

— Et il y a une chose que je n'ai pas dite à votre ex. Quand Joey est parti la première fois, il m'a volé sept mille dollars.

Lara se sentait l'estomac serré. Son instinct lui chuchotait que cette femme ne mentait pas.

— Et Philippa ?

— Il n'y a pas de Philippa, renchérit Madelaine. Il l'a inventée. Joey a beaucoup d'imagination.

— Pourquoi... pourquoi ferait-il ça ? balbutia Lara.

— Qui sait, avec Joey ? Je peux simplement supposer qu'il n'avait pas envie de vous parler de moi.

— Il aurait pu. Il n'y a rien de mal à vivre avec une femme plus âgée...

— Soyez réaliste, ma chère, lança Madelaine. Il était avec moi à cause de ce que je pouvais faire pour lui. Ce sale petit ingrat m'a volé mon argent et je n'ai rien dit.

Lara se leva et se mit à marcher de long en large dans la caravane.

— Qu'est-ce que vous savez d'autre sur lui ? demanda-t-elle.

— Pas grand-chose. Joey a toujours été très secret sur son passé...

Lara se souvenait du numéro qu'elle avait appelé à New York : le numéro de Philippa. Si c'était le même que celui de Madelaine, cela signifiait qu'elle disait la vérité. Elle demanda à Madelaine son numéro personnel, puis elle appela Cassie et la fit vérifier.

Ils étaient identiques.

— Vous êtes certaine que c'est lui qui a volé votre argent ?

— Aucun doute là-dessus, acquiesça Madelaine. Quand il est revenu, il m'a rendu trois mille dollars. Le reste, je l'ai récupéré sur le chèque qu'il a touché pour son travail sur *Le Rêveur*.

Lara était désemparée. Ainsi Joey — son Joey — n'était rien de plus qu'un sale petit opportuniste, un voleur qui se servait des femmes pour ce qu'il pouvait tirer d'elles.

— Je... je ne sais pas quoi dire..., madame Francis, voilà des renseignements que j'aurais préféré ne jamais entendre. Maintenant que vous m'en avez parlé, je pense qu'il va falloir prendre des mesures.

— Je comprends, dit Madelaine en hochant la tête d'un air compatissant. Ce n'est pas facile. Joey est très charmant. Et, bien sûr, c'est aussi un amant extrêmement doué — comme vous avez dû vous en apercevoir. Quand Joey vous fait l'amour, vous avez l'impression d'être la seule femme au monde. Et, croyez-moi, ajouta-t-elle avec un petit rire amer, à mon âge, c'est quelque chose.

— Je n'en doute pas, murmura Lara, qui voyait tout son monde idyllique se briser en miettes autour d'elle.

Le matin de bonne heure, Summer se plaignit de maux d'estomac et resta à l'abri de son lit jusqu'à ce que son père soit parti pour son cabinet. À peine avait-elle entendu sa voiture démarrer qu'elle sauta hors du lit et se précipita en bas.

Mme Stern, la gouvernante, la regarda avec stupéfaction.

— Je croyais que vous ne vous sentiez pas bien, mademoiselle, déclara-t-elle d'un ton de reproche.

— Ça va beaucoup mieux maintenant, justifia Summer, tout innocente dans sa blondeur. Il faut que j'aille en classe. Un examen important aujourd'hui.

— Voulez-vous que je vous prépare votre petit déjeuner ?

— Non merci, madame Stern.

— Vous êtes sûre...

— Absolument.

Une très brève pause, puis elle ajouta :

— Je crois que j'ai laissé quelques-uns de mes devoirs dans le bureau de papa. Je ferais mieux d'aller jeter un coup d'œil.

Elle s'engouffra dans le domaine privé de son père, claquant la porte derrière elle. Dès qu'elle eut la certitude que Mme Stern n'allait pas la suivre, elle se mit à fouiller son bureau. Tina avait eu la bonne idée : trouver l'argent et filer. Et si elle en découvrait un peu, elle comptait s'en aller jusqu'à L.A. : aucune raison de rester ici à risquer d'autres visites nocturnes.

Elle fouilla frénétiquement les tiroirs jusqu'au moment où elle dénicha, cachée sous une pile de dossiers dans le tiroir du bas, une grande enveloppe beige contenant un assortiment de photos pornographiques : la plupart représentant de jeunes collégiennes. Le sale pervers ! Pourquoi Nikki l'avait-elle laissée avec lui ? Pourquoi ne pas l'avoir emmenée ?

Elle s'empara de l'enveloppe et monta au premier

étage. Là, elle alla droit à la penderie de son père, fouillant les poches de ses costumes, se souvenant que, quand elle était gosse, c'était là qu'il rangeait son argent. Ses mains avides plongèrent dans une succession de poches pour finir par tomber sur deux mille dollars entourés d'un élastique. Elle n'en croyait pas sa chance. Avec tant d'argent, elle pourrait sans mal prendre un billet pour L.A.

Ne voulant pas donner l'alerte à Mme Stern, elle se précipita dans sa chambre et passa rapidement sa tenue de lycéenne. Puis elle fourra tout ce qu'elle put dans un grand sac de voyage qu'elle réussit à cacher dans le jardin sans que Mme Stern s'en aperçoive. Elle traîna le lourd sac jusqu'au coin de la rue et prit un bus pour le centre de la ville. De là, elle héla un taxi qui la conduisit à l'aéroport.

L.A... me voilà ! pensa-t-elle. *Enfin.*

— Alors Lara t'en voulait vraiment ? demanda Aiden en grattant son menton mal rasé.

Debout devant la cantine, ils picoraient des fruits dans une coupe.

— Oui, répondit Nikki d'un ton navré. Là-dessus, Richard est arrivé.

Aiden mordit dans une pomme.

— Je te l'ai dit, il est obsédé par Lara. J'ai été folle de l'épouser. Je ne m'en suis même pas rendu compte.

— Richard, on s'en tape, déclara Aiden en l'entraînant vers deux fauteuils de toile. Parlons plutôt de nous.

— Comment ça : de nous ? demanda-t-elle, le souffle coupé.

— Eh bien, je me demandais... qu'est-ce qui se passe après le film ? Toi et moi, on crèche ensemble ? On reste amis ? Amants ? Comment ça va se passer, Nikki ?

Même si elle l'aimait bien, elle n'était pas d'humeur

à se laisser bousculer : tout allait trop vite et elle avait besoin de temps pour réfléchir.

— Euh... eh bien... je vais être enfermée dans la salle de montage pendant les six semaines à venir, à essayer de terminer ce film avec Mick. Tu sais, Aiden, je voulais te remercier...

— De quoi ?

— D'avoir donné une si brillante interprétation.

— Merci, mais c'était mon boulot. Et tu sais... Lara était rudement bonne aussi. Ça a étonné tout le monde.

— Oui, n'est-ce pas ?

— Ce film va être comme ça, dit-il en levant les deux pouces.

Elle rit, se rendant compte soudain qu'il allait lui manquer.

— Alors, quels sont tes projets ?

Il haussa les épaules, comme si cela n'avait guère d'importance.

— Si une compagnie d'assurances veut bien me prendre en charge, il y a quelques indépendants qui acceptent le risque... Évidemment, une fois qu'on est un camé reconnu, c'est la croix et la bannière pour se faire embaucher.

Elle l'observa attentivement.

— Dis-moi la vérité, Aiden. Tu es vraiment clean maintenant ?

— Je fais ça au jour le jour, répondit-il d'un ton hésitant. Évidemment, ce n'est pas facile parce que la tentation est permanente. Je trouve ça partout où je vais.

— Ça doit être dur.

— On pourrait dire ça.

— J'ai vraiment envie de te voir. Mais d'abord, il me faut du temps pour moi-même.

— Tu sais..., dès l'instant que je suis libre quand tu es prête...

— Tu es beaucoup mieux que tu ne veux le faire croire aux gens.

— C'est un compliment ?
— Je te laisse décider.

Lara passa, en route pour le plateau, le visage fermé. *Richard n'a sans doute pas arrangé les choses,* se dit Nikki. *Lui, il aime le drame.*
— Tu n'as besoin de rien ? lança-t-elle à Lara au passage.
— Si... d'une nouvelle vie, répliqua Lara.
Nikki lui emboîta le pas.
— Tu viens bien au pot de fin de tournage, ce soir ? demanda-t-elle en espérant que Lara allait dire oui.
— À ta place, répondit Lara sans s'arrêter, je ne compterais pas sur moi.

Lara n'avait aucune intention d'assister au pot de fin de tournage. Elle se rendit sur le plateau, joua sa scène puis appela Cassie sur son portable.
— On part en voyage, dit-elle, encore nerveuse. Prépare-moi deux valises et retrouve-moi au studio dès que possible. Je ne passe pas à la maison. En tout cas, ne parle de rien à Joey.
— Si je comprends bien, il ne vient pas avec nous ?
— Tu as parfaitement compris.
— Où allons-nous ? demanda Cassie avec curiosité.
— À la maison de la plage. Pas un mot à personne.
— C'est comme si c'était fait.
Oui, se dit Lara. *C'est comme si c'était fait. Ma vie avec Joey, c'est comme si c'était fait aussi : terminé. Fini. C'est de l'histoire ancienne.*
Et elle se sentit envahie d'un accablant sentiment de tristesse.

57

— Alors ? demanda Richard quand Madelaine repassa à son hôtel.

— Je suis certaine que ça s'est déroulé exactement comme vous l'aviez prévu, répondit-elle un peu sèchement comme il la faisait entrer.

Elle n'était pas stupide. Elle savait le résultat que cherchait Richard. Il voulait récupérer sa délicieuse ex-femme, et qui pourrait le lui reprocher ?

Il faisait tourner dans sa main un verre de vodka bien rempli.

— Vous en voulez une ? proposa-t-il.

— Non, merci, répondit-elle en allant s'asseoir sur le canapé.

Il la rejoignit.

— Vous avez tout raconté à Lara ? interrogea-t-il.

— Oui.

— Excellent.

— Je lui ai parlé aussi des sept mille dollars que Joey m'avait volés.

Richard se redressa. Sept mille dollars ! Bon sang ! C'était encore mieux qu'il n'avait cru.

— Qu'est-ce qu'elle a dit ?

— Elle n'avait pas besoin de dire grand-chose. Tout se lisait dans son regard. Elle se sentait déçue, trahie...

— Bien.

— Bien ? reprit-elle en haussant les sourcils.

— Euh... je veux dire que c'est bien qu'elle ait découvert la vérité avant qu'il soit trop tard. Ils comptaient se marier, vous savez.

— Vraiment ?

Madelaine n'était pas surprise. Qu'est-ce que Joey avait à perdre en épousant Lara Ivory ?

— Oui. Je suis sûr que vous l'avez persuadée de changer d'avis, dit Richard en buvant une bonne lampée de vodka. Quand elle aura digéré le coup, elle nous remerciera tous les deux.

— Je suis heureuse d'avoir pu vous rendre service.

Il se leva d'un bond : elle avait rempli son office, il était prêt maintenant à la raccompagner jusqu'à la porte.

Ce fut à cet instant que la mémoire de Madelaine lui fit presque se rappeler d'où elle connaissait Richard Barry. La démarche, le regard, quelque chose dans la voix...

— Dites-moi, demanda-t-elle, incrédule, vous n'avez jamais été acteur ?

— Non, s'empressa-t-il de répondre. Jamais.

— Il y a quelque chose de familier chez vous...

Il la poussa vers la porte.

— On traite les acteurs comme du bétail, dit-il brusquement. Je préfère être de l'autre côté de la caméra.

— Enfin..., fit-elle, n'oubliez pas de jeter un coup d'œil aux miens. Je m'occupe de quelques bons comédiens.

— Demain, je vais visionner votre cassette avec mes collaborateurs.

— J'ai hâte d'avoir de vos nouvelles.

Il referma la porte sur elle avant qu'elle puisse ajouter un mot. Pourquoi les femmes avaient-elles toujours envie de parler ?

Vous n'avez jamais été acteur ? Elle était folle ?

Je suis Richard Barry, le célèbre metteur en scène. Voilà près de trente ans que je suis Richard Barry. J'ai pris le Richard à M. Burton et le Barry à un magasin en face d'un théâtre où on jouait César et Cléopâtre.

Richard Barry. Quand je suis rentré aux États-Unis après mes deux ans passés au Mexique, voilà qui j'étais. Le nom avait de la stature, de la dignité. Le nom représentait le genre de vie auquel j'aspirais. Plus question de déconner. Avec le meurtre accidentel de Hadley et ma période de drogué, je savais que je ne pouvais pas couler plus profond.

On était en 1970. J'avais trente ans et j'étais bien décidé à me faire une place au soleil. Depuis que j'avais été flanqué dehors par mon père à seize ans, j'avais passé quinze ans à déconner. Maintenant, ça suffisait : Richard Barry était né.

Je rentrai aux États-Unis avec un programme absolument nouveau, des papiers prouvant qui j'étais et bien décidé à réussir. J'avais aussi changé de physique : plus mince, plus en forme, une barbe bien taillée et des cheveux courts. Je ne ressemblais plus à l'arnaqueur camé qui s'était enfui au Mexique, terrifié à l'idée d'être arrêté pour meurtre.

Après le retour aux États-Unis de mon amie mariée, je m'étais installé à Acapulco... où je m'étais trouvé du travail dans un petit bar au bord de l'eau. L'établissement appartenait à Hector Gonzales, un metteur en scène de cinéma depuis longtemps retiré. Hector était un brave homme qui aimait bien bavarder — surtout avec des Américains. Il était propriétaire d'un bateau de pêche et un jour il m'invita à sortir en mer avec lui. Après cette première fois, nous allions pêcher presque chaque week-end et, durant nos longues heures passées à attendre que le poisson morde, il me régalait d'histoires sur sa vie. Et quelle vie il avait eue : marié cinq fois — dont deux à de superbes vedettes de cinéma. Quatorze enfants. Vingt-six petits-enfants. Trente-quatre films comme metteur en scène dont beaucoup avaient reçu des prix.

J'étais fasciné par les récits d'Hector. Je lui racontai que j'avais dirigé deux épisodes d'une série télé à Los Angeles et combien j'avais aimé ça.

— Très malin, déclara Hector. Tout le monde veut être acteur. Les gens ne comprennent donc pas ? Celui qui a le pouvoir, c'est le metteur en scène.

Je commençai à me dire que j'avais peut-être choisi la mauvaise voie : pourquoi ne pas me mettre à la mise en scène ?

Chaque soir après le travail, j'allais chez Hector et je regardais certains des films qu'il avait réalisés. Quand nous en eûmes terminé avec ses œuvres, il me fit regarder les grands films d'autres metteurs en scène : Billy Wilder, John Houston et autres. Hector me donna l'éducation que je n'avais jamais eue et qui me manquait tant.

Quand je finis par rentrer aux États-Unis, j'étais prêt. Je savais exactement ce que je voulais faire.

Hector m'avait donné le nom de deux ou trois personnes à qui téléphoner et j'utilisai aussitôt ses relations. J'avais mis au point un faux CV et la première personne à qui je le montrai en crut chaque mot : j'obtins un poste d'assistant monteur.

Comme j'avais provisoirement renoncé aux femmes, le travail devint ma passion. Au bout d'un an j'étais chef monteur. Et puis un de mes amis qui lisait des scripts pour une grande agence me laissa jeter un coup d'œil à sa pile de scénarios refusés. J'en lus un intitulé Les Yeux du tueur. *C'était un script très en avance sur son époque, mais je compris tout de suite que je tenais là ce qui devait me permettre de démarrer ma carrière de metteur en scène. J'engageai un scénariste et, à nous deux, nous avons restructuré le scénario. Puis, avec l'aide des relations d'Hector, je trouvai l'argent pour tourner un film à tout petit budget.* Les Yeux du tueur *devinrent un film culte. Et moi je devins une force avec laquelle il fallait compter. Après cela, je n'ai plus jamais regardé en arrière.*

Quand j'épousai Lara Ivory, j'étais un grand metteur en scène et personne ne s'était jamais rappelé mon sinistre passé. J'avais réussi à me débarrasser de l'homme que j'étais jadis : le gigolo assassin qui vivait des femmes, se camait, vendait son corps. C'était une renaissance totale.

Alors, qu'est-ce que voulait dire Madelaine en me demandant si j'avais jamais été acteur ?

Non, ma jolie, je n'ai jamais été acteur. Ce personnage a cessé d'exister voilà longtemps.

Quiconque essaiera de me ressusciter sera sévèrement châtié.

58

— Salut, commença Summer.

— Salut, répondit Tina.

Là-dessus toutes deux éclatèrent de rire avant de tomber dans les bras l'une de l'autre.

Summer avait appelé de l'aéroport et Tina avait insisté pour que celle-ci descende chez elle.

— Bienvenue au chaos, annonça Tina en ouvrant la porte de son impeccable petit appartement. Tu as eu un bon vol ?

— Tu parles ! s'exclama Summer en feignant un frisson. J'étais coincée entre une abominable grosse dame avec deux petits monstres et un mari idiot.

— En tout cas, tu es là. Attends que Norman Barton l'apprenne : d'après Darlene, il n'a pas cessé de demander de tes nouvelles depuis notre unique nuit de débauche !

— C'est vrai ?

— Oui, mais je n'ai pas dit à Darlene que tu allais revenir. J'ai pensé qu'on réglerait ça nous-mêmes : on fera sauter la commission. Qu'est-ce que tu en dis ?

— Excellent, répondit-elle.

Elle se rendait compte qu'enfin elle avait sauté le pas et que maintenant elle était libre : totalement indépendante ! Plus de visites nocturnes de petit papa chéri ni de sermons de Nikki.

— Oh ! mon Dieu, que c'est bon de se retrouver à L.A., soupira Summer en se laissant tomber sur le lit.

— Comment as-tu réussi ton évasion ? demanda Tina.

— J'ai filé. Exactement comme toi. J'ai déniché deux mille dollars dans un des costumes de mon père et j'ai mis la main dessus.

— Tu crois qu'il va te rechercher ?

— Probable, répondit Summer sans se démonter. Sauf s'il a peur que je raconte tout.

— Que tu racontes quoi ? interrogea Tina.

— Tu sais, répondit Summer, mal à l'aise.

— Quoi donc ? insista Tina.

— Des histoires de sexe, murmura Summer.

— De sexe ! s'écria Tina. Je croyais que c'était ton vrai père.

— Mais oui.

— Quelle horreur ! Quel sale vieux pervers ! Tu pourrais le faire arrêter.

— Vraiment ? s'écria Summer, imaginant avec satisfaction Sheldon menottes aux mains.

— Mais oui. C'est de l'inceste : c'est contraire à la loi. Tu as raconté à ta mère ce qu'il te faisait ? demanda Tina avec curiosité.

— Elle dirait que j'ai inventé tout ça. Je t'ai dit : mon père est un grand psy de Chicago. Personne n'accepterait ma parole contre la sienne. Mais je ne veux plus en parler, conclut-elle d'une voix étouffée.

— D'accord, d'accord. Tu aurais quand même dû en parler à ta mère : comme ça, tu n'aurais pas été obligée de retourner chez ce vieux dégénéré. Tu aurais pu rester ici.

Tina avait raison : elle avait failli aller trouver Nikki la première fois quand ça avait commencé. Mais elle avait dix ans, elle était complètement désemparée, et puis son père était tout ce qu'elle avait.

Il y avait aussi les menaces... *Si jamais tu racontes ce que nous faisons, ma jolie, on t'emmènera pour t'enfermer dans une maison pour vilaines petites filles... Tu ne voudrais pas de ça, mon trognon, n'est-ce pas ?*

Elle n'était pas une mauvaise fille en ce temps-là. Elle allait maintenant lui montrer de quoi elle était capable.

Il méritait d'être puni. D'être salement puni.

La séance avec Greg Gorman dura plusieurs heures et, quand ce fut terminé, Joey était si content qu'il resta à traîner au studio un moment en bavardant avec Megan, la jolie styliste, Teddy Antolin, le maître coiffeur, et deux des assistants de Greg avant de rentrer à la maison. *Enfin,* ça y était. Ç'avait pris un moment, mais il touchait presque au but.

Bien installé au volant de la Mercedes de Lara, il se sentait étonnamment détendu à l'idée que d'un instant à l'autre il allait se marier. Joey Lorenzo et Lara Ivory. Il avait touché le gros lot : il avait trouvé la femme idéale.

En arrivant à la maison, il aperçut Cassie dans l'allée qui montait dans sa voiture. Cassie n'avait jamais été très gentille avec lui, même s'il s'était donné du mal. Si elle ne changeait pas après leur mariage, il persuaderait Lara de se débarrasser d'elle et d'engager quelqu'un qui lui montrerait un peu plus de respect.

— Où est-ce que vous allez ? demanda-t-il en se penchant par la portière.

Cassie sursauta.

— Quoi ? dit-elle en se recroquevillant derrière le volant de sa Saab.

Il descendit de la Mercedes et s'approcha.

— Si vous allez sur le plateau, demandez à Lara si elle veut que je sois là-bas de bonne heure ou si elle prévoit de rentrer à la maison avant le pot de fin de tournage ?

— Oui, Joey, dit Cassie en se demandant ce qu'il avait fait pour que Lara soit en colère au point d'envisager de partir sans lui.

— Oh ! dites-lui aussi de brancher son portable : je n'arrive pas à la joindre.

— Certainement.

— À tout à l'heure.

Cause toujours. Elle partit rapidement pour le studio, les bagages de Lara soigneusement calés dans le coffre.

Il y avait de l'animation au restaurant de Sunset Plaza Drive quand Summer et Tina firent leur entrée — une entrée qui ne passa pas inaperçue. Deux succulentes jeunes filles attiraient toujours les regards des hommes. Les tables en terrasse étaient bourrées de riches et jeunes Italiens, Français et Iraniens.

— Quelle racaille ! s'écria Tina en s'installant à une table vide. Je suis drôlement contente de ne pas avoir à sortir avec aucun de ces types.

— Comment ça se fait ? interrogea Summer.

— Tu n'as qu'à regarder. Ils conduisent tous les mêmes somptueuses voitures de sport que papa leur a achetées. Ils ont trop d'argent de poche. Et ils ne pensent tous qu'à vous sauter. Non, merci ! poursuivit Tina en fronçant le nez. Si je me fais sauter, ça n'est pas à l'œil.

Summer espérait ne pas être aussi cynique que Tina quand elle aurait son âge.

— Quand est-ce que je vais voir Norman ? demanda-t-elle avec impatience.

— Il ne faut pas que ça ait l'air de te démanger, répondit Tina d'un air sagace. Il faut établir un plan. Je me disais que j'allais l'appeler moi-même pour fixer un rendez-vous. J'ai piqué son numéro dans le carnet de Darlene, ajouta-t-elle avec un petit rire triomphant. Si elle le savait, elle aurait une attaque.

— Tu parles ! renchérit Summer.

— Moi, je pourrais faire son boulot, reprit Tina d'un ton songeur.

— Quoi donc ?

— M'occuper de quelques filles. Les envoyer à des rendez-vous et empocher une jolie commission.

— Pourquoi tu ne le fais pas ?

— Oh ! je ne sais pas... c'est trop de travail.

Summer repoussa ses longs cheveux blonds en arrière.

— Mais, dis-moi, si tu ne sors qu'avec des types qui te paient, reprit-elle d'un air soucieux, comment est-ce que tu arriveras un jour à avoir une relation normale ?

— Ha ! Regarde autour de toi. Cette ville est pleine de femmes qui ont commencé par se faire payer et qui ont épousé de grands avocats, des patrons de studio....

— Tu veux dire qu'il y a des hommes pour qui c'est égal de payer ?

— Qu'est-ce qu'ils en ont à faire ? Dès l'instant qu'ils ont ce qu'ils veulent.

— Moi, je crois qu'il faut tomber amoureuse.

— Oublie ça ! L'amour, ça n'existe pas.

Summer n'était pas d'accord. Elle avait lu assez de romans pour savoir que ça existait bel et bien : elle avait décidé que Norman Barton allait tomber amoureux d'elle.

Un jeune Iranien aux cheveux d'un noir bleuté et à l'air suffisant s'approcha de leur table.

— Dites-moi, les filles, ça vous dirait de faire la tournée des boîtes ce soir ? proposa-t-il en faisant étinceler au soleil sa Rolex en or.

— Avec *toi* ? lança Tina d'une voix où perçait juste la bonne dose de mépris.

— Moi et mon copain, répondit-il en désignant un

type du même genre que lui en plus petit qui rôdait dans les parages.

— Tu paies, mon chou ? interrogea Tina avec un sourire vexant.

Il s'empressa de battre en retraite. Elle éclata de rire.

— On peut dire que je sais me débarrasser d'eux, hein ? dit-elle, triomphante. Un type n'aime pas se dire qu'il *doit* payer. Ceux qui sont vraiment malins, ce sont les vedettes de cinéma et les importants hommes d'affaires. Ils savent que c'est le seul moyen.

— Vraiment ?

— Mais oui. N'oublie pas ça. Si je dois te former, tu ferais bien de commencer à m'écouter.

— Oh oui ! murmura Summer. J'ai envie d'apprendre — vraiment.

N'importe quoi plutôt que de rentrer chez son père. Et si Tina était prête à jouer les professeurs, elle serait la meilleure élève du monde.

59

Lara savait ce qu'elle avait à faire et elle n'hésita pas. Tout le monde la croyait douce et gentille, mais, quand sa décision était prise, personne ne pouvait la faire changer d'avis. La moitié de sa vie, elle avait été un paillasson : bourrée de remords à propos de la mort de sa famille. Servant de domestique à tante Lucy, d'esclave à Morgan Creedo. Jusqu'au jour où elle avait rassemblé ses forces et trouvé sa vocation — pour s'y atteler avec une passion inébranlable. Et voilà qu'aujourd'hui tout semblait s'écrouler. D'abord les photos qui s'étalaient dans un magazine à sensation. Puis Joey.

Personne ne pouvait lui arracher sa réussite. Elle était arrivée toute seule, et personne plus jamais ne se servirait d'elle.

— *Votre mari est mort, lui annonça l'infirmière, d'un air où se mêlaient une forte compassion et un* Pourquoi faut-il que ce soit moi qui annonce les mauvaises nouvelles ?

Lara Ann hocha la tête. Les mauvaises nouvelles n'avaient rien de nouveau. D'ailleurs, après avoir passé quatre ans avec Morgan, elle en était venue à le détester. Ce n'était pas le chevalier à l'armure étincelante venu l'arracher aux épreuves de tante Lucy. Il s'était révélé être une brute autoritaire — au talent bien mineur —, il ne lui avait même jamais donné un baiser.

Cela faisait près de quatre ans qu'ils étaient mariés et elle était toujours vierge : Morgan ne l'avait jamais prise. Un jour où il était ivre, il lui avait expliqué pourquoi.

— Ma maman m'a toujours dit que ça affaiblit un homme de coucher avec une femme, avait-il déclaré en ricanant. Tu ne vaux pas mieux après ça qu'un étalon qui monte une jument.

Elle n'avait pas discuté. À ce moment-là, c'était la dernière chose qu'elle avait envie de le voir faire.

Après que l'infirmière lui eut annoncé le trépas de Morgan, le docteur était arrivé. Un type jeune, à peine plus vieux qu'un étudiant, et l'air très sérieux.

— Vous souffrez d'une légère commotion, dit-il en examinant sa feuille de température. Rien de sérieux. En fait, je vais vous laisser rentrer chez vous.

— Je n'ai pas de chez-moi, répondit-elle d'une petite voix. Chez moi, c'était la caravane derrière la voiture. Elle n'existe plus.

— J'en ai peur, en effet. Vous avez de la chance d'avoir survécu. Si vous n'aviez pas été endormie sur la banquette arrière...

Ma tête aurait valsé avec celle de Morgan, *songea-t-elle.*

— Vous avez de la famille ? demanda le médecin.

— Non, murmura-t-elle. Je n'ai personne.

— Personne, répéta-t-il en s'éclaircissant la voix.

— C'est ça.

Il regarda ses merveilleux yeux verts et, avant d'avoir eu le temps de réfléchir, il lui avait proposé d'utiliser pendant quelques jours le canapé de son petit appartement en attendant d'avoir décidé de son sort.

— Je ne veux pas coucher avec vous, déclara-t-elle.

— L'idée ne m'en est jamais venue, répondit-il.

Elle vint donc s'installer chez lui avec seulement les vêtements qu'elle portait au moment de l'accident et son sac qui contenait toutes leurs économies — cinq cents dollars — et le numéro de téléphone d'Elliott Goldenson, un producteur dont Morgan avait affirmé qu'il était prêt à proposer à Lara Ann un travail dans le cinéma. Elle ne se fiait pas trop au jugement de Morgan — il n'avait même jamais rencontré Elliot Goldenson — mais elle appela quand même. Un secrétaire lui donna une adresse à Hollywood et lui dit de venir tout de suite parce que M. Goldenson devait passer des auditions.

Elle décida que c'était un signe et se précipita à l'adresse indiquée aussi vite qu'elle put.

En mettant les pieds dans la salle d'attente, elle comprit qu'elle n'était pas à la bonne adresse. Dans tous les coins, des blondes qui jacassaient. Elles n'avaient qu'une chose en commun : des seins énormes.

Un jeune homme avec une queue de cheval rouge vif était assis derrière un grand bureau où s'étalaient des photos.

Elle s'approcha.

— Je suis Lara Ann Creedo. Je vous ai téléphoné et vous m'avez dit de venir. Je ne me suis pas trompée d'adresse ?

Il la toisa.

— Mon chou, vous n'auriez pas pu vous tromper davantage.

— Ça n'est pas ici ? demanda-t-elle, consternée.

— Vous n'êtes pas le genre de fille qu'il cherche. Pourquoi êtes-vous ici ?

— Parce que vous m'avez dit que M. Goldenson faisait passer des auditions.

— Je sais. Mais quel imbécile vous a dit d'appeler à ce numéro ?

— Mon mari.

— Oh ! dit-il en hochant la tête d'un air entendu, je vois.

— Je peux vous demander quelque chose ?

— Demandez toujours.

— Si je ne conviens pas pour ce rôle, est-ce qu'il y en a un autre qui va se présenter ?

— Ma jolie, murmura-t-il à voix basse, vous n'êtes pas à la bonne adresse. M. Goldenson fait des films pornos. Je ne pense pas que ce soit ce que vous cherchiez.

— Oh ! lança-t-elle en reculant, effarée. Mais... mon mari... il avait ce numéro. Il m'a dit que je serais parfaite.

— Hmm... si j'étais vous, je dirais deux mots à votre mari. En tout cas, n'ayez pas l'air si déçue : je ne vous ai pas envoyée vous mettre à poil devant un tas de vieux cochons.

— De toute façon, je ne ferais pas ça.

— Je suppose que vous venez d'arriver en ville ?

— Oui.

— Eh bien, ma jolie, voici le conseil que je vous donne. Trouvez-vous un agent sérieux et commencez à faire la tournée. Vous êtes certainement assez belle pour ça.

— Comment est-ce que je trouve un agent sérieux ?

— Regardez dans les pages jaunes. Allez chez William Morris, ICM — les grandes agences.

— Qui est William Morris ? Vous avez son numéro de téléphone ?

Il leva les bras au ciel.

— Cette fille ne connaît rien à rien. William Morris, c'est une énorme agence. Vous n'êtes donc au courant de rien ?

— On dirait.

— Je vous conseille de retourner voir votre mari et de l'engueuler pour vous avoir expédiée ici.

— Je ne peux pas.

— Pourquoi donc ?

— Il est mort.

— Oh ! mon Dieu... quel mélo ! Je vous en prie, faites ce que vous voulez, mais ne m'obligez pas à vous plaindre. Je me plains assez moi-même d'avoir à faire ce sale boulot. La seule raison pour laquelle on m'emploie, c'est parce qu'ils savent que je ne toucherai pas aux filles. Les filles, ça n'est pas mon style, si vous voyez ce que je veux dire.

— Vous êtes... homo ?

— Mon chou, on ne peut rien vous cacher.

Ainsi naquit une amitié. Il s'appelait Tommy. Deux jours plus tard, elle quitta l'appartement du médecin pour s'installer chez Tom au-dessus d'un restaurant de Sunset Boulevard.

Il fut pour elle une mère, un père et un frère. Il la guida et la protégea. Il l'envoya suivre des cours d'art dramatique. Il la présenta à un agent convenable. Il la nourrit, l'habilla, la conseilla, lui trouva un emploi de serveuse pendant qu'elle attendait sa première chance. Et il s'assura que personne ne profitait de son innocence.

En retour, elle s'occupa de lui quand il tomba malade du sida et sanglota à son enterrement quand il mourut dix mois plus tard.

Une semaine après sa mort, elle décrocha son premier rôle dans un grand film. Tommy n'avait pas vécu assez longtemps pour la voir devenir une vedette.

Lara soupira en se souvenant de son ami Tommy. Comme ils s'étaient amusés tous les deux ! Ce n'était pas juste que la mort l'ait emporté, mais ça l'avait rendue d'autant plus décidée à réussir. Tommy lui avait offert chaleur et réconfort et surtout donné de bons conseils sur la façon de se conduire à Hollywood. Il lui avait aussi appris à ne jamais supporter les minables.

Elle se rappelait le jour où elle avait quitté Richard

— le jour où elle l'avait bel et bien surpris en galante compagnie et où il avait encore cru avec ses belles paroles qu'il pourrait la persuader de ne pas partir. Richard et son charme. À cet égard, il était exactement comme Joey. Ils avaient tous les deux le même genre de force masculine qui, estimaient-ils, les rendait irrésistibles.

Eh bien, ça comptait vraiment, elle était capable de résister. Même si elle aimait Joey, elle n'avait pas envie de poursuivre une relation avec un homme qui était un imposteur. Il s'était servi d'elle. Dieu merci, elle avait découvert la vérité avant de l'épouser. Quelle erreur ç'aurait été !

Et pourtant, se dit-elle tristement, *qu'est-ce que je vais faire sans ses bras robustes pour me serrer et me protéger ?*

Est-ce que tout chez lui n'était que mensonge ? *Peut-être devrais-tu écouter sa version à lui,* lui soufflait une petite voix intérieure. *Pourquoi ? Pour qu'il puisse s'en tirer en mentant, exactement comme Richard ?*

Elle n'allait pas se laisser avoir.

Dès que Cassie arriva, elle était prête à partir. Elle avait terminé sa dernière scène, promis aux acteurs et aux techniciens qu'elle les verrait plus tard à la soirée et réussi à éviter Nikki — à qui elle n'avait aucune envie de faire des confidences.

— J'ai amené ma voiture, dit Cassie. J'ai pensé que, si j'appelais une limousine de location, les gens pourraient facilement nous retrouver.

— Bien raisonné, acquiesça Lara en enfouissant ses cheveux dorés sous une casquette de base-ball et en chaussant des lunettes noires.

Cassie mourait d'envie de lui demander ce qui se passait. Mais elle n'en fit rien car elle connaissait suffisamment sa patronne pour savoir qu'elle lui expliquerait la situation quand elle serait prête à le faire, et pas avant.

— Qu'est-ce que tu as dit aux Crenshaw ? demanda Lara en s'installant à la place du passager.

— Rien, répondit Cassie en démarrant. Je me suis dit que, si tu voulais qu'ils sachent quelque chose, tu les appellerais plus tard.

Lara fut satisfaite. Elle pouvait toujours compter sur Cassie.

60

Joey s'habilla élégamment : pantalon noir, chemise de soie et blazer noir classique. Lara l'aimait tout en noir ; cette couleur le mettait très en valeur.

Il se regarda dans la glace, se souvenant de son reflet, un an plus tôt. Dieu soit loué, tout cela était derrière lui. Un jour, il avouerait tout à Lara.

Elle n'avait pas appelé : elle comptait donc le retrouver au studio. Cassie avait manifestement oublié de lui dire qu'il essayait de la joindre sur son portable, car il n'était toujours pas branché.

Elle lui manquait. C'était ridicule, ils s'étaient vus la veille.

Lara Ivory. *Sa* Lara.

Prenant les clés de voiture sur la coiffeuse, il partit pour le studio, le cœur léger.

Une petite bruine se mit à tomber tandis que Cassie descendait Sunset vers la Pacific Coast Highway. Toute la journée, la radio avait diffusé des avis de tempête, mais c'était le premier signe de mauvais temps.

Lara, les yeux fermés, se torturait en se demandant si elle prenait la bonne décision. Repensant à son aventure avec Joey, elle se rendit compte que tout était fondé sur des mensonges. Il s'était inventé une fiancée, n'avait jamais parlé de l'argent qu'il avait volé et n'avait pas soufflé mot de sa liaison avec Madelaine. En fait, il ne lui avait rien dit.

Mais au fait... qu'est-ce qu'elle-même lui avait dit ? Absolument rien.

Ils étaient donc à égalité.

— Encore une demi-heure et nous y serons, précisa Cassie.

— J'avais oublié combien c'était loin, observa Lara.

— Tu as voulu quelque chose d'isolé.

Cassie avait raison. Elle aimait l'isolement. Surtout maintenant. Il y avait tant de choses dans son passé qu'elle n'avait jamais révélées à personne. Tant de secrets... Un jour, elle avait espéré les partager avec Joey. Maintenant, il n'en était plus question.

Et cette idée la consternait.

— Personne n'a vu Lara ? demanda Nikki.

— Je l'ai beaucoup vu dans *Stars à la une*, lança un des machinistes.

Nikki le regarda, écœurée. Elle aperçut Linden et l'arrêta au passage.

— Est-ce que Lara vient ?

— Je ne sais pas, Nikki. Désolé.

Les comédiens et les techniciens étaient rassemblés sur le plateau 4. Une formation de rock'n roll déversait des classiques des années cinquante : une idée de Mick.

— Je suis en colère contre Lara, déclara-t-il, entraînant Nikki dans une danse échevelée. Elle devrait être ici.

— Les photos l'ont mise dans tous ses états, expliqua Nikki. Moi aussi.

— Mince, ça arrive, ce n'est pas la fin du monde !

Dites-lui de se remuer et de rappliquer. L'équipe est déçue.

— Je vais l'appeler pour voir ce que je peux faire, répondit Nikki en échappant aux mains baladeuses de Mick.

Elle aperçut Aiden qui l'observait avec un sourire narquois. Elle se dirigeait vers lui quand un assistant de production s'approcha d'elle avec un téléphone mobile.

— Un M. Weston qui appelle de Chicago. Il dit que c'est urgent.

Comme si elle n'avait pas assez de problèmes.

Sheldon avait un ton affolé qui ne lui ressemblait pas.

— Elle est avec toi ? demanda-t-il.

— Qui est avec moi ?

— Summer.

— Qu'est-ce que tu racontes, Sheldon ? Elle est à Chicago.

— Non, elle est partie. Disparue. Je t'en prie, dis-moi qu'elle est avec toi.

— Non, répondit-elle, l'estomac serré. Elle n'est pas ici, Sheldon. Alors, où diable est-elle ?

61

L'excitation de la poursuite avait toujours séduit Alison Sewell. Bien des fois, elle avait suivi jusque chez elles des vedettes de cinéma qui avaient fini par lui fermer au nez leurs grandes grilles. Mais c'était plus amusant de suivre quelqu'un qui ne se rendait compte de rien. Alison avait filé Lara toute la journée.

Miss Ivory semblait très énervée. Et elle avait toute raison de l'être. *Stars à la une* avait fait honneur aux photos d'Alison. Elles s'étalaient en couverture et, pis encore, il y en avait une double page à l'intérieur. Alison s'était vengée.

En fin de journée, quand Cassie passa prendre Lara, Alison fut étonnée. En général, les grandes vedettes s'asseyaient à l'arrière d'une voiture avec chauffeur. Mais pas ce soir. Son chauffeur était installé au volant de la limousine, ignorant que sa vedette utilisait un autre moyen de transport pour fuir.

Hmm..., pensa Alison. *Il se passe quelque chose.*

Quand la Saab de Cassie démarra, Alison la suivit. Elle avait appris par un des machinistes que, ce soir, c'était le pot de fin de tournage. Il devait avoir lieu sur la plage : c'était la direction que Cassie avait l'air de prendre.

Alison fredonnait doucement. Elle était certaine d'être la seule à savoir que Lara était dans cette voiture. Elle était plus maligne que tous ces photographes : la preuve, elle avait gagné une fortune la semaine dernière.

Malheureusement elle avait maintenant un casier judiciaire, grâce à Miss Ivory. Aucune d'importance. Elle était riche et comptait bien l'être encore davantage.

Combien pour des photos de Lara Ivory *morte* ?

Combien pourrait-elle gagner avec des photos d'un aussi beau cadavre ?

62

Tina et Summer rentraient à pied du restaurant en se moquant des types qui avaient essayé de les draguer.

— Lamentables, ricana Tina. Tu comprends maintenant pourquoi c'est idiot de ne pas se faire payer ?

— Tu crois que ça fait de nous des prostituées ? demanda Summer.

— Des prostituées ? cria Tina. Qu'est-ce que c'est que ce mot démodé ? Nous sommes... des prestataires de services. Des prestataires très coûteuses. Tiens, je vais te dire ce que nous allons faire, reprit Tina en se mettant à trottiner car il commençait à pleuvoir.

— Quoi donc ? demanda Summer.

— On va appeler Norman.

— Maintenant ?

— Oui, pourquoi attendre demain ? Il ne sait même pas que tu es ici. Il serait quand même temps de le prévenir.

— Bon..., fit Summer, hésitante.

— Je vais lui demander un paquet de fric, ajouta Tina, les yeux brillants.

— Je peux écouter ? demanda Summer, impatiente d'entendre le son de sa voix.

— Oui, décroche l'autre poste.

— Salut, Norman. Tu te souviens de moi ? Tina ? Je suis passée chez toi il y a quelques semaines avec Summer, une blonde superbe qui te plaisait tant. C'est Darlene qui nous avait envoyées, tu te souviens ?

— Bien sûr, répondit Norman, qui avait l'air en plein dans les vaps.

— Summer te branchait vraiment, reprit Tina. Tu n'arrêtais pas de demander à Darlene quand elle rentrerait. Seulement, tu sais ? Summer ne fait plus que des clients très spéciaux. La bonne nouvelle c'est que justement elle te trouve génial.

— Venez. Toutes les deux.

— C'est que..., reprit Tina en faisant semblant d'hésiter, si on vient, il faudra que tu nous paies direct sans en dire un mot à Darlene.

— Pas de problème, ma jolie.

— Oh ! et puis il faudra que ce soit en liquide. Ça coûtera plus cher... parce que, comme je te disais...

— Je sais, je sais, dit-il en l'interrompant, ton amie n'est plus dans le circuit. Alors assez parlé et ramenez ici vos jolis petits derrières.

— On arrive ! Tu vois ? Il n'y a qu'à se baisser.

— Il est 22 heures passées. Je suis crevée, avec le vol et tout ça.

— Trop crevée pour t'amuser un peu avec Norman ? demanda Tina qui était déjà devant le miroir à se recoiffer.

— Je me disais que... peut-être demain.

— T'en fais pas, continua Tina en prenant dans son sac un petit comprimé blanc. Avale ça. Ça va te ragaillardir.

— Qu'est-ce que c'est ?

— Rien de sérieux. Tu vois, dit-elle en plongeant une nouvelle fois la main dans son sac, j'en prends un aussi.

Ne voulant pas avoir l'air d'un bébé, Summer s'empressa d'avaler ce comprimé à l'air tout à fait innocent.

— C'est bien. Tu vas te sentir beaucoup mieux.

— Euh... encore une chose, ajouta Summer.
— Oui ?
— Est-ce que ça ne devrait pas être Norman et moi tout seuls ?
— Je ne l'ai pas entendu dire « Envoie-moi juste la blonde », répliqua Tina, vexée. Ça marche ou pas ?
Summer acquiesça. Elle savait que, dès l'instant où il l'aurait revue, il se rendrait compte à quel point elle lui avait manqué. Il renverrait Tina chez elle et, après, tout se passerait merveilleusement.

Avant toute chose, Nikki se fit conduire par Aiden à la maison de Malibu pour voir si Summer était là.
— Tu crois qu'elle est à L.A. ? ne cessait-elle de lui demander.
— Je la connais à peine, répondit-il. Mais d'après ce que j'ai vu... elle est assez grande pour se débrouiller.
— Elle a quinze ans, Aiden. Quinze ans.
— Qu'est-ce que tu veux que je te dise ? C'est ta gosse.
— Si elle n'est pas là ?
— Elle pourrait être allée chez une copine de Chicago. Ton ex a vérifié ?
— Connaissant Sheldon, il a tout vérifié. À l'heure qu'il est, il est dans l'avion. Tu vas le rencontrer : il sera ravi.
— Elle a laissé un mot ?
— Non... La gouvernante a dit à Sheldon que ce matin-là elle était partie en retard pour le lycée et que certains de ses vêtements ne sont plus là. Oh ! et puis... que de l'argent a disparu.
— Elle a un petit ami ? demanda Aiden.
— Pas que je sache. Sheldon a parlé au garçon qui l'a emmenée voir un film hier soir : un certain Stuart quelque chose. Il ne savait rien. Oh ! mon Dieu, Aiden, j'espère qu'elle est à la maison.

— Je ne pige pas. Si elle revenait ici... pourquoi ne pas téléphoner d'abord ?

— Qu'est-ce que j'en sais ?

— Ne t'affole pas... on va la retrouver.

— Peut-être que Richard sait quelque chose. Ils étaient assez proches tous les deux

— Appelle-le.

Elle prit son portable et composa son numéro.

— C'est Nikki, dit-elle au son de sa voix.

— Comment se fait-il que tu ne sois pas au pot ? demanda Richard. J'y vais maintenant. Lara m'a demandé de passer.

— Pourquoi te demanderait-elle ça ?

— Sans doute parce qu'elle a envie de me voir, répondit Richard pour l'agacer.

— Pas de bol, Richard : Lara n'est pas là.

— Comment le sais-tu ?

— Elle n'est pas là.

Elle ne voulait pas faire une scène. Autrefois peut-être, mais pas ce soir.

— Sheldon a téléphoné de Chicago, annonça-t-elle brusquement. Summer a disparu.

— Comment ça : disparu ?

— C'est clair, non ? Elle a filé, elle s'est barrée.

— Alors... qu'est-ce que tu veux de moi ?

— Merci de ta sollicitude, Richard.

— Non, je veux dire s'il y a quoi que ce soit que je puisse faire...

— As-tu la moindre idée de l'endroit où elle aurait pu aller ?

— Aucune.

— Elle ne t'a pas téléphoné ?

— Si elle le fait, je te préviendrai.

— Je suis en route pour Malibu. Elle est peut-être là-bas.

— Alors je pense que je ne te verrai pas tout à l'heure...

— Tu ne verras personne tout à l'heure. Je te l'ai dit : Lara n'est pas au pot.

— Où est-elle ?

— Comment veux-tu que je le sache ? Si tu apprends quoi que ce soit, appelle-moi.

Elle coupa la communication.

— C'est vraiment une ordure. Tout ce qui l'intéresse, c'est de voir Lara.

— Pourquoi l'as-tu épousé, Nikki ? Et pourquoi as-tu épousé Sheldon ? Ils m'ont l'air de deux minables.

— Oui, je sais, répondit-elle d'un ton railleur. J'aurais été mieux lotie avec un camé comme toi, c'est ça ?

— Ce n'est pas très gentil. Je commence à remonter la pente. J'espérais un peu que tu m'aiderais.

— Je ne suis capable d'aider personne pour le moment : je suis trop bouleversée.

— Calme-toi. Summer est sans doute assise à la maison à t'attendre.

Le coup de téléphone de Nikki agaça Richard. Il n'aimait pas cette attitude : cette façon de dire qu'il n'allait pas voir Lara. Elle ne comprenait vraiment rien. Non seulement il allait la voir, mais il allait divorcer d'avec Nikki et se remettre avec Lara.

Il connaissait Lara mieux que personne. Quand Joey aurait débarrassé le plancher, elle serait esseulée et vulnérable. Richard Barry serait là pour la consoler.

En moins de deux, ils allaient se remarier.

Oui. C'est exactement ce qui allait se passer, que ça plaise à Nikki ou pas.

— J'espère que je lui plais encore, s'inquiéta Summer.

Elle avait pris une douche rapidement et passé une des robes de Tina. Elle était maintenant dans l'ascenseur qui conduisait à la suite de Norman Barton, dans l'hôtel où il résidait.

— Bien sûr que tu lui plairas encore. D'après Darlene, il n'arrête pas de demander de tes nouvelles.

— Voilà au moins une bonne chose, déclara Summer avec un petit frisson dont elle ne savait pas si c'était l'énervement ou ce stupide comprimé que Tina l'avait forcée à avaler, tout excitée à l'idée de le revoir.

— Mais c'est le grand amour ! lança Tina pour la taquiner.

— Je crois que oui.

Ce ne fut pas Norman qui leur ouvrit la porte, cette fois. C'était une fille : une Noire à vous couper le souffle avec un sourire provocant et un corps musclé.

Tina donna furtivement un coup de coude à Summer.

— Oh, mon Dieu ! murmura-t-elle. C'est Cluny. Le top model.

— Bonjour, les filles, dit Cluny avec un éblouissant sourire. Entrez, venez vous joindre à la fête.

Summer n'avait pas l'intention de se joindre à une fête : tout ce qui l'intéressait, c'était de voir Norman.

— Voici Summer... je suis Tina, vous, vous êtes Cluny. Je vous ai reconnue : vous êtes si belle.

Cluny avait des lèvres charnues frémissantes et des yeux de chat.

— Oh ! merci, chérie.

Elles entrèrent dans la pièce. Il y avait des filles partout, mais aucune trace de Norman.

— Monsieur est dans la chambre, expliqua Cluny avec un petit rire de gorge. Il ne va pas tarder. En attendant, déshabillez-vous, mettez-vous à l'aise.

La plupart des filles qui traînaient sur les tapis étaient à demi nues. Summer était horrifiée : elle ne s'attendait pas du tout à ça.

— Qu'est-ce qui se passe ? chuchota-t-elle à Tina.

— Ça m'a l'air d'une orgie, répondit Tina, nullement démontée.

— Je croyais que c'était moi qu'il voulait voir, murmura Summer, consternée.

— En même temps que quelques douzaines d'autres, visiblement.

— Je rentre à la maison, décréta Summer, profondément déçue.

— Ne joue pas le bébé, lui lança Tina. Qu'est-ce que tu t'imaginais qu'il faisait pendant que tu étais à Chicago : qu'il restait assis à se languir ?

— Je m'en vais, reprit Summer avec obstination.

— Voyons au moins ce qu'il a à dire. On est venues, il faut qu'il nous paie.

— En tout cas, précisa Summer, au bord des larmes, je ne me déshabille pas.

— Tu n'es pas obligée, répondit Tina en l'entraînant vers un des canapés.

Elles s'installèrent près d'une petite rousse au buste généreux qui reniflait de la cocaïne sur une table en verre.

— T'en veux ? C'est gratuit.

— Bien sûr, dit Tina.

— Qu'est-ce que tu fais ? siffla Summer, tandis que Tina prenait une petite paille et reniflait un peu de poudre blanche.

— Je prends un coup de reniflette, lui répondit Tina sur le même ton. Tu devrais en faire autant. Ça te décoincerait.

— Je n'ai pas envie d'être ici, gémit Summer. Vraiment pas.

— Oh ! mon Dieu, cesse de geindre. Tu disais que tu avais hâte de le voir.

— Pas dans ces conditions.

Quelques minutes plus tard, Norman émergea de la chambre, n'ayant pour tout vêtement qu'un caleçon à rayures rouges et blanches. Il avait un grand sourire et une fille à chaque bras, toutes deux complètement nues.

Summer se leva d'un bond.

— J'en ai marre, déclara-t-elle, je m'en vais. Donne-moi la clé.

— Quelle clé ?

— La clé de chez toi. Il faut que je rentre.

— Si tu me plantes là... alors, tu peux aller habiter ailleurs.

— Merci beaucoup.

— Hé, Norman, dit Cluny, avant que tu ne disparaisses... jette un coup d'œil au dessert. Deux juteux petits morceaux de viande. Regarde la petite blonde. Est-ce que je peux l'avoir ? S'il te plaît ?

— Elle est tout à toi, bébé, répondit Norman sans même un coup d'œil dans la direction de Summer, trop camé pour se concentrer sur quoi que ce soit.

— Je m'en vais, annonça Summer en se dirigeant d'un pas furieux vers la porte.

— Bon vent, lui cria Tina.

— Très bien. Je passerai prendre mes affaires demain.

Elle sortit en courant. Et fut navrée de constater que Norman n'avait même pas remarqué sa présence.

63

En se garant devant le plateau, Joey entendit la musique tonitruante : *Rock Around The Clock* de Bill Haley. Seigneur, il avait oublié que c'était une soirée années cinquante. Il aurait dû avoir une tenue style rock'n roll. Bah, quelle importance ? Ils ne resteraient sans doute que peu de temps. Ensuite, il ramènerait Lara à la maison et demain ils s'envoleraient vers Tahiti pour une vie nouvelle.

Il s'avança au milieu de la foule bruyante en cherchant Lara.

— Tu as vu Lara ? demanda-t-il à la scripte.

— Pas vu.

— Est-ce que Lara est dans les parages ? continua-t-il en s'adressant à un des seconds assistants.

— Je ne crois pas qu'elle soit là, Joey.

— Et Nikki ?

— Je l'ai vue danser avec Mick.

— Merci, dit-il en faisant le tour de la piste de danse.

— Tiens, mais c'est M. Joey, lança Mick en s'avançant d'un pas incertain. Comment ça va ? Où est l'amour de ta vie que tu ne mérites pas ? Sacré veinard !

— J'allais te poser la question, répondit Joey.

— Je n'ai pas vu la délicieuse Lara. Elle ne doit pas s'être encore remise des photos.

— Quelles photos ?

— Quoi... tu veux dire que tu n'as pas vu *Stars à la une* ? Notre tabloïd préféré. Lara est dans tous ses états. Va demander à Linden, il est au bar.

Joey s'approcha de Linden.

— Qu'est-ce que c'est que cette histoire de photos ? demanda-t-il en fronçant les sourcils.

— Vous n'êtes pas au courant ?

— Pas le moins du monde, articula Joey, qui commençait à s'énerver.

— Quelques... regrettables photos de Lara ont été publiées par *Stars à la une*, expliqua Linden. Quelqu'un les a prises en douce pendant qu'on tournait la scène du viol. Lara est dans tous ses états.

— Seigneur ! Comment est-ce arrivé ?

— C'est ce que tout le monde aimerait bien savoir.

— Alors, elle est rentrée à la maison ?

— Je pense que oui. Je puis vous assurer qu'elle ne viendra pas ici ce soir.

— Nikki est au courant ?

— Elle est dans tous ses états aussi. Comme moi.

— Je n'en doute pas, marmonna Joey.

Il regagna la Mercedes en courant, décrocha le téléphone et appela la maison. Ce fut Mme Crenshaw qui répondit.

— Lara est rentrée ? demanda-t-il.

— Non, monsieur Joey.

— Quand elle arrivera, dites-lui que je suis en route.

Cassie quitta la Pacific Coast Highway pour s'engager sur un chemin de terre désert. La pluie redoublait.

— Nous y sommes presque, annonça-t-elle. Tu as la clé ?

— Non, c'est toi, répondit Lara, encore dans une sorte de brume.

— Non, moi, je ne l'ai pas, répondit Cassie en ralentissant.

— Comment ça se fait ? interrogea Lara, exaspérée.

— Parce que personne ne me l'a donnée. Quand tu m'as dit que nous venions ici, j'ai pensé que c'était toi qui l'avais.

— Merde ! s'exclama Lara.

— Est-ce que je fais demi-tour ? interrogea-t-elle.

— Non, riposta sèchement Lara. Nous arriverons bien à entrer. Il doit sûrement y avoir une porte ou une fenêtre qui n'est pas fermée à clé. Après tout, personne n'habite là.

— Si tu veux mon avis, nous devrions descendre dans un hôtel pour la nuit et demander au type de l'agence immobilière de nous déposer toutes les deux demain.

— Nous sommes ici maintenant, reprit Lara d'un ton résolu. Ne pas avoir de clé, c'est le cadet de mes soucis.

— C'est toi la patronne, soupira Cassie.

Elle était surprise que Lara eût acheté cette propriété qui n'avait rien du charme de la maison des Hamptons. La Saab passa sur un nid-de-poule.

— Je n'y vois rien, protesta Cassie en allumant ses phares.

Lara aurait bien voulu que Cassie cesse ses jérémiades. Elle n'était d'humeur à supporter les plaintes de personne. Elle se demandait si Joey s'était rendu compte de son absence. Il lui faudrait un moment pour comprendre qu'elle ne revenait pas. Mais d'ici deux jours, elle demanderait à son avocat d'appeler pour lui demander de vider les lieux. Et ce serait une affaire terminée.

La grande grille menant à la propriété était ouverte.

— Charmant, dit Cassie, les roues de la voiture crissant sur le gravier boueux. Voilà des gens qui ont vraiment le sens de la sécurité.

Joey arrêta la Mercedes devant une supérette et s'engouffra à l'intérieur. Il prit un exemplaire de *Stars à la une* et fixa d'un œil incrédule la photo de la couverture. Seigneur ! Qu'avaient-ils fait à sa belle Lara ? Laissant l'argent sur le comptoir, il regagna la voiture en courant. Tout ça, c'était la faute de Nikki : elle avait monté le coup, histoire de faire de la publicité pour son foutu film.

Il mit le moteur en marche et démarra en trombe. Pourquoi Lara ne l'avait-elle pas appelé ? Elle devait être trop bouleversée.

Plus tôt il serait avec elle, mieux ça vaudrait.

Personne ne savait mieux que lui à quel point ça vous détruisait de se faire avoir.

— Joey, j'ai désespérément besoin d'argent.

Ainsi parlait la ravissante Adelaide, sa mère : toujours à demander quelque chose. Elle avait dix-sept ans quand elle avait rencontré Pete Lorenzo, le père de Joey — un combinard à la petite semaine qui avait soixante ans quand il tomba sur cette jolie fille et lui mit un polichinelle dans le tiroir. Deux ans plus tard, il avait fini par l'épouser. Il ne rajeunissait pas : il était temps de s'installer avec une femme qui s'occuperait de lui.

Seulement Adelaide n'était pas ce genre de femme. Adelaide n'avait l'intention de s'occuper de personne sauf d'elle-même. Quand elle eut mis le grappin sur Pete, elle engagea une baby-sitter pour surveiller Joey et se mit à accompagner son mari partout : aux courses, aux rencontres de boxe, aux parties de poker et dans les académies de billard.

Un week-end, ils emmenèrent Joey, trois ans, avec

eux à Vegas. Il faillit se noyer dans la piscine de l'hôtel pendant que ses parents jouaient au craps. Une autre fois, à Atlantic City, ils le laissèrent dans une chambre d'hôtel où il faillit être surpris par un incendie.

Une enfance mouvementée.

À dix ans, il avait un père âgé de soixante-dix ans. Adelaide en avait vingt-sept et couchait avec tous les hommes bien balancés qui passaient par là. Quand Pete se plaignait, Adelaide lui riait au nez.

Joey, un enfant introverti, observait tout cela. Il adorait sa jolie maman mais il ne tarda pas à comprendre qu'on ne pouvait pas se fier à elle : il en conclut donc que toutes les femmes étaient les mêmes.

Il avait dix-huit ans quand son père mourut d'une crise cardiaque. Après cela, Adelaide passa par une succession de petits amis en résidence, chacun pire que le précédent. Elle s'était aussi mise à boire et à jouer.

Joey décida de prendre ses distances et partit, essayant toutes sortes de boulots : plongeur, serveur, mécanicien, chauffeur de maître. Et une fille différente chaque semaine. Au bout d'un moment, il fit le grand saut et partit pour New York où il fut aussitôt saisi de la fièvre des planches. Un jour, il entra dans le bureau de Madelaine Francis et ce fut sa grande occasion : un agent qui avait de l'influence.

Elle lui trouva quelques rôles importants et tout allait pour le mieux jusqu'au coup de fil de sa mère.

— Je n'ai pas d'argent, maman, expliqua-t-il, se sentant quand même coupable. Je n'ai encore eu que deux rôles. Quand je gagnerai plus, je t'en enverrai.

— Tu ne piges pas, répondit-elle d'une voix avinée. Cette fois-ci, c'est pas pareil. Cette fois-ci, c'est une question de vie ou de mort.

— Et Danny ? demanda-t-il, faisant allusion à son petit ami du moment.

— Danny est un pauvre type, cracha-t-elle. Il ne

peut pas m'aider. Et j'ai besoin de dix mille dollars, sinon ils vont me tuer, Joey, ils vont me tuer.

— Tu es folle, maman.

— Je te jure, c'est la vérité.

Il ne savait pas quoi faire. Il adorait Adelaide, mais c'était une joueuse invétérée qui ne s'arrêterait jamais. Où diable allait-il trouver dix mille dollars ? Il avait essayé de prendre ses distances, de se faire une vie nouvelle. Il vivait donc avec une femme qui avait presque trente ans de plus que lui. Il avait fini par comprendre et donc se trouver quelqu'un qui pouvait lui donner un coup de main. Il rappela sa mère le lendemain.

— Impossible de trouver de l'argent tout de suite, annonça-t-il.

— Alors, tu peux dire adieu à ta pauvre mère.

— Maman, ne me la joue pas dramatique.

— Je te l'ai dit, fit-elle en durcissant le ton. Si toi, tu ne trouves pas l'argent, je suis morte.

Il songea au problème. Madelaine avait du liquide dans l'appartement. Pouvait-il lui demander un prêt ?

Non, elle ne marcherait pas.

Et s'il se contentait de le prendre ? Histoire d'aider Adelaide pour la dernière fois et puis tout expliquer à Madelaine.

Oui, c'était ce qu'il allait faire. Madelaine comprendrait.

Dès qu'elle fut partie pour son bureau le lendemain, il força son coffre-fort. Il se sentait moche de faire ça, mais avait-il le choix ? Il trouva sept mille dollars planqués dans son coffre. Ça n'était pas assez, mais il prit le tout.

Il fallait absolument qu'Adelaide s'arrête de jouer : c'était la dernière fois qu'il la tirait d'affaire.

Un coup de klaxon le fit sursauter. Il donna un brusque coup de volant pour redresser sa trajectoire, sans se soucier de l'autre conducteur qui lui faisait un bras d'honneur.

Lara avait plus que jamais besoin de lui. Il fallait vite rentrer.

64

Plantée sous une pluie battante devant l'hôtel de Norman Barton, Summer pensait qu'elle n'avait absolument nulle part où aller. Tina, dont elle avait cru que c'était une si bonne amie, l'avait laissée tomber. De toute façon, cette fille n'était pas si formidable.

Frissonnante, elle faisait les cent pas devant l'entrée de l'hôtel dans sa petite robe.

— Je peux vous appeler un taxi ? demanda un jeune portier en livrée.

— Non, merci, dit-elle en secouant la tête.

— Vous êtes une des filles de la soirée Norman Barton ? demanda-t-il en se rapprochant.

— Je vous demande pardon ? Je suis à l'hôtel avec mes parents.

— Désolé, Miss, dit-il en battant en retraite.

Prise d'un nouveau frisson, elle croisa les bras sur sa poitrine. Qu'allait-elle faire ? Elle était seule à L.A. sans endroit où dormir, toutes ses affaires, y compris son argent, étaient chez Tina.

— Où sont vos parents ? demanda le jeune portier en revenant à la charge. Ils savent que vous êtes ici dehors ?

— Occupez-vous de vos oignons ! lança-t-elle d'un ton hautain.

— Pardonnez-moi d'adresser la parole à la princesse, riposta-t-il.

— Si vous tenez à le savoir, dit-elle, je me suis disputée avec mes parents.

— Vous ne devriez pas vous balader comme ça toute seule dans cette ville, dit-il. Pas une fille comme vous. Je termine mon travail dans une heure. Si vous voulez attendre à la cafétéria, je vous conduirai là où vous allez.

— Je n'ai nulle part où aller, avoua-t-elle.

— Vous pourriez rester chez moi.

— Ben voyons ! fit-elle, écœurée.

— Est-ce que j'ai l'air d'un violeur ?

Elle l'inspecta de plus près. Il n'était pas Norman Barton, mais elle n'avait pas le choix.

— Je suppose que vous êtes un acteur au chômage, soupira-t-elle.

— Erreur, répondit-il. Je suis un artiste et je fais ça pour payer mon loyer.

— Quel genre d'artiste ? demanda-t-elle sans vraiment le croire.

— Je peins des portraits. En fait, je serais ravi de faire le vôtre.

— Un nu, j'imagine.

— C'est ce que vous me proposez ?

— Allez vous faire voir ! lança-t-elle avec mépris.

— Vous voulez camper chez moi ce soir ou pas ?

Elle ne voyait pas d'autre solution.

— D'accord.

— Je vous retrouve à la cafétéria dans une heure.

— Peut-être que Mick sait quelque chose, supposa Nikki, au bord des larmes. Où habite-t-il ?

— Calme-toi, conseilla Aiden. Connaissant Mick, il

a quitté la soirée pour aller faire la tournée des boîtes. Laisse un message sur son répondeur.

— Je ne peux pas rester assise là à ne rien faire. C'est mon enfant... elle est seule.

— Dis donc, Nikki, avec tout le respect que je te dois, il est peut-être un peu tard pour jouer les mères inquiètes, non ?

— Je sais que j'aurais dû m'occuper d'elle davantage. Mais, quand elle a insisté pour rester avec Sheldon, je crois que ça m'a blessée.

— C'est une gosse... tu l'as abandonnée. T'es-tu jamais dit qu'elle t'en voulait ?

— Elle est peut-être allée chez Lara ?

— Appelle-la.

— Nous ne sommes pas dans les meilleurs termes pour l'instant.

— Appelle quand même.

— Tu as raison.

Mme Crenshaw lui annonça qu'il n'y avait personne à la maison.

— Sheldon vient ici en arrivant de l'aéroport ? demanda Aiden.

— Oui, alors on devrait appeler la police.

— Il ne l'a pas encore fait ?

— Il paraît qu'il faut attendre quarante-huit heures avant de signaler une disparition.

— Summer est mineure : est-ce que ça ne change pas quelque chose ?

— Je ne sais pas. Il faudra que je parle à Sheldon.

— Allons. Viens un peu ici. Tu as besoin qu'on te dorlote.

— Ça n'est pas le moment.

— J'ai dit dorloter. Rien d'autre.

Elle se laissa faire. Il avait raison : elle avait terriblement besoin d'amour et d'affection.

— Comment se fait-il que tu sois si compréhensif ? soupira-t-elle.

— Parce que j'en ai vu de toutes les couleurs, dit-il

avec un rire amer. Si j'étais à ta place, je serais sans doute en train de me gaver de toutes les drogues qui existent. Je trouve que tu t'en tires formidablement, Nikki. Tiens bon : on la retrouvera.

— Avant que je parte avec vous, vous pourriez me dire votre nom ? demanda Summer en contemplant le jeune portier.

— Sam, dit-il. Et vous, c'est...

— Summer.

— Summer et Sam. Quelle équipe !

— Vous êtes certain que je peux vous faire confiance, Sam ?

Il lui prit le bras en riant.

— Vous avez le choix ? C'est moi ou la rue, non ? Je pense qu'il faut me faire confiance.

Et, sur ces bonnes paroles, elle quitta l'hôtel en compagnie d'un parfait étranger.

65

Alison Sewell rêvait souvent de la célébrité. En éteignant les feux de son break pour suivre la voiture de Lara sur le chemin de terre, elle ne pouvait s'empêcher de penser à l'excitation que ça lui apporterait d'être mondialement connue. Charles Manson et sa bande étaient aussi célèbres que n'importe quel président. Le monde entier connaissait le nom de John Hinckley à cause de sa tentative d'assassinat contre le président des États-Unis. Et Mark Chapman qui avait attendu devant le Dakota à New York pour abattre John Lennon.

Elle aussi serait célèbre. Pourquoi pas ? Oncle Cyril serait si fier. Et les autres crétins à côté desquels elle avait travaillé toutes ces années : ils se battraient pour prendre *sa* photo. Un sourire s'épanouit sur son visage à cette idée. Alison Sewell en couverture de *Newsweek*. Il faudrait faire quelque chose de plutôt voyant pour obtenir ce genre de publicité. Est-ce que tuer Lara Ivory suffirait ?

La ligne de démarcation entre l'amour et la haine est bien fragile. Alison Sewell l'avait franchie. Elle avait aimé Lara Ivory avec une passion absolue. Aujourd'hui, elle la détestait assez pour la tuer.

Ce soir, Lara Ivory allait payer.

Ce soir, Lara Ivory allait mourir.

66

La grande maison était déserte, sombre et glacée. Cassie était passée par une fenêtre ouverte dans la cuisine puis avait ouvert la porte de derrière à Lara.

— Il n'y a pas d'électricité, annonça-t-elle. Lara, si tu permets, je ne crois pas que ce soit une bonne idée.

— Nous sommes là, riposta Lara, entêtée. Nous n'avons qu'à dormir. Je sens que tu n'as jamais campé. Une nuit à la dure, ça te fera le plus grand bien.

Le plus grand bien ! avait envie de dire Cassie. Tu parles ! Néanmoins, elle se retint car Lara était de très mauvaise humeur. Les photos dans *Stars à la une* l'avaient manifestement mise dans tous ses états. Mais pourquoi Joey était-il puni ainsi ?

— Je vais aller chercher la torche dans la voiture, déclara Cassie.

— Excellente idée, répondit Lara, indifférente.

Elle désirait tout oublier. Elle n'avait jamais eu beaucoup de chance avec les hommes : stupidement, elle avait cru que Joey n'était pas comme les autres.

La maison était glacée. Peut-être que Cassie avait raison et qu'elles seraient mieux dans un hôtel. Non, on la reconnaîtrait et en moins de deux Joey la retrouverait.

Elle songea avec tristesse à Tommy et à ses sages conseils. Il lui dirait que les photos, c'était déjà du passé, qu'il ne fallait plus y penser. Quant à Joey... « Tous les hommes sont des cochons, dirait-il. Ça dépend jusqu'à quel degré de cochonnerie tu es prête à les supporter. » *Si seulement Tommy n'avait pas été homo,* songea-t-elle avec un pâle sourire, *nous aurions pu nous marier et vivre heureux.* Enfin, s'il n'était pas tombé malade et s'il n'était pas mort.

Cassie revint avec une torche et elles se mirent à explorer les lieux. Tout dans les deux étages était recouvert de housses. Comme elles arrivaient au premier étage, Cassie déclara :

— Je pense à une chose : il n'y a pas de draps. Alors, mon idée d'hôtel, c'est la seule solution.

— Cesse de parler d'hôtel et de geindre tout le temps.

Cassie malheureusement avait raison : les lits n'étaient pas faits.

— Tu vois, renchérit Cassie, triomphante.

— Non, je ne vois pas, riposta Lara en ouvrant la grande armoire à linge du couloir.

Il y avait là tout ce dont elles avaient besoin.

— Désolée, Cass. On dirait que nous allons faire nos lits.

— Je ne peux pas passer la nuit ici avant d'avoir mangé quelque chose, marmonna Cassie.

— Parfait, voici ce qu'on va faire. Tu vas aller acheter des provisions dans un supermarché pendant que je resterai ici à faire nos lits.

— C'est *toi* qui vas faire les lits ? s'exclama Cassie, abasourdie.

— J'en suis parfaitement capable, Cass. D'ailleurs, j'en ai envie.

Cassie ne se doutait pas qu'elle avait été femme de chambre dans le motel de tante Lucy et qu'elle savait faire un lit en un temps record.

— Bon, dit Cassie, si tu es sûre. Je vais acheter

quelques provisions, des piles, des bougies. Quoi d'autre ?

— Rien. Ne t'inquiète pas : on va être très bien ici.

— Qu'est-ce que je peux te prendre pour dîner ? demanda Cassie. Un Big Mac ?

— Je n'ai pas faim. Prends ce qui te plaît.

— Je vais faire vite, promit Cassie.

— Inutile de te presser. Si la pluie cesse, j'irai peut-être faire un tour sur la plage.

— Ne va pas te risquer à descendre ces escaliers branlants, dit Cassie sévèrement.

— Tu te fais trop de soucis, répondit Lara d'un ton léger. J'ai une nouvelle politique : je fais ce que je veux et quand je veux.

— Je peux te poser une question ? demanda Cassie. Est-ce que Joey va nous rejoindre demain ?

— Joey ? Qui est Joey ?

Ce furent les chiens qui l'accueillirent avant Mme Crenshaw.

— Elle est rentrée ? demanda-t-il.

— Pas encore, monsieur Joey.

— Seigneur ! Où est-elle ?

— Je ne sais vraiment pas, articula Mme Crenshaw avec un peu trop d'empressement. Si vous avez faim, j'ai préparé à dîner...

— Non, merci.

Il dévisagea la vieille gouvernante. Lui disait-elle la vérité ?

— Vous êtes sûre qu'elle n'a pas laissé de message ?

— Tout à fait sûre.

Il monta au premier. La chambre était vide. Presque 22 heures. Il comprenait que Lara soit dans tous ses états à cause des photos, mais pourquoi n'avait-elle pas appelé ?

Il redescendit dans le bureau et alluma la télé. Pendant un moment, il regarda une série : il avait décidé de demander à Quinn de voir s'il ne pourrait pas lui décrocher un passage dans un épisode. La télé, ce n'était pas vraiment son truc, mais faire une apparition dans une bonne émission, pourquoi pas.

Il n'avait aucunement l'intention de devenir M. Lara Ivory simplement parce qu'ils étaient mariés. Oh non ! : Joey Lorenzo comptait se faire un nom.

Et, à son avis, il n'avait même pas commencé.

Cassie s'éloigna de la grande maison au volant de la Saab. Si Lara ne faisait pas tant de cachotteries, elle aurait pu appeler Linden et lui demander de rappliquer pour faire lui aussi du baby-sitting auprès de Lara.

Le premier supermarché auquel elle se rendit était à un quart d'heure, mais elle n'y trouva rien de ce qu'elle voulait. Elle repartait donc vers celui de Malibu, qui était plus grand, quand soudain une brillante idée lui vint : *Granita,* un des restaurants préférés de Lara, était juste là. Elle pouvait y commander quelque chose de spécial. Dès que le patron apprit qu'elle était là pour Lara, il l'accueillit personnellement et promit de préparer pour celle-ci un poulet comme elle les aimait. Puis il insista pour que Cassie s'asseye à une table en attendant et, quelques minutes plus tard, il lui faisait servir une de ses délicieuses pizzas au saumon fumé.

Elle essaya d'appeler Lara sur son téléphone mobile. Malheureusement, elle était trop loin. Oh ! Lara avait paru tout à fait contente de rester seule à la maison. Cassie ne pensait pas que ça la gênerait si elle s'absentait un peu plus longtemps que prévu.

Lara explora la grande baraque avec seulement la torche de Cassie pour la guider. Elle commença par visiter le premier étage : un appartement de maître où s'étendait une vue spectaculaire sur l'océan. Ce soir, elle ne pouvait pas voir grand-chose : rien que le ciel d'orage et la mer déchaînée.

Elle regagna ensuite le living-room avec sa vaste terrasse en surplomb au bord de la falaise. De là, un escalier de bois rudimentaire descendait jusqu'à la plage. Elle s'aventura sur la terrasse : trop humide, trop froid, trop de vent. Elle s'empressa de rentrer.

Demain matin, elle réfléchirait sur son avenir. Elle avait travaillé trop dur : sans souffler un instant. Était-ce pour cela qu'elle était tombée dans le piège que lui avait tendu Joey ? Car Nikki avait raison : il l'avait rendue accro sexuellement. *Cette bonne vieille Nikki : il est vrai qu'elle sait de quoi elle parle. Chaque fois, c'est une histoire de sexe.*

Elle pensa qu'elle avait sans doute été trop dure avec Nikki en la rendant responsable de cette histoire de photos. *Je n'ai pas été une très bonne amie. Nikki traverse une sale période et je devrais être là pour elle.*

Elle prit son portable dans son sac. Malheureusement la batterie avait besoin d'être rechargée. Pas de tonalité.

Maintenant, elle se sentait vraiment isolée. Mais c'était bien : elle avait le temps de réfléchir et, surtout, de reprendre le contrôle de son existence.

Joey marchait de long en large dans la maison. Il était 23 heures passées et il avait le pressentiment qu'il avait dû arriver quelque chose à Lara. Il ne savait absolument pas où commencer à chercher. La seule personne qu'il pensa à appeler, c'était Nikki. Il trouva donc le carnet d'adresses de Lara et chercha son numéro.

Ce fut Aiden qui répondit au téléphone. Reconnaissant sa voix, Joey dit :

— Salut, mon vieux... il faut que je parle à Nikki.

— À propos de Summer ?

— Summer ?

— Elle a disparu. Tu ne savais pas ?
— Non, je cherche à joindre Lara. Elle est là ?
— Désolé.
— Est-ce que Nikki sait où elle est ?
— Je vais voir si elle peut te prendre.
Quelques instants plus tard, il avait Nikki en ligne.
— Joey, je n'ai aucune idée de l'endroit où se trouve Lara.
— Aiden m'a parlé de Summer. Qu'est-ce qui s'est passé ?
— Elle a filé. Nous ne savons pas où elle est partie.
— Est-ce qu'elle pourrait être avec Lara ?
— Je ne vois pas comment. Lara ne vous a pas laissé de message ?
— Non, rien. Elle n'était pas au pot.
— Je regrette de ne pas pouvoir vous aider.
— Je suis désolé pour Summer.
— Attendez une minute, ajouta Nikki. Je viens de penser à quelque chose. Richard était sur le plateau ce matin.
— Avec Lara ?
— Oui... il mettait son grain de sel à propos des photos.
— Vous voulez dire qu'elle pourrait être avec lui ?
— Non... mais il mijotait quelque chose. Il y avait une femme plus âgée avec lui... il l'a emmenée dans la caravane de Lara et les a laissées seules toutes les deux.
— C'était qui, cette femme ?
— Je ne sais pas. La cinquantaine, bien habillée, rousse.
Cette description lui glaça le sang. Pourrait-ce être Madelaine Francis ?
Non. Inconcevable.
Et pourtant... Richard le détestait et il désirait encore Lara. Peut-être avait-il découvert l'existence de Madelaine. Si c'était le cas, il était dans un sale pétrin.
— Merci, Nikki, dit-il en raccrochant.

Si Madelaine Francis était à L.A., il allait la trouver. Et si Richard Barry l'avait mise en contact avec Lara, il le lui ferait payer.

Il se passait quelque chose. Et mieux valait découvrir quoi, avant qu'il ne soit trop tard.

67

Elle avait froid, assise dans sa voiture à surveiller la grande maison, mais Alison Sewell brûlait d'énergie. Elle se pencha pour prendre au fond de son break un épais duvet qu'elle gardait précisément pour ce genre d'occasion : pour les fois où elle devait pister des vedettes et rester planquée toute la nuit.

Mais ce soir, c'était différent. Elle n'était pas là à attendre l'occasion de prendre une photo. Ce soir, elle attendait autre chose et Lara et sa secrétaire lui avaient bien facilité la tâche. Dès qu'elle vit Cassie partir, Alison sortit de sa voiture, franchit prudemment la grille ouverte et s'approcha à pas de loup de la maison. Bien souvent, elle avait été attaquée par des chiens, ou bien par un garde. À tout hasard, elle avait toujours ses armes. Un grand couteau de chasse. Deux aiguilles à tricoter très pointues. D'épais gants de cuir pour se protéger les mains. Et une carte de crédit spéciale qui lui permettait d'ouvrir n'importe quelle porte.

Quelle tête ferait Lara quand Alison la tuerait ?

Elle se demandait si Lara Ivory se rendait compte de la chance qu'elle avait d'être née avec un visage aussi parfait. Le vedettariat était tombé sur elle comme un manteau d'or et elle avait mené une vie de rêve.

Comme si cette garce le méritait. Elle ne méritait rien du tout parce qu'elle ne savait pas donner. Elle était une vedette de cinéma égoïste et obsédée comme elles l'étaient toutes.

Alison allait changer tout ça.

La nuit était sombre et la pluie tombait à verse. Alison n'avait pas besoin de lumière. La pluie ne la gênait pas. Elle savait exactement vers quoi elle allait.

La couverture de *Time* et de *Newsweek,* tels étaient ses objectifs.

68

Dès l'instant où Nikki revit Sheldon, elle sentit au creux de l'estomac ce vieux pincement qu'elle connaissait bien. Malgré des années de séparation, il était de retour et, à son grand agacement, il l'affectait encore.

Elle ne lui trouva pas son impassibilité habituelle. Vêtu d'une veste de sport froissée, d'une chemise à col ouvert et d'un pantalon chiffonné, il avait un air fatigué et défraîchi.

— Elle est ici ? furent les premiers mots qu'il prononça.

— Non. Elle n'est pas ici, répondit froidement Nikki.

— J'ai besoin d'un verre, grommela-t-il.

Elle sentit à son haleine qu'il en avait déjà pris quelques-uns dans l'avion.

— Sers-toi, dit-elle en désignant le bar. Oh ! Sheldon, je te présente Aiden Sean.

Jetant à peine un coup d'œil dans la direction d'Aiden, Sheldon marmonna un bref « Bonsoir ».

Aiden échangea un regard avec Nikki.

— Je te l'avais dit, chuchota-t-elle derrière le dos de Sheldon.

Celui-ci se versa une généreuse rasade de cognac.
— Alors, Sheldon, qu'est-ce qui s'est passé ? demanda Nikki.
— Elle s'est enfuie, voilà tout.
— Elle ne partirait pas sans raison. Vous vous êtes disputés ?
— Summer et moi, nous ne nous disputons jamais. Nous sommes très proches.
— Alors, pourquoi ?
— Depuis son retour de Los Angeles, elle a changé. Tu y es manifestement pour quelque chose.
— Pourquoi moi ? demanda Nikki avec indignation.
— Parce que c'est toi qui l'as laissée faire n'importe quoi, sortir avec des garçons et Dieu sait quoi d'autre pendant que je te l'avais confiée.
— Écoutez, l'interrompit Aiden, je ne voudrais pas me mêler de ce qui ne me regarde pas, mais est-ce que vous ne devriez pas plutôt tous les deux concentrer vos efforts pour retrouver votre gosse ?
Sheldon lui lança un regard glacial.
— Qui êtes-vous ? demanda-t-il grossièrement.
Nikki se hérissa.
— Aiden est l'homme de ma vie, précisa-t-elle, ajoutant sèchement : Non pas que ça te regarde.
— Qu'est devenu Richard ?
— Nous divorçons.
— Oh ! lui non plus n'a pas pu te supporter.
— Va te faire voir, Sheldon ! s'écria-t-elle, incapable de se maîtriser.
— C'est tout ce que tu as à dire ? J'espérais que tu avais appris un vocabulaire un peu plus intelligent.
— Ça ne vous avancera pas de vous bagarrer, interrompit de nouveau Aiden. L'un de vous devrait contacter les flics. Nikki, tu as appelé ses amis ici ?
— Non, répondit Nikki en foudroyant Sheldon du regard. Je vais regarder dans ses affaires et voir ce que je peux trouver.

Sam avait une moto et Summer, assise derrière lui, le tenait solidement par la taille, le corps serré contre son dos.

Dieu merci, il y a encore des types bien dans ce bas monde, se dit-elle, *des types qui ne se ruent pas sur vous dès l'instant où on jette un coup d'œil dans leur direction.*

Sam roulait trop vite sur la chaussée trempée de pluie, mais elle aimait la vitesse : elle trouvait ça excitant. Il habitait une énorme maison dans la Vallée. Deux grandes pièces. L'une faisait office de chambre à coucher-living-room. L'autre était son atelier, encombré de toiles, pour la plupart des portraits.

— Pas mal du tout, fit-elle avec admiration.

— Je sais, répondit-il, toujours modeste. Un jour, je réussirai. Fini de garer les voitures.

— Merci de m'avoir sauvée ce soir, Sam. J'ai un aveu à te faire : j'étais à la soirée de Norman Barton, mais je ne pouvais pas rester là avec toutes ces filles écœurantes. Je n'imaginais absolument pas que ce serait comme ça.

— Je m'en doutais. Alors, pas de parents non plus, c'est ça ?

— Pas à l'hôtel.

— Où ça ?

— Mon père est à Chicago, maman est ici. Ils sont divorcés.

— C'est arrivé à mes parents quand j'avais cinq ans. Je n'ai pas grand-chose comme provisions, dit-il. Mais prends ce que tu veux.

Elle inspecta son frigo : un reste de pizza et un morceau de fromage qui avait connu des jours meilleurs.

— Je n'ai pas faim. Je suis simplement claquée. Je peux m'installer sur le canapé dans le coin ?

— Prends le lit. J'ai du travail à finir : je ne dormirai probablement pas cette nuit.

— Tu es sûr ?
— Certain.
— Eh bien... merci.
— La salle de bains est là. Tu trouveras un pyjama derrière la porte.
Elle se précipita, ôta sa robe et passa le pyjama dont il avait parlé. Même s'il était beaucoup trop grand, c'était mieux que rien. Puis elle se glissa dans le lit.
Elle ne savait plus trop où elle en était. Mais une chose était sûre, *jamais* elle ne retournerait à Chicago.

Ce n'était peut-être pas une brillante idée de laisser Sheldon et Aiden seuls. Nikki inspecta la chambre d'amis en fouillant parmi les quelques affaires que Summer avait laissées.
Au bout de quelques minutes, elle trouva le nom de Jed griffonné sur un bout de papier avec deux points d'exclamation à côté.
Elle essaya le numéro et tomba sur un répondeur.
« Salut, c'est Jed. Vous me cherchez, je vous cherche, alors laissez un message après le bip. »
Elle attendit la tonalité et puis dit :
— Euh... je suis Nikki Barry. J'appelle à propos de Summer. Il est urgent que je vous parle le plus tôt possible. Je vous en prie, rappelez-moi.
Elle laissa son numéro, puis essaya Mick chez lui. Il était là.
— Oh ! je pensais que vous seriez encore au pot.
— C'est gentil de votre part d'être restée si longtemps, lança-t-il d'un ton railleur. Bon sang, Nikki... ça n'est pas comme ça qu'on se fait des amis et qu'on remercie son équipe.
— J'ai eu une urgence.
— Quoi donc ? La grande vedette a eu encore une crise à propos de ces photos ?
— C'est ma fille, Summer. Elle a fait une fugue.
— Oh !

Un long silence. Ce fut Nikki qui le rompit.

— Mick, je *sais* ce qui s'est passé entre vous et Summer.

— Comment ? balbutia-t-il.

— Je sais parfaitement que vous l'avez obligée à commettre... certains gestes, même si vous ne deviez pas savoir qu'elle était mineure. Alors... si vous avez la moindre idée de l'endroit où elle peut être, vous feriez mieux de me le dire tout de suite.

— Bon sang, Nikki... je ne me doutais absolument pas que c'était votre fille, ni qu'elle n'avait que quinze ans...

— Alors, vous n'avez pas eu de ses nouvelles ? l'interrompit Nikki froidement.

— Non. Mais... on n'a rien fait du tout.

— Ce n'est pas ce que vous avez dit à Aiden.

— Quelquefois, ajouta-t-il d'un ton penaud, on se vante.

— En tout cas, son père est arrivé en avion de Chicago et, quand il va contacter la police, je ne voudrais pas qu'il leur raconte ce que vous l'avez obligée à faire.

— Vous êtes folle ? s'écria Mick. Vous me feriez jeter en taule pour quelque chose que je n'ai pas fait ? Je vous jure sur ma tête, sur la tête de ma mère, sur la tête de Quentin Tarantino — et vous savez que c'est mon idole — que je ne l'ai jamais touchée et que je n'ai pas eu de ses nouvelles.

— Si vous le dites...

— Je vous assure.

Elle n'était pas convaincue. Et si Summer l'avait contacté ? Revenant dans le living-room, elle prit Aiden à part.

— J'ai des doutes à propos de Mick. Il faut que je m'assure que Summer n'est pas chez lui. Est-ce qu'on peut aller là-bas ? On va laisser Sheldon ici.

— Allons, Nikki, il faut que tu contrôles ta paranoïa.

— S'il n'a rien à cacher, ça ne le gênera pas qu'on passe chez lui.

— Seigneur ! C'est que tu parles sérieusement.

— Sheldon, dit-elle en s'approchant de son ex, Aiden et moi devons sortir. Nous reviendrons le plus vite possible.

Elle le regarda se verser une nouvelle rasade de cognac.

— Oh ! ajouta-t-elle d'un ton sarcastique, et surtout, fais comme chez toi.

Summer dormait au milieu du grand lit de Sam en rêvant qu'elle courait sur la plage avec Norman Barton et sept filles complètement nues quand elle sentit sur elle les mains de son père.

— Non ! hurla-t-elle, ouvrant des yeux horrifiés. Laisse-moi, papa ! Laisse-moi !

Mais ce n'était pas son père. C'était Sam.

— Allons, murmura-t-il, donne-moi un peu de ce que tu as donné à Norman Barton. Je sais que tu en meurs d'envie.

— Va te faire voir, sale cochon ! s'exclama-t-elle en essayant de se libérer. Et moi qui te faisais confiance !

— Il ne faut jamais faire confiance à personne, dit-il en lui bloquant les bras au-dessus de la tête. Ta maman ne t'a pas prévenue ? Ne jamais suivre un étranger chez lui, continua-t-il en arrachant les boutons de sa veste de pyjama. Pourquoi es-tu venue avec moi si tu n'en avais pas envie ? En poussant tes petits seins contre moi sur la moto.

Il avait une main posée sur son sein gauche. Elle lui donna un coup de genou dans l'aine aussi violemment possible.

— Seigneur ! gémit-il. Qu'est-ce que tu fais ?

— Je fous le camp d'ici... voilà ce que je fais ! cria-t-elle.

Elle roula à bas du lit, attrapant au passage sa robe et ses chaussures, et se précipita vers la porte avant qu'il ait eu le temps de réagir. Elle se retrouva dehors et commença à dévaler le sentier boueux devant la maison. Un chien se mit à aboyer, mais elle continua à courir à toutes jambes.

Oh, mon Dieu, quel cauchemar ! songea-t-elle en se cachant derrière un arbre pour s'abriter tant bien que mal de la pluie et se rhabiller.

Au loin, Sam sortit et se mit à l'appeler. Elle resta silencieuse. Au bout d'un moment, il rentra et claqua la porte derrière lui.

Elle attendit de voir la lumière s'éteindre dans la maison. Puis elle se glissa furtivement jusque-là, ramassa un morceau de verre dans l'allée et creva les pneus de sa précieuse motocyclette. Voilà qui apprendrait à cet abruti à ne pas embêter Summer Weston.

Il était maintenant minuit passé et elle était gelée, affamée, trempée, épuisée. Ça n'avait peut-être pas été une si bonne idée après tout de quitter Chicago. Mais tout valait mieux que la vie avec petit papa chéri. Frissonnant, elle descendit la rue. Quand elle arriva sur Ventura Boulevard, des larmes se mêlaient à la pluie ruisselant sur ses joues. Elle avait cru qu'elle pourrait se débrouiller toute seule : mais maintenant elle n'avait pas d'argent, ne pouvait se fier à personne et n'avait nulle part où aller.

Elle hésita au coin de la rue. Un camion freina dans un grand crissement de pneus.

— On fait du stop, petite ? demanda un homme en se penchant par la portière, avec un sourire paillard.

— Monte, renchérit son compagnon. On ne va pas te mordre. On va te faire visiter. Tu seras à l'abri de la pluie.

— Mais oui ! ricana le premier. On ajoutera même dix dollars si tu es vraiment gentille.

Elle tourna les talons et partit en courant dans la

direction opposée, ne s'arrêtant que quand elle arriva devant un café ouvert toute la nuit.

— Est-ce qu'il y a un téléphone ? dit-elle au Mexicain derrière le comptoir.

— Là-bas.

— Je... euh... je n'ai pas d'argent. Pouvez-vous me prêter vingt-cinq cents pour que je passe un coup de fil ? Je vous les rendrai demain, promis.

L'homme haussa les épaules. Il eut pitié de cette pauvre fille trempée et misérable.

— Vous avez l'air d'en avoir plus besoin que moi, dit-il en lui tendant une pièce.

Éperdue de reconnaissance, elle se précipita vers la cabine. Elle avait pris une grande décision : tout raconter à Nikki.

Elle composa le numéro de sa mère, en priant le ciel pour qu'elle soit là. Quelqu'un répondit au téléphone. Malheureusement, ce quelqu'un, c'était son père.

— Oh, mon Dieu, non !

Elle raccrocha.

69

Si Madelaine Francis était à L.A., avait pensé Joey, elle devait être inscrite dans un hôtel. Il en essaya plusieurs. Au Beverly Regent, la standardiste lui dit :

— Un instant, je vous la passe.

— Allô ? répondit la voix ensommeillée de Madelaine.

— Madelaine ? interrogea-t-il, n'en croyant pas ses oreilles.

— Qui est à l'appareil ?

— Joey.

— Oh !

Un long silence.

— Qu'est-ce que tu veux ?

— Es-tu allée ce matin avec Richard Barry voir Lara Ivory ?

Elle prit son temps avant de répondre.

— Qui t'a dit ça ?

— Y es-tu allée ?

— Oui, avoua-t-elle, refusant de se laisser intimider.

— Tu ne peux pas te faire à l'idée que je sois heureux, n'est-ce pas ?

— Sois réaliste, Joey, lança-t-elle, furieuse. Je suis

ravie de te voir heureux. Pas si ravie que tu m'aies volé mon argent. Qu'est-ce que tu voudrais que je fasse ? Que je reste à me laisser piétiner encore une fois ? Oh non ! jeune homme : Lara Ivory mérite mieux que toi.

— Tu l'as eu, ton argent, dit-il.

— J'ai attendu six ans avant le premier versement, précisa-t-elle sèchement. J'ai dû déduire le reste de ton chèque du *Rêveur*.

— Qu'est-ce que tu as raconté à Lara ?

— Je lui ai simplement fait comprendre qui tu es. Bonté divine, Joey, on peut dire que tu lui as raconté des craques. Une fiancée ! Tu n'osais pas dire que tu vivais avec une vieille peau comme moi ?

— Où est-elle allée ?

— Je n'en ai aucune idée. Mais je suis enchantée d'apprendre qu'elle est partie. Elle au moins a du bon sens.

— Je pense que tu t'en fous, Madelaine... mais tu as gâché ma vie.

— Je t'en prie, Joey, tu as déjà gâché la mienne.

Elle raccrocha.

Il resta un moment à regarder dans le vide. Richard Barry avait détruit la seule chance de bonheur qu'il avait jamais eue. Il était sans doute maintenant avec Lara à la consoler, à lui dire quel salaud était Joey Lorenzo. Oh oui ! il était peut-être un salaud. C'est vrai qu'il aurait dû rembourser Madelaine depuis longtemps. Mais comment aurait-il pu quand il était en train de croupir dans une prison pour un crime qu'il n'avait pas commis ?

Comment ? Je vous le demande.

Le jour même où Joey fit main basse sur les économies de Madelaine, il sauta dans un avion pour Saint Louis et prit un taxi pour gagner l'appartement d'Adelaide.

Quand elle ouvrit la porte, il eut un choc. Il ne l'avait pas vue depuis trois ans. Ses longs cheveux bruns pendaient en mèches sales sur ses épaules, elle avait le visage bouffi, les yeux cernés. Elle portait un peignoir rose taché entrouvert sur un soutien-gorge déchiré. Elle avait aussi un œil au beurre noir et une dent de devant ébréchée.

Qui était cette vieille femme délabrée ? Certainement pas sa jolie mère.

— Je savais que tu viendrais, fiston. Je savais que tu ne me laisserais pas tomber.

Pourquoi l'appelait-elle fiston ? Elle ne l'avait jamais fait.

— Alors, dit-il, qu'est-ce qui se passe ?

— J'ai... j'ai des problèmes : j'ai emprunté de l'argent aux courses. Tu sais ce que c'est quand tu as une bonne passe, tu te dis que ça ne finira jamais, et puis tout s'écroule. Les gens à qui j'ai emprunté... ils ne sont pas très aimables... maintenant on commence à me menacer...

Elle sonnait un peu faux, son histoire. Sa mère balbutiait, les yeux baissés.

— Où as-tu attrapé cet œil au beurre noir, maman ?

— Je suis tombée, bredouilla-t-elle.

— Qui sont ces gens à qui tu dois de l'argent ?

— Un... un syndicat. Tu sais... ils envoient des encaisseurs.

— Qu'est-ce que Danny dit de tout ça ?

— Danny ! lança-t-elle.

Il arriva de la chambre à coucher, en grande tenue de gangster : chemise noire, cravate blanche, costume noir. Comme Pete Lorenzo, Danny était une petite canaille ; seulement, au lieu d'avoir quarante ans de plus qu'elle, il en avait dix ans de moins.

— Salut, Joey, dit-il. Comment ça va ?

— Pas très fort, répondit Joey, surtout quand je

vois ma mère dans cet état-là. Qu'est-ce qui lui est arrivé ?

— Pas la moindre idée.

— Tu vis avec elle. Tu n'es pas censé la surveiller ?

— Elle boit, cette idiote... qu'est-ce que je peux te dire ?

— Ne traite pas ma mère d'idiote.

— Comme tu voudras, Joey.

— Parle-moi un peu de ces dettes de jeu ?

— Tout ce que je sais, c'est qu'il faut qu'elle paie. Tu nous as apporté l'argent ?

Joey n'aimait pas la façon dont il avait dit « nous » ; depuis quand Danny était-il impliqué ?

— Je t'ai vu dans Solid, *fiston, balbutia sa mère. J'étais fière de te voir là, sur l'écran.*

— Comment ça se fait que tu m'aies pas appelé ?

— Je comptais le faire, et puis j'étais... euh... occupée.

Ah oui ! Mais elle n'était pas trop occupée pour appeler quand elle avait besoin d'argent.

— Qu'est-ce que tu t'es fait à la dent ? demanda-t-il. Tu es tombée encore ?

— Oui, ricana Danny. Elle est incapable de marcher droit quand elle a bu.

— Qu'est-ce que tu as dit ? s'écria Joey en le regardant droit dans les yeux.

— Je dis les choses comme elles sont. Ça ne te plaît pas, mon petit Joey ? Eh bien, va te faire voir. Ça n'est pas toi qui restes ici coincé avec cette vieille.

— Fais attention à ce que tu dis.

— Le grand acteur va me dire à moi ce que je dois faire !

— Tu n'es qu'un minable.

— Allons, allons, les gars, interrompit Adelaide comme si elle était Lana Turner dans un vieux film de gangsters.

Joey avait envie de pleurer. Cette vieille femme

pitoyable, c'était sa mère, celle qui jadis avait été la belle Adelaide.

— Je vais vous dire ce que je vais faire, déclara-t-il. Je vais aller voir les types à qui tu dois de l'argent. Et prendre des arrangements avec eux. D'accord ?

— Pas d'accord, s'empressa de dire Danny. Il nous faut le fric maintenant.

— Tu auras peau de balle, riposta Joey, tant que je n'aurai pas tiré ça au clair.

— Il n'y a qu'une façon de tirer ça au clair, reprit Danny. C'est de me remettre le fric.

— Oui, Joey, dit Adelaide d'un ton anxieux. Donne l'argent à Danny et puis tu pourras rentrer chez toi.

Pour qui est-ce qu'ils le prenaient : pour une banque ?

— Tu as bien l'argent, n'est-ce pas ? demanda Adelaide.

— Une partie, répondit-il, prudemment.

— J'espère que tu n'as rien laissé à ton hôtel, lança Danny.

— Je ne suis pas à l'hôtel.

— Alors, tu l'as sur toi ?

— Ça se pourrait.

— Passe-moi ça, mon petit Joey.

— Fais-le, renchérit Adelaide en se tordant les mains.

— Je ne sortirai l'argent que pour le verser aux gens à qui elle le doit.

— Petit connard ! explosa Danny.

Joey n'avait pas eu le temps de comprendre ce qui se passait que Danny avait dégainé un pistolet et le braquait dans sa direction.

— Pose l'oseille sur la table, petit, et taille-toi.

Adelaide regardait sans rien dire.

— Qu'est-ce que c'est que cette histoire ? interrogea Joey.

— Je suis désolée, murmura Adelaide.

Des excuses, ça ne suffisait pas. Il était fou de rage.

Il n'était assurément pas venu à Saint Louis pour s'entendre dicter sa conduite par une crapule à la petite semaine. Et voilà qu'il braquait une arme sur lui. Pas question qu'il s'en tire comme ça. D'ailleurs, Danny était bien trop lâche pour s'en servir : Joey le voyait dans son regard.

Il décocha un coup de pied comme au cinéma. Danny tomba et le pistolet lui échappa des mains.

— Petit con ! rugit Danny en se précipitant pour ramasser son arme.

— Ah oui ! fit Joey, envoyant le revolver valser d'un coup de pied. Tu veux venir me le répéter ?

— Arrêtez, gémit Adelaide. Je vous en prie. Arrêtez.

Danny se releva tant bien que mal et lui lança un coup de poing. Joey riposta, le touchant au menton.

— Pauvre petit merdeux ! cria Danny. Tu ne sais pas à qui tu as affaire.

— Qu'est-ce que j'en ai à foutre ? riposta Joey. Je ne veux plus te voir ici.

Ils roulaient sur le sol en échangeant des coups. Danny coinça Joey au sol, attrapa un serre-livres sur une étagère et le frappa à la tête avec une telle violence qu'il perdit un moment connaissance. Au loin, il entendit un coup de feu et se dit que ça y était : il avait son compte.

Il réussit à ouvrir les yeux. Danny était affalé sur le sol, le sang coulant d'une blessure au cou. Adelaide était plantée devant lui, tremblant de la tête au pied, tenant le pistolet à deux mains.

— Oh ! gémit Joey en se redressant. Qu'est-ce que tu as fait ?

Il lui arracha le revolver des mains et l'obligea à s'asseoir. Puis il se précipita pour prendre dans la cuisine une bouteille de cognac et l'obligea à en boire une gorgée.

Les voisins commençaient à frapper à la porte. Une voix d'homme lança :

— Tout va bien ? Qu'est-ce qui se passe ? On a appelé les flics.

Sans vraiment réfléchir, il saisit un torchon dans la cuisine et essuya la crosse de l'arme. Puis il y apposa ses empreintes.

— Ça n'est pas toi qui as tiré, maman, dit-il. Rappelle-toi, ça n'est pas toi, c'est moi. Je te défendais. D'accord ?

— Oui, fiston, répéta-t-elle d'une voix chevrotante. Ça n'est pas moi. C'est toi.

— Prends l'argent, dit-il en tirant une liasse de sa poche. Quelqu'un a dû appeler la police. Je ne m'enfuis pas. Je leur dirai que c'était de la légitime défense.

De la légitime défense... sûr. Il écopa de huit ans pour homicide... sortit au bout de six ans pour bonne conduite : et voilà pourquoi Madelaine n'avait pas récupéré son argent.

Sa mère ne vint jamais lui rendre visite en prison. À sa sortie, il apprit qu'elle était partie à Porto Rico avec un jeune chanteur et qu'elle n'avait pas laissé d'adresse.

Il prit un avion et rentra à New York.

Il avait passé six ans de sa vie bouclé pour un crime qu'il n'avait pas commis. Puis Lara était arrivée et tout avait changé. Il avait une chance de connaître le vrai bonheur. Une chance que Richard Barry avait piétinée.

Merde pour Richard Barry et pour tout ce qu'il représentait. Merde pour ce salaud jaloux qui bousillait son avenir.

Bien décidé à retrouver Lara, il décrocha son téléphone et appela Richard.

— Qu'est-ce que vous voulez ? demanda Richard, glacial.

— Où est-elle ? interrogea-t-il.

— On cherche Lara ? lança Richard.

— Où est-elle ?

— Vous savez, Joey, j'aimerais pouvoir vous dire qu'elle est avec moi, poursuivit Richard. Mais je n'ai malheureusement aucune idée de l'endroit où elle se trouve.

— Il a fallu que vous foutiez tout en l'air, hein ? Nous étions ensemble comme vous et elle ne l'aviez jamais été. Vous n'avez pas pu supporter ça.

— Épargnez-moi le mélo, interrompit Richard. Je sais ce qui vaut mieux pour Lara.

Joey raccrocha. Il en avait assez entendu. L'important, c'était de contacter Lara avant que Richard l'ait encore plus montée contre lui.

Où avait-elle pu aller ? C'était là le problème.

Cassie. Mais oui, Cassie saurait.

Il feuilleta frénétiquement le carnet d'adresses de Lara jusqu'au moment où il eut trouvé son numéro personnel. Une voix de femme répondit.

— Cassie ?

— Non, je suis Maggie, sa sœur. Qui est à l'appareil ?

— Joey Lorenzo, le... fiancé de Lara. Cassie est là ?

— Non. Elle passe la nuit avec Lara. Elles ne vous l'ont pas dit ?

— Si mais... euh... j'ai oublié. Lara m'a laissé un mot. Quelqu'un a dû le jeter. Où est-ce qu'elles allaient déjà ?

— À la maison sur la plage.

— Vous voulez dire chez Nikki.

— Non. Celle que Lara avait louée l'année dernière.

— Mais oui ! Je devais aller les retrouver là-bas. Quelle est l'adresse ?

— Attendez un peu... Vous tournez juste après Point Dume Road, et c'est la grande maison tout au bout.

— Il y a le téléphone ?

— Non, mais si Cassie appelle, voulez-vous que je lui dise que vous arrivez ?

— Ne vous donnez pas la peine, Maggie. Je préfère leur faire la surprise.

Quelques minutes plus tard, il était en route, au volant de la Mercedes.

Lara commençait à s'énerver, assise dans l'obscurité à attendre le retour de Cassie. Elle se rappelait avoir attendu une fois jadis — pelotonnée dans le fauteuil d'une chambre d'hôtel —, d'avoir attendu jusqu'à ce que son père se tire une balle dans la tête.

Joey l'avait aidée à surmonter ses craintes. Elle soupira : ce n'était peut-être pas juste de s'en aller ainsi sans lui donner une chance de s'expliquer. Mais s'il la touchait ? Elle savait qu'elle succomberait à son charme. Non, c'était trop dangereux de se mettre dans ce genre de situation.

Il fallait qu'elle parle à Nikki, qu'elle lui raconte tout. Nikki l'aiderait à être forte et, en ce moment, elle avait besoin de tout le soutien qu'elle pouvait trouver.

Dehors, le vent hurlait et elle entendait le tonnerre au loin. Au bulletin météo de ce matin, on avait annoncé l'arrivée d'une tempête. Pourquoi avait-elle agi si précipitamment ? Un coup de fil à l'agent immobilier et elle aurait pu faire rétablir l'électricité et avoir un frigo bourré de provisions. Cassie avait laissé sa valise dans l'entrée. En fouillant dedans, elle trouva un survêtement chaud, de grosses chaussettes et des baskets. Elle enfila cet attirail et se sentit mieux.

Là-dessus, elle entendit un bruit qui la glaça.

— Lara ? dit une voix de femme qui retentit dans la maison vide. Lara ? Vous êtes là ? Vous m'attendez, Lara chérie ?

Un long silence menaçant.

— Au cas où vous vous poseriez des questions, c'est votre bonne amie, Alison Sewell.

70

La pluie tombait dru, Aiden roulait trop vite et ils discutaient âprement.

— Tu te trompes, déclara Aiden. Pourquoi vouloir ennuyer Mick ? Il te l'a dit : il ne sait pas où est Summer.

— Comment peut-on en être sûr ? répliqua Nikki. Il est un peu pédophile sur les bords, non ?

— Écoute... ça fait deux mois que tu travailles avec lui, riposta Aiden. S'il courait après Summer, je pense que tu t'en serais aperçue avant.

— Je veux en avoir la certitude.

— Bon, bon, marmonna-t-il. Je ne sais pas pourquoi je me suis embringué avec toi. La came, c'était plus facile.

— Personne ne te demande de rester, répliqua-t-elle. C'est *toi* qui t'es imposé.

— Ah oui ? Je ne t'ai pas vue partir en courant.

Sans crier gare, elle enfouit la tête dans ses mains.

— Je te demande pardon, Aiden. Je n'arrête pas de penser à Summer qui traîne toute seule. Ça n'est qu'une gosse et j'ai l'impression que c'est ma faute. Je n'étais jamais là quand elle avait besoin de moi : je m'en rends compte maintenant.

— Allons, ça va s'arranger, tu verras.

Mick louait une grande maison moderne en haut de Benedict Canyon. Aiden s'engagea dans l'allée et s'arrêta devant la maison.

Nikki était maintenant persuadée qu'elle allait trouver Summer. Elle sauta à bas de la camionnette et sonna. Auprès d'elle, Aiden attendait, fumant une cigarette sous la pluie. Quand Mick répondit d'une fenêtre du premier étage, ils étaient tous les deux trempés.

— Qui est là ? lança-t-il.

— Nikki et Aiden. On peut entrer ?

— Qu'est-ce que vous fichez ici ?

— On peut entrer ? répéta-t-elle, décidée à inspecter toute la maison.

— Attendez. Je descends.

Ils attendirent cinq minutes avant de le voir surgir à la porte d'entrée. *Assez longtemps pour qu'il ait pu cacher Summer*, se dit Nikki.

— Pourquoi êtes-vous ici ? demanda-t-il, échevelé et pieds nus dans un peignoir de bain à rayures jaunes et noires.

Nikki le bouscula pour entrer.

— Où est-elle ?

— Oh, Seigneur ! gémit Mick. Je vous l'ai dit : votre fille n'est pas chez moi.

— Je ne vous crois pas.

— On s'en fout que vous me croyiez ou pas.

Il se tourna vers Aiden.

— C'est dingue !

— Je sais, soupira Aiden.

— Vous ne comprenez pas, Mick, insista Nikki d'un ton très calme. Je ne vous en voudrai pas : j'ai simplement besoin de savoir qu'elle ne risque rien.

— Mick ? articula une voix très jeune dans l'escalier. Mick... qu'est-ce qui se passe ?

Et ils virent descendre par l'escalier une ravissante petite Orientale drapée dans un court peignoir de soie.

— Dites bonjour à Tin Lee, fit Mick avec un grand

sourire. Nous retenons Summer captive sous notre lit. Vous devriez monter pour voir.

Aiden entraîna Nikki dehors.

— Satisfaite ?

— Je... j'avais un pressentiment.

— Allez-y... fouillez partout ! leur cria Mick. J'ai fait une connerie dans ma vie, et je suis censé la payer à jamais.

— Je suis désolée, reconnut Nikki.

— Il y a de quoi, grommela Mick en claquant la porte.

Glacée, trempée, terrorisée, ne sachant pas où aller, bouleversée à l'idée que son père était à L.A., Summer décida de retourner chez Tina. Le seul problème, c'était qu'elle n'avait pas d'argent pour s'y rendre : évidemment, si elle prenait un taxi, elle pourrait toujours régler la course une fois arrivée, à condition, bien sûr, que Tina soit chez elle.

Elle s'aventura dans la rue, sa minirobe collant à son corps comme une seconde peau, ses longs cheveux blonds plaqués sur sa tête. Voitures et camions freinaient pile : une jolie fille seule dans la rue après minuit, c'était toujours bon à prendre, même si elle avait l'air d'un chat noyé.

Mais elle continua à marcher jusqu'au moment où elle arriva devant le *Sportman's Lodge*. Elle entra et demanda si on pouvait lui appeler un taxi.

Elle était découragée. La vie parfois ne semblait pas valoir la peine d'être vécue.

— Personne n'a téléphoné ? demanda Nikki en s'engouffrant dans la maison.

— Deux coups de fil, mais la personne a raccroché, répondit Sheldon. Et puis la police a besoin d'une photo de Summer. Et un nommé Jed a appelé.

— Qu'est-ce qu'il a dit ?
— Il voulait te parler.
— Tu lui as demandé s'il avait eu des nouvelles de Summer ?
— Non. Si tu n'étais pas partie en courant avec ton petit copain tatoué, tu aurais peut-être pu recueillir plus de renseignements.
— Ne critique pas Aiden. Il vaut mieux que toi.
— Tu dis n'importe quoi.
— Vraiment ? Au fait, Sheldon, comment va ta femme enfant ? Quel âge as-tu maintenant ? Cinquante et quelques ? Vous devez faire un couple si charmant quand vous sortez en public.
— Les discussions oiseuses ne m'intéressent pas, déclara Sheldon, glacial. Tout ce qui m'intéresse, c'est de retrouver ma fille et de la ramener à Chicago.
— J'ai réfléchi, continua Nikki. Summer n'est manifestement pas heureuse avec toi. Peut-être qu'elle devrait rester ici avec moi.
— Non, répondit catégoriquement Sheldon. Elle vient avec moi.
— Ne dis pas non comme ça, répliqua Nikki. Quand nous l'aurons retrouvée, nous demanderons à Summer ce qu'*elle* veut faire, exactement comme tu l'as fait quand elle était petite fille.
Aiden la prit à part.
— Il faut que je me casse, murmura-t-il.
— Qu'est-ce qu'il y a ?
— Je ne supporte pas toutes ces scènes... c'est mauvais pour mon karma.
— C'est tout ce qui te préoccupe ?
— Comprends-moi, je t'en prie. Si je pensais pouvoir t'aider, je resterais. Mais toutes ces merdes entre toi et ton ex, ça me rappelle trop de mauvais souvenirs.
Aiden parti, elle passa dans sa chambre et rappela Jed. Elle lui expliqua qui elle était et que Summer avait disparu.
— Je suis désolé d'apprendre ça.

— Quels étaient les amis de Summer quand elle était ici ?

— Je crois que j'étais son plus proche copain, dit-il. Je l'ai présentée à des tas de gens.

— Quelqu'un en particulier à qui vous puissiez penser ?

— Il y avait cette fille avec qui elle traînait souvent... Tina.

— Vous avez son numéro ?

— Je l'ai quelque part.

— C'est important, Jed. Je sais qu'elle pourrait être encore à Chicago, mais mon instinct me dit qu'elle est ici.

— Quand vous la retrouverez, demandez-lui de m'appeler. C'est pas que j'étais son petit ami, seulement elle m'a présenté un jour à M. Barry, elle a dit qu'elle lui demanderait de me prendre dans un de ses films. Je suis acteur, vous savez.

Tiens donc !

— Ça n'est pas le moment d'en discuter, Jed. Donnez-moi juste le numéro de Tina.

Ce qu'il fit. Nikki appela aussitôt.

— Ah ! Je savais que vous appelleriez ! lança Tina sans laisser à Nikki le temps de dire un mot. Summer, ramène tes jolies petites fesses provinciales. Remue-toi, ma fille !

Nikki n'avait pas besoin d'en entendre davantage. Elle s'empressa de raccrocher sans rien dire. Puis elle rappela Jed.

— Désolé de vous déranger encore une fois, mais vous avez l'adresse de Tina ?

— Je l'ai notée quelque part, je crois qu'elle habite un de ces grands immeubles au bout de Sunset. Oh ! pendant que je vous ai au bout du fil, vous pourriez peut-être parler à votre mari pour qu'il m'accorde un rendez-vous ?

— Si vous me donnez l'adresse de Tina, je m'en occuperai la semaine prochaine, promit-elle.

Il lui donna le renseignement et elle revint en courant dans le living-room où Sheldon se versait un nouveau cognac bien tassé.

— En route, dit-elle. Je crois que je l'ai trouvée.

— Dieu soit loué ! répondit Sheldon. Après ça, je la ramène tout droit à Chicago où elle devrait être.

Ça, on verra, se dit Nikki. *Parce que, cette fois-ci, je ne la laisse pas partir sans discuter.*

71

Alison Sewell. La folle qui avait traqué Lara pendant presque un an, lui envoyant des lettres, des photos, des cadeaux. Se présentant à sa porte, insultant quiconque voulait lui barrer le passage.

Oh, mon Dieu ! Ça n'était pas possible. D'ailleurs, Alison Sewell était en prison : Lara se trouvait dans la salle du tribunal quand le juge avait condamné cette folle. Elle n'avait jamais oublié l'expression de haine qui s'était peinte sur le visage d'Alison quand leurs regards s'étaient croisés l'espace d'un instant.

La vieille maison retentissait du bruit de la pluie, des hurlements du vent et du fracas des vagues qui se brisaient tandis que la tempête se déchaînait. Peut-être avait-elle seulement cru entendre la voix d'Alison Sewell ? Mais non, impossible. Cette femme était bel et bien dans sa maison.

Calme-toi, se dit-elle. *Si elle est ici, demande-lui ce qu'elle veut. Dis-lui que c'est de la violation de domicile et qu'il faut qu'elle s'en aille tout de suite, sinon tu vas appeler la police.*

Ah oui ? Avec quoi ? Ton téléphone ne marche pas. Tu es coincée ici, toute seule avec une maniaque. Et personne à l'exception de Cassie ne sait où tu es.

— Alison ? appela-t-elle en essayant de garder une voix ferme. Alison Sewell, où êtes-vous ? On peut parler ?

Cassie se sentait beaucoup mieux en sortant du restaurant, après s'être empiffrée de pizza au saumon fumé.

— Vous feriez mieux de rentrer avant la tempête, lui conseilla Wolf.

La pluie tombait à verse. Elle avait emprunté un parapluie à la réception et, le carton de victuailles en équilibre sous un bras, elle parvint à regagner sa voiture sans être complètement trempée. Lara devait se demander ce qui lui était arrivé et Cassie était certaine qu'elle serait ravie de la voir revenir avec des provisions, y compris des bougies, des torches supplémentaires et le poulet de chez *Granita*.

Peut-être qu'à son retour Lara lui expliquerait ce que Joey avait bien pu faire d'horrible pour qu'elle le plaque ainsi.

Elle essaya de mettre en marche la Saab, le moteur toussota mais refusa de démarrer.

— Merde ! marmonna-t-elle en faisant une nouvelle tentative.

À la quatrième fois, heureusement, la voiture démarra. Elle mit en marche ses essuie-glaces : la pluie tombait si dru que c'était à peine si elle y voyait. Elle sortit lentement du parking et se dirigea vers le feu au coin de la rue. La sonnerie de son téléphone de voiture la fit sursauter.

— Ma chère Cassie.

Elle reconnut aussitôt la voix de Richard.

— Richard ! s'exclama-t-elle en se demandant pourquoi il l'appelait dans sa voiture à cette heure de la nuit.

— Où êtes-vous ?

— Dans ma voiture, évidemment, répondit-elle.

— J'étais en train de parler à Lara et nous avons été coupés. Il me semblait qu'elle disait qu'elle était avec vous.

Les choses maintenant devenaient claires. Lara envisageait de revenir avec Richard. Bien sûr ! C'était excellent : Cassie avait toujours préféré Richard à Joey.

— Je retourne maintenant chez Lara, dit-elle. Elle vous a sûrement expliqué que la maison n'avait pas d'électricité, pas de provisions, rien. Je suis allée faire quelques courses. On dirait qu'une méchante tempête s'approche.

Richard réfléchit rapidement. *De quelle maison parlait-elle ?*

— J'imagine que vous avez trouvé tout ce qu'il vous fallait, dit-il.

— J'espère.

— Je pensais, ajouta-t-il d'un ton suave, qu'à cause de la tempête je devrais peut-être venir vous rejoindre toutes les deux.

— Ça me paraît une excellente idée.

— Alors, il vaudrait mieux me rappeler comment y aller.

— Vous êtes venu un jour avec Nikki, quand Lara louait cette maison. Vous vous êtes plaint que c'était une véritable expédition.

— C'est vrai, dit-il avec un petit rire. Je ne me souviens toujours pas du chemin.

Elle lui donna les indications et Richard ajouta :

— Euh... Cassie, nous avons été coupés. Je n'ai pas eu l'occasion de dire à Lara que je venais. Alors, laissez donc la porte ouverte et je lui ferai la surprise.

— Je peux vous demander une chose ? Je sais que c'est bien indiscret de ma part, mais est-ce que Lara et vous allez vous remettre ensemble ? C'est de ça qu'il était question ?

— Vous avez deviné, avoua-t-il.

— Je savais bien qu'il se passait quelque chose quand je vous ai vu passer tout ce temps dans sa caravane ce matin. Je suis très contente. Bien sûr, ajouta-t-elle, je suis navrée pour Nikki, c'est une femme charmante mais, à mon avis, Lara et vous avez toujours été faits l'un pour l'autre.

— Vous êtes très maligne, Cassie.

— Merci, Richard. À bientôt.

— N'oubliez pas... C'est une surprise, alors pas un mot.

— Compris.

Le feu passa au vert et Cassie s'engagea dans le carrefour, tournant à gauche sur la Pacific Coast Highway. Elle ne vit pas la Porsche qui déboulait au milieu de l'intersection : la voiture vint s'écraser contre le flanc de la Saab qui fit quelques tours sur elle-même avant de glisser sur la chaussée détrempée et de se retourner avec Cassie coincée à l'intérieur.

Quand les premiers sauveteurs arrivèrent, impossible de se prononcer. Cassie était peut-être morte.

Quand il se met à pleuvoir à L.A., il ne faut pas longtemps avant que tout se déglingue. Des torrents de boue dévalent des collines, les rivières débordent, les caniveaux s'engorgent, les voitures s'emboutissent : c'est le chaos.

Quand Joey tourna à San Vicente pour se diriger vers l'océan, on annonçait des chaussées inondées et la mer venait se briser sur les terrasses soigneusement entretenues des maisons de Malibu. La police et les pompiers étaient déjà sur les routes, refoulant les voitures et s'efforçant de détourner la circulation maintenant très ralentie.

Cela donna à Joey largement le temps de réfléchir. Qu'allait-il exactement raconter à Lara quand il arriverait ? La vérité, voilà tout. La vérité sur sa vie foutue en l'air, ses efforts pour échapper à son milieu et devenir acteur. Comment il était retourné voir sa mère et s'était trouvé pris au piège, en écopant pour un meurtre qu'il n'avait pas commis.

Et comment sa mère l'avait-elle récompensé ? Elle avait filé avec un autre bon à rien sans même laisser son adresse.

Lui n'était pas parfait non plus. Il s'était servi de Madelaine comme il s'était servi de la plupart des femmes. Puis Lara était entrée dans sa vie, elle lui avait fait comprendre qu'il pouvait s'intéresser à quelqu'un d'autre sans arrière-pensée.

Oui. Il lui dirait la vérité. Elle était sa vie, son véritable amour, son âme sœur. Il ne voulait rien d'elle. Tout ce qu'il lui demandait, c'était d'être auprès d'elle, prêt à la soutenir et à la protéger.

La circulation s'était encore ralentie.

— Qu'est-ce qui se passe ? demanda-t-il à un policier planté au milieu de la route.

— Un grave accident plus loin. Je ne vous conseille pas de continuer par là à moins que vous n'habitiez le quartier.

— Justement.

— Alors, faites attention.

— Je serai prudent, merci.

Il avait hâte d'arriver à destination. Retrouver son amour. Son avenir.

Alison entendait cette garce l'appeler. Ah, Lara Ivory se souvenait d'elle ! Pas étonnant. Bientôt tout le monde la connaîtrait. Elle essaya de se rappeler quelles photos elle avait d'elle-même. Laquelle mettrait-on en couverture de *Time* ? Tout le monde estimait qu'elle était moche, mais les gens la trouveraient jolie quand elle serait sur la couverture du magazine. La célébrité embellit, c'est bien connu.

— Alison, venez donc, bavardons un peu.

C'était une nouvelle fois la voix de Lara.

— Ne vous en faites pas, Lara, lança-t-elle. J'arrive tout de suite. J'arrive pour trancher votre jolie petite gorge.

72

Le chauffeur de taxi n'arrêtait pas de se plaindre.

— Foutu climat, ne cessait-il de marmonner. Foutue Californie...

Pelotonnée sur la banquette arrière, Summer n'avait aucune envie de faire la conversation.

— Qu'est-ce qui vous a pris ? interrogea le chauffeur en se retournant. Dans mon pays, les filles... ne courent pas toutes seules la nuit. Ça n'est pas bien.

— Vous êtes d'où ? se força-t-elle à demander.

Peut-être que, si elle le faisait parler de son pays, elle pourrait s'endormir pendant qu'il blablatait.

— Beyrouth. C'était superbe avant les bombardements.

Il y avait un feu rouge. Le taxi s'arrêta juste à temps pour éviter la voiture devant eux qui venait d'emboutir l'arrière d'une Cadillac.

— Vous voyez, vous voyez ! s'écria le chauffeur. Ces Américains, ils conduisent comme des fous !

Sans écouter le conducteur de la Cadillac qui lui demandait son témoignage, il contourna les deux voitures et poursuivit sa route.

— Dans combien de temps serons-nous à l'adresse que je vous ai donnée ? demanda Summer.

— Par ce temps ? Avec ces Américains qui conduisent aussi mal ? Je ne sais pas.

— Si vous détestez tant les Américains, pourquoi êtes-vous venu ici ? demanda-t-elle, exaspérée par ses doléances.

Il éclata d'un grand rire.

— Ce qu'il y a de bien en Amérique..., c'est l'argent !

— Qu'est-ce qui se passe avec la circulation ? demanda Nikki avec impatience, coincée derrière une file de voitures sur la Pacific Coast Highway.

— Je ne sais pas pourquoi tu ne m'as pas laissé conduire, répliqua Sheldon avec agacement.

— Parce que c'est *ma* voiture et que je sais où nous allons.

— Tu n'as jamais su conduire, reprit Sheldon.

— D'après toi, je n'ai jamais rien su faire, riposta Nikki. C'est peut-être pour ça que tu m'as épousée : pour pouvoir modeler une enfant à ta guise. J'étais un tel bébé, si malléable. C'est pour ça que tu as pu me persuader de laisser Summer avec toi, alors qu'elle aurait dû venir avec moi : tu le sais bien.

— Summer est une fille parfaitement équilibrée. Du moins elle l'était jusqu'à ce qu'elle vienne passer quelque temps avec toi à L.A.

Un policier avec une torche remontait lentement la file de voitures en s'adressant aux conducteurs. Il arriva devant la vitre de Nikki.

— Il y a un grave accident un peu plus loin, madame, annonça-t-il. Vous allez être retardée.

— Combien de temps ? demanda-t-elle avec impatience.

— Nous essayons de faire avancer les voitures aussi vite que possible. Mais, à moins que vous ne soyez obligée de passer par là, je vous suggère de faire demi-tour.

— Merci, dit-elle. Mais il faut que nous allions en ville.

Du moins avait-elle une idée maintenant de l'endroit où se trouvait Summer. Si elle était avec son amie Tina, elle la retrouverait bientôt.

Une fois qu'elle la serrerait dans ses bras, elle ne la laisserait jamais repartir.

Le taxi finit par s'arrêter devant l'immeuble de Tina.

— Il va falloir que vous attendiez une minute, expliqua Summer. Je vais chercher mon argent : mon sac est à l'intérieur.

— Oh, non, non non ! dit le chauffeur, son visage devenant cramoisi. Moi pas attendre. Vous sortez porte derrière, je connais les filles américaines.

— Si vous ne me faites pas confiance, venez avec moi, insista Summer, exaspérée.

— Je ne laisse pas taxi, répondit-il sévèrement. Quelqu'un le vole.

— Je rentre à l'intérieur. Soit vous venez avec moi, soit vous attendez votre argent ici. Je m'en fiche.

Là-dessus, elle ouvrit toute grande la portière et s'engouffra dans l'immeuble, dérapant presque sur les marches du perron.

Mon Dieu, elle espérait que Tina était chez elle. Qu'allait-elle faire si elle n'était pas là ? Ce dingue de chauffeur de taxi la ferait probablement arrêter si elle ne lui réglait pas sa course.

Elle sonna à la porte de Tina et attendit.

Quelques secondes plus tard, Tina ouvrit.

— Pas trop tôt ! s'exclama-t-elle. Oh, mon Dieu, regarde-toi ! Qu'est-ce que tu as fait : tu es allée prendre un bain ?

— Je suis venue chercher mes affaires, répondit Summer d'un ton glacial. Ensuite, je décampe.

— Ne sois pas idiote. Tu m'as l'air d'avoir eu une rude soirée. Entre. D'ailleurs, je te l'ai dit au téléphone, il y a du nouveau, alors tu ferais mieux de te saper un peu.

— Comment ça ?

— Eh bien... un quart d'heure après ton départ, Norman sort de la chambre avec les deux pépées : « Et Summer ? » Qu'est-ce que tu penses de ça ?

— C'est vrai ? s'exclama Summer, ragaillardie.

— Parfaitement. Alors je lui ai dit que la situation ne t'avait pas plu et que tu étais rentrée chez toi. Ça l'a excité comme un fou.

— Qu'est-ce qui s'est passé alors ? demanda Summer.

— Il a dit : « Je vais envoyer tout le monde balader... Ramène-la. » Et moi, j'ai dit : « Montre-moi le fric ! »

— Qu'est-ce que tu racontes ?

— Je lui ai dit qu'on ne reviendrait pas pour rien et que, s'il fallait que je parte te chercher, je voulais être payée pour notre temps.

Tina eut un grand sourire.

— Tu sais quoi ? reprit-elle. Il m'a donné mille dollars en disant : « Va la chercher. » On est riches !

— J'ai passé une nuit horrible, gémit Summer. J'ai failli me faire violer. Ensuite je me suis perdue et pas moyen de trouver un taxi. Maintenant je meurs de faim et je suis épuisée. Je crois, dit-elle en éclatant en sanglots, que j'ai fait une grosse boulette en revenant à L.A.

— Absolument pas. Je te l'ai dit : on va faire fortune. Tu as eu un mauvais début, voilà tout. À présent, va prendre une douche et lave-toi les cheveux. Je vais te préparer une soupe bien chaude puis j'appellerai Norman pour voir s'il veut qu'on revienne ce soir ou demain.

— Ce soir, soupira Summer en secouant vigoureusement la tête, je ne vais nulle part. Il faut que je dorme.

— S'il tient à ce qu'on vienne, il faut y aller. Tu ne veux quand même pas manquer ça, non ?

— Oh, bon sang ! Il y a en bas un chauffeur de taxi furieux qui attend que je lui paie sa course.

— Je vais m'occuper de ça. Va te doucher. Et, Summer...

— Oui ?

— Je te demande pardon de m'être conduite comme une garce. Je ne voulais pas. Quelquefois, la coke, ça me rend dingue.

— Bien. Tout est pardonné.

Les deux filles s'étreignirent.

— Je descends payer ton taxi. Je reviens tout de suite.

Ils finirent par dépasser l'accident sur l'autoroute. Nikki aperçut deux voitures, toutes deux retournées et en triste état. Elle jeta un rapide coup d'œil pour voir si l'un des véhicules accidentés était la camionnette d'Aiden qui conduisait comme un fou. Par bonheur, ce n'était pas le cas.

Sheldon était enfermé dans un silence maussade, ce qui était une bonne chose car elle n'avait rien à lui dire. Elle aurait dû le laisser à la maison de la plage et aller chercher Summer toute seule. Mais il est vrai qu'elle aurait peut-être besoin de son appui.

Pourquoi donc Summer s'était-elle enfuie ? C'était la question.

Elle s'engagea sur Sunset : on aurait dit une rivière, des flots de pluie se déversaient vers les bouches d'égout insuffisantes. Partout des éclairs sous les sourds grondements de tonnerre. Au moment où ils approchaient de l'immeuble d'appartements sur la gauche, Sheldon lança :

— Regarde... ça n'est pas elle ?

Elle jeta un coup d'œil. Summer montait dans une

voiture de sport rouge. Nikki n'avait pas eu le temps de traverser au milieu des voitures que le cabriolet avait démarré en trombe dans la direction opposée.

— C'est bien elle, lui dit Sheldon. Suis cette voiture.

Nikki fonça aussitôt.

73

Elle avait déjà affronté le danger. Assise dans la pièce d'à côté tandis que son père avait abattu toute sa famille. Les heures interminables dans la chambre de motel avant qu'il ne retourne son arme contre lui. Il pleuvait cette nuit-là aussi. Ainsi que la nuit où la voiture de Morgan Creedo avait embouti le camion qui l'avait décapité.

Oh oui ! Le danger, Lara connaissait. Mais elle avait quand même la gorge sèche, les mains tremblantes. Elle était coincée dans une maison, plongée dans l'obscurité au milieu d'une tempête avec une obsédée qui la harcelait.

Elle traversa le living-room à tâtons jusqu'au moment où elle arriva aux portes vitrées qui donnaient sur la terrasse. Faisant glisser le loquet, elle ouvrit le battant et se glissa dehors sous la pluie battante. Si elle pouvait atteindre l'escalier et descendre jusqu'à la plage, alors elle s'enfuirait en courant dans l'espoir de trouver de l'aide.

Mais si Cassie revenait ? Si Alison s'attaquait à elle ? Oh, mon Dieu ! Elle n'avait pas d'arme, rien pour se défendre. La meilleure solution était d'aller chercher de l'aide et d'appeler la police. Heureusement, Alison Sewell ne savait pas qu'il y avait un escalier descendant jusqu'à la plage.

Lara s'avançait en trébuchant sur le sol boueux, courant vers la barrière en haut des marches. Hélas, quand elle atteignit la barrière, celle-ci était fermée par un cadenas.

Que faire ?

Elle se retourna vers la maison. Un éclair illumina le ciel. Elle aperçut un instant Alison Sewell debout devant les portes vitrées par lesquelles elle venait de sortir. Alison tenait un couteau à la main et son visage exprimait une haine implacable.

Richard souriait. Depuis qu'il était rentré du Mexique, son sinistre passé était bien derrière lui, rien apparemment n'était hors de sa portée.

Il voulait réaliser des films à succès. Il l'avait fait.

Il voulait épouser Lara Ivory. C'était fait.

Il voulait maintenant qu'elle revienne et personne n'allait l'en empêcher. Dans le cas contraire... il avait déjà tué une fois : il serait prêt à tout pour protéger Lara.

Oui. Il était un authentique survivant. Il avait réinventé son personnage pour devenir un membre éminent de la communauté de Hollywood, admiré et respecté.

Pourtant, seule Lara l'avait vraiment rendu heureux : et regardez ce qu'il lui avait fait. Il était bien décidé à s'amender. Finies les maquilleuses, les Kimberly ou les petites comédiennes. Une fois de plus, rien que pour elle, il réinventerait son personnage.

Il appela la réception et demanda qu'on amène sa voiture. Puis il enfila son imperméable et partit.

La garce essayait de courir. Mais ça ne servait à rien car personne n'échappait à Alison Sewell. Elle avait poursuivi de très nombreuses célébrités. Alison rabattit sur sa tête le capuchon de sa canadienne et avança dans la direction de sa proie.

La garce ! Elle n'aurait plus rien d'une superbe vedette quand Alison en aurait fini avec elle. Cette Lara Ivory qui représentait toutes les jolies filles qu'Alison avait dû regarder année après année : les actrices, les mannequins hautains. Elle les détestait toutes !

Lara allait payer pour elles.

— Oh, qu'est-ce que c'est ? s'exclama Joey en approchant du lieu de l'accident et en reconnaissant les restes de la voiture de Cassie.

Il arrêta la Mercedes sur le bas-côté et sauta à terre. Mon Dieu ! Si Lara était blessée ? Si elle était morte ? Il se précipita vers les sauveteurs occupés à découper un amas de ferrailles tordues.

— Où sont les gens qui étaient dans cette voiture ? demanda-t-il, haletant.

— On les a transportés à l'hôpital, répondit un des types.

— Lequel ?

— Je ne sais pas, mais il n'y a pas longtemps.

— Personne... n'a été tué ? interrogea-t-il, arrivant à peine à prononcer les mots.

— Il faut demander au flic là-bas. Il était là quand l'ambulance est arrivée.

Il se précipita vers le policier.

— C'est votre voiture là-bas ? lui dit l'homme. Ôtez-la d'ici, vous ne voyez donc pas ce qui se passe ?

— Je connais les gens qui étaient dans la Saab. Ils sont vivants ?

— Oui, oui... la femme a des coupures et quelques fractures, mais le type de l'ambulance a dit qu'elle s'en tirerait. Le type de la Porsche a eu son compte. Passé à travers le pare-brise : pas de ceinture de sécurité.

— Il y avait deux femmes dans la Saab. Elles sont toutes les deux vivantes ?

— Il n'y en avait qu'une dans la voiture. Celle qui conduisait. Plutôt forte. J'ai l'impression que c'est sa masse qui l'a sauvée.

— Une seule ? Vous êtes sûr ?

— Oui. On l'a emmenée à St. John's. Maintenant, soyez gentil et ôtez votre voiture de là.

— Ça n'était pas Lara Ivory ?

— La vedette de cinéma ? Vous plaisantez. Si ç'avait été Lara Ivory, je m'en serais aperçu.

— Merci, soupira Joey.

— On parle de coulées de boue sur l'autoroute, de chaussées inondées : alors, si vous n'êtes pas obligé d'aller là-bas, vous feriez mieux de faire demi-tour.

— Il faut que je rentre.

— Vite, parce qu'on va peut-être fermer les routes bientôt.

— Bien, merci.

Il regagna la Mercedes en courant. Il se passait quelque chose de bizarre. Il était empli du même genre de malaise qu'il avait éprouvé en allant voir sa mère le jour fatal où elle avait fini par abattre Danny. Beaucoup de voitures faisaient demi-tour : la route devenait de plus en plus périlleuse. De petits rochers commençaient à dégringoler de la falaise détrempée.

Il savait que le temps pressait et que le danger augmentait à chaque minute.

Un regard sur le visage d'Alison suffit à convaincre Lara qu'elle devait s'enfuir le plus vite possible.

Elle se cacha dans les épais buissons qui entouraient la terrasse, retenant son souffle, cherchant désespérément ce qu'elle pourrait utiliser comme arme pour assurer sa défense.

Puis elle se rappela : il y avait une petite cabane à

outils à la limite de la propriété. Elle se précipita dans cette direction.

Une fois passé le lieu de l'accident, Joey roula plus vite. Il essaya d'appeler l'hôpital sur le téléphone de la voiture. On lui annonça que Cassie n'avait pas encore été admise. Il appela ensuite la sœur de Cassie pour lui raconter ce qui s'était passé et lui dire d'aller à l'hôpital le plus vite possible.

Lui ne pensait qu'à une chose : Dieu merci, Lara n'était pas dans la voiture.

Avec la pluie, il ne voyait pas grand-chose mais il roulait quand même très vite. Il quitta l'autoroute à l'embranchement voulu et se retrouva bientôt sur une sorte de chemin de terre sombre et désert. Il avait beau regarder, il ne semblait rien y avoir par là. Il ralentit. Maggie avait dû se tromper dans ses indications.

Il s'apprêtait à faire demi-tour quand il faillit emboutir une voiture garée devant une grille ouverte donnant sur une maison isolée.

Deux idées lui traversèrent aussitôt l'esprit. À qui était cette voiture ? Et pourquoi n'y avait-il aucune lumière dans la maison ?

Laissant les phares de la Mercedes allumés, il avança et s'arrêta devant la maison.

Lara progressait sans bruit à travers les épais buissons, s'écorchant aux épines des cactus. Mais elle continuait, certaine qu'elle trouverait dans la cabane quelque chose qui pourrait lui servir d'arme. Elle trébucha sur une pierre et s'apprêtait à ouvrir la porte quand quelqu'un lui sauta dessus par-derrière.

— Je te tiens ! hurla Alison Sewell en la faisant rouler dans la boue. Je te tiens, ma jolie petite garce.

— Qu'est-ce que vous voulez de moi ? cria Lara. Qu'est-ce que je vous ai fait ?

— Ce que je voulais, c'était être ton amie, lança-t-elle. Toi, tu ne voulais pas, n'est-ce pas ? Je n'étais pas assez bien pour une fille comme toi. J'étais trop laide ?

— Qu'est-ce que vous racontez ? cria Lara, tentant désespérément de se libérer.

— Comme si tu ne le savais pas, clama Alison à califourchon sur elle.

Puis elle brandit son couteau.

— On va voir maintenant qui sera célèbre ! hurla Alison.

74

Summer prit une douche, se lava les cheveux et se remaquilla. Tina était aux petits soins. Elle lui prépara un bol de potage au céleri, s'excusa de toutes les manières puis expliqua que Norman avait insisté pour qu'elles reviennent ce soir car il partait tourner en extérieurs le lendemain.

— Il faut qu'on règle ça ce soir, insista Tina, tout excitée. Si tu te débrouilles bien, peut-être qu'il te proposera de venir le voir en extérieurs. Ce serait super, non ?

Summer était tentée. Après la douche et le potage, elle se sentait mieux. Il était plus de 1 heure du matin, mais elle décida que Tina avait peut-être raison : mieux valait régler cette affaire pendant qu'elle en avait l'occasion. Même si, au fond d'elle-même, elle regrettait son lit confortable.

— D'accord, céda-t-elle. On va y aller.

— Formidable ! s'exclama Tina, et elles se mirent en route.

— Bon sang, hurla Sheldon, tu vas les perdre !

— Pas du tout, répliqua Nikki. Je vois la voiture devant moi.

— Qu'on soit arrêtés par un feu rouge et tu es baisée.

— Oh ! Sheldon. Quel langage !

— Je ne t'aime vraiment pas, Nikki.

— Tu ne disais pas ça quand j'étais jeune.

— Eh bien, je n'aime certainement pas la femme que tu es devenue.

— Alors, boucle-la et fous-moi la paix, riposta-t-elle. La seule raison pour laquelle nous sommes ensemble, c'est pour retrouver notre fille.

Elles approchaient de l'hôtel.

— Écoute, précisa Tina, il y a une chose que j'ai oublié de te dire.

— Quoi donc ?

— Peut-être que Cluny sera encore là. Ce serait super, car elle est si connue.

— Pourquoi serait-elle peut-être encore là ? demanda Summer, méfiante.

— Tu sais, je crois que... comment dirais-je... il aime bien l'avoir dans les parages. Il n'y a rien entre eux, mais... c'est un peu une copine.

— Je ne comprends pas.

— Écoute, je suis sûre que ce sera toi et lui en tête à tête. Si elle est là, je l'occuperai dans l'autre pièce.

Summer secoua la tête. Elle avait un mauvais pressentiment. Pourtant, Norman Barton et son sourire... Si elle devenait Mme Norman Barton, personne ne pourrait la toucher. Maintenant que son père était à L.A., il lui fallait quelqu'un pour la protéger.

— D'accord, prononça-t-elle. Si tu retiens Cluny dans l'autre pièce, ça ira.

— Et puis, dit Tina en baissant la voix, Norman a de l'herbe de première. Je lui ai dit que ça te branchait.

— Ah oui ?

— Bon, on est arrivées. Allons.

Elle sauta hors de la voiture, remit les clés au voiturier, et elles entrèrent dans l'hôtel.

— Tourne à gauche, ordonna Sheldon.

— Je ne peux pas, répondit Nikki, il y a de la circulation.

— Fais-le ! ordonna-t-il.

— Ne t'affole pas, Sheldon, dit-elle calmement. Elles sont entrées dans l'hôtel. Dans cinq minutes nous serons avec elle.

Profitant d'une pause dans la circulation, elle s'engagea dans l'allée de l'hôtel.

— Vous êtes cliente ? demanda le voiturier en lui ouvrant la portière.

— Non, on ne reste pas longtemps, dit-elle. S'il vous plaît, garez ma voiture pas loin.

Ils entrèrent dans le hall. Aucune trace de Tina ni de Summer.

Nikki se dirigea vers la réception, Sheldon sur ses talons.

— Excusez-moi, dit-elle. Deux jeunes filles viennent d'entrer. Pouvez-vous me dire où elles sont allées ?

— Je regrette, répondit la femme derrière le comptoir. Nous ne pouvons pas révéler ce genre d'information.

Sheldon tapa du poing sur le bureau.

— L'une d'elles est ma fille ! cria-t-il. Elle a quinze ans. Je vous conseille de me dire où elles sont allées, sinon j'appelle les flics.

— Un instant, monsieur, dit la femme, abasourdie. Je vais chercher le directeur.

— Hé !

C'était Norman Barton lui-même.

Summer regarda ces yeux séduisants et se dit : *Non,*

je ne me suis pas trompée. C'est bien lui. Il est vraiment mignon.

— Qu'est-ce qui t'est arrivé ? demanda-t-il avec un grand sourire. Je t'ai aperçue une seconde et puis tu as disparu.

— Tu avais l'air très occupé, grommela-t-elle.

— Jamais trop occupé pour une mignonne comme toi.

Cluny était allongée sur le canapé. Elle fit un geste vague dans leur direction. Summer observa qu'il y avait encore un petit tas de poudre blanche sur la table recouverte de verres et elle sentit son estomac se serrer.

— Un petit coup de reniflette ? suggéra Norman.

— La coke, ce n'est pas mon truc, répondit Summer d'un ton désapprobateur. Tina non plus, ajouta-t-elle en lançant à celle-ci un regard impératif.

— Mais si tu as de l'herbe..., s'empressa de dire Tina. Là, on est preneuses.

— Ah ! ma jolie, allons voir dans ma chambre ce que j'ai pour toi.

— Moi seule ?

— Toi toute seule, répondit-il en lui lançant un sourire éblouissant.

Le directeur de l'hôtel avait la tête de l'emploi : cheveux argentés légèrement ondulés et bronzage soutenu.

— Voyons un peu quel est le problème, dit-il sans s'occuper de Nikki et en regardant Sheldon avec l'air de penser : *C'est une affaire d'hommes.*

— Il n'y a pas de problème pour le moment, répliqua Sheldon d'un ton sec. Je suis le Dr Sheldon Weston. Ma fille, mineure, se trouve dans cet hôtel et j'aimerais savoir où elle est.

Le directeur ne voulait pas d'histoires. Il jeta un coup d'œil à l'employée de la réception.

— Savez-vous où pourrait être la fille de ce monsieur ?

— Euh... oui, monsieur Bell. Elle est montée avec une autre jeune fille dans la suite de M. Barton.

— Ce doit être la suite présidentielle, expliqua le directeur. Je peux vous accompagner là-haut et nous verrons si votre fille s'y trouve. D'ordinaire, je n'imaginerais pas de déranger mes hôtes à une heure pareille, mais vous avez l'air si certain...

— En effet, insista Sheldon d'un ton menaçant.

— Oui, renchérit Nikki, il est certain. Et c'est ma fille aussi, alors allons-y.

Norman tendit un joint à Summer et lui dit de s'asseoir sur le lit.

— Je regarde ce formidable film de Mel Gibson. Et tu sais quoi ? Tu es si mignonne et si jolie que j'aimerais que tu viennes me tenir compagnie.

C'était exactement ce qu'elle avait envie d'entendre. Lui tenir compagnie. Devenir Mme Norman Barton. Fuir pour toujours Chicago.

— Je... j'ai beaucoup pensé à toi pendant mon absence, risqua-t-elle timidement.

— Où étais-tu ? demanda-t-il en sautant sur le lit auprès d'elle.

— Chicago.

— Ah oui ? J'ai fait une tournée de promo là-bas une fois. Je connais mal.

— Peut-être que, si tu m'emmènes avec toi la prochaine fois, je pourrai te faire visiter la ville.

— Mon chou, tout ce qu'ils font, c'est de me faire passer d'une limousine dans une autre. Je n'ai l'occasion de rien voir.

— C'est dommage.

— Oui, mais ils paient bien.

— Parfois, dit-elle d'un ton sagace, l'argent n'est pas tout.

— Hé, lança-t-il, son attention soudain attirée par l'action qui se déroulait sur l'écran. Regarde-moi un peu Mel Gibson avec cette crinière insensée.
— J'adore cet acteur ! s'exclama-t-elle.
— Il t'excite ?
— Je te demande pardon ?
— Seigneur ! Ils la jouent vraiment innocent à Chicago.

Le directeur frappa à la porte de la suite.
Cluny alla ouvrir sans se presser.
— Salut tout le monde, dit-elle, parfaitement à l'aise. Qu'est-ce qui se passe ?
— Je suis absolument désolé de vous déranger, commença le directeur en essayant de ne pas regarder ses petits seins ronds, on m'a dit que deux jeunes personnes étaient montées dans la suite de M. Barton. L'une d'elles doit rentrer chez elle avec son père. Il est venu la chercher.
— Vous plaisantez ? demanda Cluny, les mains sur ses hanches étroites.
— Je veux ma fille ! tonna Sheldon en avançant. Je la veux *maintenant* !
— Attendez, interrompit Cluny en leur fermant la porte au nez.
Tina était aux toilettes. Cluny l'appela.
— Il y a ici un vieux schnock qui dit qu'il est ton père.
— *Quoi ?* cria Tina en sortant précipitamment.
— Il est dehors avec le directeur. Tu ferais mieux d'enlever la coke qui est sur la table si jamais ils débarquent.
— Je... je n'ai pas de père. Il y a longtemps que mon vieux est mort.
— Alors, ce doit être celui de la petite.
Sheldon se mit à marteler la porte.

— Merde ! Tu as raison. Ça doit être le paternel de Summer. Qu'est-ce qu'on va faire ?

— Vite, planque la coke, et puis on leur dira qu'il n'y a personne.

Elle retourna jusqu'à la porte et l'ouvrit.

— Où est ma fille ? interrogea Sheldon.

— Euh... il n'y a que Tina ici, répéta Cluny.

— Tina ? supplia Nikki. Où est-elle ?

— Je ne crois pas que M. Barton apprécierait que vous veniez nous déranger au milieu de la nuit, lança Cluny, le prenant soudain de très haut.

Le directeur était très gêné. Il se répandit en excuses mais il n'avait pas compté sur Nikki qui le bouscula soudain et s'engouffra dans la suite.

Tina la dévisagea, abasourdie.

— C'est toi, Tina ? demanda Nikki.

— Euh... oui. Pourquoi ?

— Où est Summer ?

— Euh... elle n'est pas ici, commença Tina.

— Mon œil ! répliqua Nikki. Je l'ai vue entrer avec toi.

Avant que personne ait pu l'en empêcher, elle fonça jusqu'à la porte de la chambre et l'ouvrit toute grande.

Summer lâcha son joint et d'un bond se leva du lit.

— Oh, mon Dieu ! Qu'est-ce que tu fais ici, maman ?

— *Maman* ? répéta Norman Barton.

— Summer, on rentre, déclara Nikki en s'efforçant de garder son calme malgré la situation.

À contrecœur, Summer se dirigea vers la porte. Elle voyait bien que sa mère n'était pas d'humeur à discuter.

— Je... je... ne sais pas quoi dire..., murmura-t-elle.

— Je suis sûre que tu trouveras quelque chose. Ton père est ici aussi.

Summer s'arrêta net.

— Oh non ! s'écria-t-elle. Je ne vais nulle part avec

lui. C'est fini, maman, terminé. Je ne veux jamais retourner avec lui.

— Mais pourquoi ?

— Dis-lui de s'en aller ou bien je reste ici.

— Qu'est-ce que tu racontes ?

— Je t'en prie, maman, balbutia Summer, frénétique. Je ne peux pas t'expliquer maintenant. Pas devant tous ces gens.

Sheldon apparut derrière elle sur le pas de la porte.

— Summer, dit-il d'un ton sévère, comment qualifies-tu cette conduite ?

— Qu'est-ce que c'est que ce bordel ? explosa Norman Barton. Débarrassez-moi de tous ces gens.

Le directeur les fit tous sortir dans le couloir, Tina aussi. Summer sanglotait éperdument.

— Qu'est-ce qu'elle a ? demanda Sheldon. Elle est droguée ?

— Non, répliqua Tina en se tournant vers lui. Elle n'est pas droguée, vieux pervers. Elle ne supporte plus votre sale tête.

Sheldon devint très pâle.

— Jeune personne, je vous conseille de surveiller votre langage.

— Et moi, riposta Tina, je vous conseille de surveiller votre braguette.

— Est-ce que quelqu'un veut bien m'expliquer ce qui se passe ? lança Nikki.

— Je suppose que Summer ne vous a rien dit ! s'exclama Tina. Si c'est ça... il est quand même temps que quelqu'un le fasse.

— Me dire quoi ?

— Votre ex se glissait dans la chambre de Summer depuis qu'elle a dix ans et lui faisait toutes sortes de cochonneries. Pourquoi croyez-vous qu'elle est tellement paumée ? Et comment se fait-il que *vous*, vous n'ayez rien fait ?

Nikki sentit son univers s'effondrer. Elle regarda Sheldon. Blanc comme un linge, il fixait la moquette.

— C'est vrai, Sheldon ? demanda-t-elle en haussant le ton.

— Cette... cette petite folle ne sait pas ce qu'elle dit, balbutia-t-il.

Nikki se tourna vers Summer.

— C'est vrai ?

Summer hocha la tête, les joues ruisselantes de larmes.

— Je... je voulais te le dire, maman, mais je n'ai pas pu. Tu n'étais jamais là, et puis je ne voulais pas que tu t'énerves... Je t'en supplie, maman, laisse-moi rentrer à la maison avec toi. *S'il te plaît !* Je ne veux jamais le revoir.

— Tu ne le reverras plus jamais, murmura Nikki en lui ouvrant tout grands les bras. Je te le promets.

75

Richard arriva sur Sunset juste au moment où on fermait le boulevard. La police avait déjà mis en place les barrières. Il se pencha par la portière.

— Qu'est-ce qui se passe ? demanda-t-il à un policier.

— Désolé, nous fermons l'autoroute. La pluie a inondé la chaussée et on craint des glissements de terrain.

— Il faut que je passe, insista Richard.

— C'est pour votre propre sécurité, dit le policier.

— Peut-être bien, mais que va devenir ma femme enceinte toute seule à la maison ?

— Je ne sais pas.

— Écoutez, je ne peux pas la laisser là-bas : elle est déjà affolée.

— J'ai des ordres.

— Et moi, j'ai une femme. Je suis Richard Barry, le metteur en scène. Ma femme, c'est Lara Ivory.

Le flic fut aussitôt intéressé.

— Je ne savais pas que Miss Ivory était enceinte, dit-il. Je suis un de ses fans.

— Elle l'est, et elle est seule. Alors, si vous voulez bien lever la barrière, je vais prendre le risque.

— Bon, céda le policier en jetant un coup d'œil autour de lui. Dès l'instant que vous êtes prudent.

— Bien sûr, répondit Richard en attendant qu'on écarte la barrière.

Lara pouvait à peine respirer : elle savait que, si elle n'agissait pas rapidement, elle allait suffoquer. Alison était assise à califourchon sur elle, lui pétrissant le visage avec des poignées de boue. Elle en avait plein la bouche, les yeux, le nez. Et Alison ne cessait de la harceler.

— Garce ! criait-elle. Jolie... petite... garce ! Par où est-ce que je vais commencer à te découper ? Qu'est-ce qui vous plairait, Miss Ivory ?

— Qu'est-ce que je vous ai fait ? parvint à articuler Lara.

— Tu n'as pas voulu être mon amie ! hurla Alison, l'œil égaré. Tu m'as fait jeter en prison. Et à cause de ça, tu vas mourir. Tu m'entends, garce ?

Prenant une torche dans la Mercedes, Joey pénétra dans la maison plongée dans l'obscurité. Il était certain que Lara n'était pas là : serait-elle toute seule dans le noir ? Cassie avait dû l'emmener quelque part et la déposer. Peut-être chez Richard. Cette idée l'emplit de rage.

Il faillit trébucher sur la valise ouverte de Lara dans le vestibule. Voilà qui prouvait au moins qu'elle était venue ici. S'éclairant avec la torche électrique, il entra dans ce qu'il supposa être le salon. À l'autre bout de la pièce, une porte vitrée claquait au gré du vent. Il s'approcha pour la fermer. Un éclair à cet instant illumina le ciel et, dehors, sur la terrasse, il vit Lara — sa Lara — avec quelqu'un sur elle, les deux silhouettes se débattant sur le sol.

Il se précipita en criant son nom. En approchant, il

s'aperçut que c'était une grosse femme qui l'attaquait. Seigneur !

Il arriva près d'elles et s'apprêtait à tirer la femme en arrière quand celle-ci se retourna et le frappa avec un redoutable couteau de chasse, lui entaillant la joue. Cela lui fit un mal de chien, mais ce fut à peine s'il sentit quelque chose. Tout ce qu'il savait, c'était que Lara était en danger et qu'il devait la sauver.

Il se jeta de nouveau sur la femme en l'empoignant par les épaules. Avec un rugissement de colère, elle le frappa encore, lui entaillant cette fois la main gauche. Du coude il la frappa en plein visage et elle lâcha Lara, qui réussit à se dégager.

— File ! cria Joey. Taille-toi !

Richard roulait sous l'orage. Quand il arriverait à la maison, Lara comprendrait qu'il était son sauveur. Elle se rendrait enfin compte à quel point il l'aimait. Il lui avait fallu longtemps pour saisir ce qu'était le bonheur et il n'avait pas l'intention de le perdre une nouvelle fois.

Il entendit devant lui un grondement inquiétant. Ce n'était pas le tonnerre : un bruit différent, qui lui rappela le grand tremblement de terre de 1994. Un moment, il faillit arrêter la voiture sur le bas-côté. Mais la pluie tombait si fort, la mer commençait à envahir la chaussée : le plus sûr était de continuer à rouler.

C'est ce qu'il fit. Et, quand les rochers se mirent à dégringoler en ensevelissant sa voiture, sa dernière pensée fut pour Lara.

Joey se battait avec la femme qui l'avait blessé. Elle était grande comme un homme et aussi forte.

— Sale petit voyou... fous le camp d'ici ! hurla Alison. Ou bien je vais te découper en rondelles !

Il tenta de lui arracher le couteau des mains. Lui

saisissant le poignet, il le retourna jusqu'à lui tirer des glapissements de douleur. Mais elle ne lâcha pas. Ils étaient debout maintenant, trébuchant au bord de la terrasse.

Il plongea pour s'emparer du couteau. Ils s'écroulèrent contre la clôture et celle-ci — bien frêle — céda : tous deux commencèrent à dévaler le flanc de la falaise vers l'océan qui rugissait en bas.

Dans un éclair, Joey vit son existence repasser dans son esprit. Quelque part, Lara poussait des hurlements. Il essaya désespérément de se cramponner à quelque chose : miraculeusement, il parvint à saisir la branche d'un arbre. Alison Sewell n'eut pas cette chance. Il entendit ses horribles cris au moment où elle s'écrasait au milieu des vagues déchaînées. Au prix de terribles efforts, il essaya de se hisser sur le flanc de la colline. À ses pieds, il entendait le bouillonnement du ressac.

— Joey, Joey !

— Par ici ! Trouve une corde, un drap, n'importe quoi. Je ne m'en tirerai pas tout seul.

— Joey, il faut que tu y arrives. Il le faut. Pour moi !

Elle hurlait pour dominer le fracas du vent. Le son de sa voix lui donna espoir.

Puis il sentit la branche près de céder. Était-ce la fin ?

Oh ! doux Jésus, était-ce la fin ?

UN AN PLUS TARD

Le gratin de Hollywood se retrouva au service organisé à la mémoire de Richard Barry. Les deux femmes qu'il avait épousées avaient préparé la cérémonie, s'assurant qu'elle était conforme dans le moindre détail à ce qu'il aurait souhaité. Toutes deux étaient vêtues de noir en signe de respect pour l'homme qu'elles pleuraient.

En avril, Richard avait remporté un Oscar posthume pour *L'Été français*. C'était Lara Ivory, la vedette du film, qui avait remis la récompense à Nikki Barry, sa veuve, qui l'avait reçue en son nom. Nikki, en outre, avait également gagné un Oscar pour la meilleure créatrice de costumes : une double célébration.

Elles honoraient maintenant l'homme qui avait tant compté pour elles, un brillant metteur en scène tué dans une catastrophe naturelle inévitable.

Linden arriva avec Cassie. Depuis son accident de voiture, celle-ci avait perdu près de vingt kilos et une étonnante romance était née entre elle et l'attaché de presse de Lara. Elle avait quitté le service de Lara et travaillait maintenant comme associée dans l'agence de Linden. Ils étaient très heureux ensemble.

Mick Stefan arriva ensuite. Il avait confié sa Rolls Royce blanche toute neuve à un voiturier et s'inquiétait à l'idée que celui-ci pourrait en érafler la peinture. *Vengeance* avait été acclamé par la critique, les entrées étaient excellentes. Mick réalisait maintenant un film d'aventures d'un budget de soixante millions de dollars avec Johnny Romano et Norman Barton qui jouaient un couple de flics bien mal assortis.

Il avait comme petite amie une vedette de cinéma française de dix-sept ans et une nouvelle propriété à Bel Air.

Pour Mick Stefan, ça roulait.

Summer arriva avec Reggie Coleman, un garçon qu'elle avait rencontré au lycée. Âgé d'un an de plus qu'elle, il était beau et charmant. Il lui donnait l'impression d'avoir seize ans et c'était bien agréable.

Elle habitait avec Nikki et comptait le moment venu suivre les cours de l'École de cinéma de l'université de Californie.

Summer enfin profitait de son adolescence.

Aiden Sean arriva en retard à la cérémonie. Il avait passé l'année précédente en cures de désintoxication. Il faisait de son mieux, mais ce n'était pas facile.

Nikki restait pour lui une bonne amie, toujours prête quand il avait besoin d'elle.

Leur aventure était terminée — par décision mutuelle.

Tina n'était pas à la réception. Elle avait été « découverte » par Cluny qui l'avait entraînée à New York dans le mannequinat. Elle avait déjà à son actif trois couvertures de magazine et préparait une série de plusieurs pages pour le numéro de costumes de bain de *Sports Illustrated*.

Cluny et elle étaient devenues plus qu'amies.

Nikki regardait avec fierté sa somptueuse petite fille arriver. C'était stupéfiant ce qu'on arrivait à faire avec un peu d'amour et d'attention.

Sheldon était reparti pour Chicago, la tête basse. Summer n'avait pas voulu porter plainte contre lui et, en échange de son silence, il avait promis de ne plus jamais la voir ni la contacter. Aux yeux de Nikki, c'était faire preuve de beaucoup de clémence.

Depuis qu'elle avait travaillé avec Mick au montage de *Vengeance*, elle avait été contaminée par le virus de la production. Elle avait lu des piles de livres et de scripts, mais sans rien découvrir qui enflammât son imagination jusqu'au jour où, en triant les papiers de Richard, elle était tombée sur un manuscrit fascinant écrit à la première personne. C'était l'histoire d'un jeune homme qui s'enfuit de chez lui à seize ans pour mener une vie folle et passionnante : tour à tour voleur, gigolo, vedette de cinéma en Asie. Les premières lignes du manuscrit avaient tout de suite attiré son attention : *C'est vrai, je peux m'envoyer toutes les femmes que je veux, quand je veux. Pas de problème.*

Le manuscrit s'achevait sur un meurtre, après quoi, le protagoniste s'enfuyait au Mexique.

Était-ce Richard qui l'avait écrit ? Comme il n'y avait pas de nom d'auteur, elle supposa que oui. Ce texte était très prenant car il était cru, et pourtant il ressemblait si peu à Richard. Mais les mots se lisaient avec passion et elle était sûre que ça ferait un film formidable. Elle avait engagé un scénariste qui travaillait maintenant sur le script. Elle avait même un acteur en vue pour le rôle principal : Joey Lorenzo.

Quant à Lara et Joey, même si le sexe tenait dans leurs relations une aussi grande place, c'étaient le besoin que chacun avait de l'autre, la compréhension mutuelle qui les avaient attirés. Ils étaient inséparables.

Lara frissonnait chaque fois qu'elle se rappelait la nuit de la tempête. Comment elle avait trouvé la force de hisser Joey jusqu'au bord de la falaise, elle ne le saurait jamais. Dieu avait dû l'aider.

Personne n'avait pu aider Alison Sewell. Cinq jours plus tard, la mer avait rejeté son corps à quelques kilomètres de là. Il y avait eu une brève enquête. Personne ne s'y était intéressé. Seulement Lara, qui avait payé les frais d'un enterrement convenable.

Joey lui avait tout avoué sur son passé. Il avait mis son âme à nu avec une extraordinaire franchise et Lara l'avait cru. En retour, elle lui avait parlé de ses démons à elle, des cauchemars qu'elle n'avait jamais évoqués devant personne.

Ils s'étaient mariés discrètement un mois plus tard à Santa Barbara. Six mois après, Joey décrochait un rôle important dans un film qui avait pour vedette Charlie Dollar. Il avait du talent.

Le service à la mémoire de Richard Barry fut l'occasion de lui rendre hommage. Nombre de gens avec qui il avait travaillé prirent la parole. Il y eut des larmes et des rires. Summer fit un discours particulièrement émouvant : elle appela Richard « le père que je n'ai jamais eu ».

Après la cérémonie, Lara et Joey s'éloignèrent main dans la main.

— Joey, murmura-t-elle en songeant à quel point elle l'aimait, il y a quelque chose que je voulais te rappeler.

— Quoi donc ? demanda-t-il en se disant qu'il était sans doute le plus chanceux des hommes.

— Tu me dois une lune de miel, chuchota-t-elle.

— Je sais. Nous partons pour Tahiti demain.

— Joey !

— Ne dis pas non. Regarde ce qui est arrivé la dernière fois que nous ne sommes pas allés à Tahiti.

— Tu as raison, je t'aime.

Comme ils arrivaient à leur limousine, les paparazzi se bousculèrent. Les deux amants s'engouffrèrent dans la voiture, aveuglés par l'éclat des flashs.

Lara comprit qu'elle n'aurait plus jamais peur de rien. Elle avait Joey à côté d'elle, il était son univers.

ROMAN

Adler Elizabeth
Secrets en héritage
Le secret de la villa Mimosa
Les liens du passé
L'ombre du destin

Ashley Shelley V.
L'enfant de l'autre rive
L'enfant en héritage

Beauman Sally
Destinée
Femme en danger

Beck Kathrine
Des voisins trop parfaits

Bennett Lydia
L'héritier des Farleton
L'homme aux yeux d'or
Le secret d'Anna

Benzoni Juliette
De deux roses l'une
Un aussi long chemin
Les émeraudes du prophète
Les dames du Méditerranée-Express
1 - La jeune mariée
2 - La fière Américaine
3 - La princesse mandchoue
Fiora
1 - Fiora et le Magnifique
2 - Fiora et le Téméraire
3 - Fiora et le pape
4 - Fiora et le roi de France
Les loups de Lauzargues
1 - Jean de la nuit
2 - Hortense au point du jour
3 - Félicia au soleil couchant
Les treize vents
1 - Le voyageur
2 - Le réfugié
3 - L'intrus
4 - L'exilé
Le boiteux de Varsovie
1 - L'étoile bleue
2 - La rose d'York
3 - L'opale de Sissi
4 - Le rubis de Jeanne la Folle
Secret d'État
1 - La chambre de la reine
2 - Le roi des Halles
3 - Le prisonnier masqué
Marianne
1 - Une étoile pour Napoléon
2 - Marianne et l'inconnu de Toscane
3 - Jason des quatre mers
4 - Toi Marianne
5 - Les lauriers de flamme (1ère et 2ème partie)
Le jeu de l'amour et de la mort
1 - Un homme pour le roi

Bickmore Barbara
Une lointaine étoile
Médecin du ciel
Là où souffle le vent

Binchy Maeve
Le cercle des amies
Noces irlandaises
Retour en Irlande
Les secrets de Shancarrig
Portraits de femmes
Le lac aux sortilèges
Nos rêves de Castlebay
C'était pourtant l'été
Sur la route de Tara

Blair Leona
Les demoiselles de Brandon Hall

Bradshaw Gillian
Le phare d'Alexandrie
Pourpre impérial

Bright Freda
La bague au doigt

Bruce Debra
La maîtresse du Loch Leven
L'impossible adieu

Campbell Eileen
La vie secrète de Dot

Cash Spellman Cathy
La fille du vent
L'Irlandaise

Chamberlain Diane
Vies secrètes
Que la lumière soit
Le faiseur de pluie
Désirs secrets

Chase Linday
Un amour de soie
Le torrent des jours

Clayton Victoria
L'amie de Daisy

Collins Jackie
Les amants de Beverly Hills
Le grand boss
Lady boss
Lucky
Ne dis jamais jamais
Rock star
Les enfants oubliés
Vendetta
L.A. Connections
1 - Pouvoir
2 - Obsession
3 - Meurtre
4 - Vengeance

Collins Joan
Love
Saga

Courtillé Anne
Les dames de Clermont
1 - Les dames de Clermont
2 - Florine
Les messieurs de Clermont

Cousture Arlette
Émilie
Blanche

Crane Teresa
Demain le bonheur
Promesses d'amour
Cet amour si fragile
Le talisman d'or

Dailey Janet
L'héritière
Mascarade
L'or des Trembles
Rivaux
Les vendanges de l'amour

Delinsky Barbara
La confidente
Trahison conjugale

Denker Henry
Le choix du docteur Duncan
La clinique de l'espoir
L'enfant qui voulait mourir
Hôpital de l'espoir
Le procès du docteur Forrester
Elvira
L'infirmière

Dervin Sylvie
Les amants de la nuit

Deveraux Jude
La princesse de feu
La princesse de glace

Dunmore Helen
Un été vénéreux

Falconer Colin
Les nuits de Topkapi

Gage Elizabeth
Un parfum de scandale

Gallois Sophie
Diamants

Goudge Eileen
Le jardin des mensonges
Rivales
L'heure des secrets

Greer Luanshya
Bonne Espérance
Retour à Bonne Espérance

Gregory Philippa
Les dernières lueurs du jour
Sous le signe du feu
Les enchaînés

Haran Maeve
Le bonheur en partage
Scènes de la vie conjugale

Ibbotson Eva
Les matins d'émeraude

Jaham Marie-Reine de
La grande Béké
Le maître-savane
L'or des îles
1 - L'or des îles
2 - Le sang du volcan
3 - Les héritiers du paradis

Jones Alexandra
La dame de Mandalay
La princesse de Siam
Samsara

Krantz Judith
Flash
Scrupules (t. 1)
Scrupules (t. 2)

Krentz Jayne Ann
Coup de folie

Laker Rosalind
Aux marches du palais
Les tisseurs d'or
La tulipe d'or
Le masque de Venise
Le pavillon de sucre
Belle époque

Lancar Charles
Adélaïde
Adrien

Lansbury Coral
La mariée de l'exil

McNaught Judith
L'amour en fuite
Garçon manqué

Perrick Penny
La fille du Connemara

Philipps Susan Elizabeth
La belle de Dallas

Pilcher Rosamund
Les pêcheurs de coquillages
Retour en Cornouailles
Retour au pays
Retour en Ecosse

Plain Belva
À force d'oubli
À l'aube l'espoir se lève aussi
Et soudain le silence
Promesse
Les diamants de l'hiver
Le secret magnifique

Purcell Deirdre
Passion irlandaise
L'été de nos seize ans
Une saison de lumière

Rainer Dart Iris
Le cœur sur la main
Une nouvelle vie

Rivers Siddons Anne
La Géorgienne
La jeune fille du Sud
La maison d'à côté
La plantation
Quartiers d'été
Vent du sud
La maison des dunes
Les lumières d'Atlanta
Ballade italienne
La fissure

Roberts Anne Victoria
Possessions

Ryan Mary
Destins croisés

Ryman Rebecca
Le trident de Shiva
Le voile de l'illusion

Shelby Philip
L'indomptable

Simons Paullina
Le silence d'une femme

Sloan Susan R.
Karen au cœur de la nuit

Spencer Joanna
Les feux de l'amour
1 - Le secret de Jill
2 - La passion d'Ashley

Steel Danielle
L'accident
Coups de cœur
Disparu
Joyaux
Le cadeau

Naissances
Un si grand amour
Plein ciel
Cinq jours à Paris
La foudre
Honneur et courage
Malveillance
La maison des jours heureux
Au nom du cœur
Le Ranch
Le Fantôme
Double reflet
Le klone et moi
Un si long chemin

SWINDELLS MADGE
L'héritière de Glentirran
Les moissons du passé

TAYLOR BRADFORD BARBARA
Les femmes de sa vie

TORQUET ALEXANDRE
Ombre de soie

TROLLOPE JOHANNA
Un amant espagnol
Trop jeune pour toi
La femme du pasteur
De si bonnes amies
Les liens du sang
Les enfants d'une autre

VICTOR BARBARA
Coriandre

WALKER ELIZABETH
L'aube de la fortune
Au risque de la vie
Le labyrinthe des cœurs

WESTIN JANE
Amour et gloire

WILDE JENNIFER
Secrets de femme

WOOD BARBARA
African Lady
Australian Lady
Séléné
Les vierges du paradis
La prophétesse
Les fleurs de l'Orient

Ce volume a été composé
par Nord Compo

Imprimé en France sur Presse Offset par

BRODARD & TAUPIN

GROUPE CPI

7982 – La Flèche (Sarthe), le 20-06-2001
Dépôt légal : juillet 2001

POCKET – 12, avenue d'Italie - 75627 Paris cedex 13
Tél. : 01.44.16.05.00